MENSAJES
del
ESPÍRITU

MENSAJES
del
ESPÍRITU

El extraordinario poder
de los oráculos, los presagios
y las señales

COLETTE BARON-REID

ARKANO BOOKS

Título original: *Messages from Spirit*

Traducción: Isabel Blanco González

© 2008, Colette Baron-Reid
Publicado originalmente en 2008 por Hay House Inc., EE.UU.

Publicado por acuerdo con Hay House UK Ltd, Astley House, 33 Notting Hill Gate, Londres W11 3JQ, Reino Unido
www.hayhouseradio.com

De la presente edición en castellano:
© Arkano Books, 2018
      Alquimia, 6 - 28933 Móstoles (Madrid) - España
      Tels.: 91 614 53 46 - 91 614 58 49
      www.alfaomega.es - E-mail: alfaomega@alfaomega.es

Primera edición: febrero de 2019

Depósito legal: M. 1.275-2019
I.S.B.N.: 978-84-15292-90-6

Impreso en España por: Artes Gráficas COFÁS, S.A. - Móstoles (Madrid)

Para Zigo y Eva
En recuerdo de todo lo que era bello y bueno

Índice

TERCERA PARTE
LA CAJA DE HERRAMIENTAS DIVINA DE LOS ORÁCULOS INTERACTIVOS

Prólogo

STE LIBRO PRETENDE ser un regalo. Quizá te parezca que viene envuelto en un papel extraño y decorado con un lazo complicado, pero si consigues desatarlo y retirar el arrugado envoltorio encontrarás un tesoro de belleza profunda que lanza destellos de esperanza y produce una sensación de maravilla milagrosa.

A mí me hicieron este regalo, y por eso quiero compartirlo contigo y que tú comprendas lo mismo que yo: que los milagros abundan por todas partes y que el Espíritu nos susurra mensajes de amor y consejos de Dios si estamos dispuestos a escucharlos. Escribí este libro con el objeto de ayudarte a recordar cómo iniciar esa conversación y cómo entender el lenguaje que el Espíritu ha utilizado desde el comienzo de los tiempos; se trata de una lengua que te enviará mensajes de amor capaces de ayudarte en tus viajes espirituales mientras vives en una forma humana.

Yo descubrí este lugar plagado de dones a través de una larga experiencia. Durante los últimos 20 años me he ganado la vida como *consejera intuitiva* y he accedido al mundo del Espíritu a través de mi sexto sentido, que he puesto al servicio de aquellos que me buscaban por mi clarividencia (mis habilidades intuitivas), objetividad y perspectiva. Como al princi-

pio era reacia a comprometerme a seguir lo que finalmente se
ha convertido en una profesión, evité anunciarme o promo-
cionarme de una forma u otra. En realidad solo aspiraba a ser
una artista musical, y me dedicaba a perseguir este sueño con
insistencia mientras me resistía y no obstante aceptaba hacer
lecturas de cartas para pagar las facturas. A pesar de ello mi
clientela fue creciendo gracias al boca a boca hasta atraer a
personas de 29 países distintos, y aunque mi carrera musical
como cantante me proporcionó un contrato de grabación con
el sello EMI, mi trabajo como intuitiva a su vez me llevó hasta
Hay House; y una vez allí, lo que comenzó con cierto escepticismo, miedo y resistencia por mi parte, acabó por expresarse
en esta obra con una mentalidad abierta e íntegra, rebosante
de fe y de pasión por lo que ahora sé que es mi verdadera vo-
cación.

Me llamo a mí misma *intuitiva* más que *psíquica* con el
objeto de lograr que la experiencia multisensorial que todos
nosotros compartimos resulte más aceptable y, con suerte, más
accesible para todos. Y por eso mismo me refiero a mi trabajo
o profesión como la de *médium intuitiva*. La llamo así porque
creo que lo que conocemos como *sobrenatural* o *paranormal* es
la consciencia inmortal que todos compartimos, a la que acce-
demos e interpretamos a través del sexto sentido. Y como llevo
20 años inmersa en este mundo, investigando tradiciones espirituales antiguas, estudiando chamanismo y psicología y leyendo cientos de libros, además de enseñar y llevar a cabo lecturas
para más de 40 000 personas, con frecuencia lo que he llegado
a saber y a experimentar desafía la aceptada ilusión de la separación.

También creo que lo que nosotros consideramos *sobrenatural* es solo otra vasta dimensión incomprendida a la que en
general nadie recurre, y que constituye un recurso que está al
alcance de todos nosotros de forma natural. Llegué a esta conclusión después de ver y comprobar experimental y coheren-

temente desde que era niña que el tiempo, el espacio y los límites de la consciencia no estaban restringidos de la manera que me habían enseñado. La vida y la muerte, la separación de la humanidad y la naturaleza, y el concepto de Dios como ser separado de nosotros son todas ideas que mi experiencia profesional y personal ha puesto en tela de juicio. Y aunque al principio yo me mostraba reacia a aceptar que todo esto fuera real y no simplemente algo que me había ocurrido a mí por casualidad, la repetición de esas evidencias me ha llevado a concluir que la realidad es mucho más rica de lo que podemos imaginar. Somos más de lo que sabemos o creemos ser, y lo mismo ocurre con el mundo natural.

A lo largo de los años, mientras afinaba mis propios sentidos para incluir a la naturaleza y a toda forma de vida como posible conducto para el diálogo con la guía Divina, he visto desplegarse milagros y sucesos asombrosos. Y conforme me volvía hacia el Espíritu en busca de guía y aprendía a discernir los mensajes que recibía, llegué a la convicción de que esta fuerza es inmanente y está en todas partes, siempre dispuesta a conversar con nosotros si de verdad queremos conocer la voluntad de lo Divino; solo tenemos que saber cómo leer las señales y distinguir la verdad de la fantasía.

Este libro te ofrece una forma de explorar ese mundo a través de historias y ejercicios interactivos. Espero que todo ello active en ti el recuerdo de tu propia alma inmortal, de aquellos tiempos en los que sabías que el Espíritu te hablaba desde las rocas y los árboles, los ríos y el mar, los pájaros y las criaturas de cuatro patas, todos juntos y al unísono. Y espero también que acabes por aceptar abiertamente que tus seres queridos siguen «viviendo», a pesar de haber dejado atrás sus cuerpos. Es mi deseo que este libro impulse a tu consciencia a despertar a la unidad dentro de la cual todos moramos, y a descubrir que la naturaleza es otro de los rostros de lo Divino, que no desea otra cosa que ser nuestro compañero.

Como el tema de los oráculos, presagios y señales como medios para acceder a una guía superior es tan amplio, hemos dividido el libro en tres partes diferentes, a pesar de que todas ellas se relacionan de alguna manera.

La primera sección está dedicada a las historias reales que hemos elegido para ilustrar el significado de los oráculos, presagios y señales. Yo creo que todas las experiencias de nuestra vida son herramientas de aprendizaje, y por eso cuento siempre mi propia historia; porque son estos sucesos personales los que me han llevado a investigar las maravillas que me rodean. Quiero llegar a una comprensión más profunda de su significado para todos nosotros, y los comparto con los lectores para que podáis meteros en mi piel y ver si llegáis a algún lugar significativo. Todas mis historias son auténticas y verdaderas, aunque he cambiado algunos nombres y reconstruido ciertos detalles para proteger la intimidad de algunas personas. Y cuando utilizo nombres reales, es siempre con permiso.

Además de estos relatos autobiográficos, la obra presenta también las historias de algunos de mis clientes y amigos. Conocerás a los interesantes personajes que me introdujeron por vez primera en el mundo del Espíritu, además de ciertas herramientas adivinatorias que te explicaré en las páginas que siguen. También te invitaré a explorar una nueva perspectiva acerca del papel que juegan tus animales de compañía, y cómo encajan en la conversación Divina.

La segunda parte explora la singular historia de la adivinación y de los métodos que utilizaban los antiguos para pedir la guía Divina, además de los orígenes de estas tradiciones espirituales. También comprenderás cómo han influido las viejas creencias religiosas en los actuales prejuicios culturales y el desprecio de los oráculos, presagios y señales. Quizá algunos de mis puntos de vista resulten controvertidos; dependerá de la opinión de cada cual. Mi meta, sin embargo, es la exploración en el contexto de un diálogo abierto; no establecer un dogma pasado de moda. Solo te pido que mantengas la mente abierta (y luego puedes tomar lo que te guste de esta obra y dejar atrás todo lo demás, si así lo prefieres).

La tercera parte está dedicada a ilustrar cómo te habla el Espíritu y cómo entablar una conversación con él. Además de multitud de historias, también explico en ella numerosas formas modernizadas de adivinación cuyo origen se remonta a los sistemas más antiguos para que tú las explores. Te sorprenderán. Encontrarás además una extensa guía de símbolos que te ayudará a comprender el lenguaje simbólico del Espíritu, de manera que puedas comenzar a experimentar esa parte tan extraordinaria de tu vida, largamente olvidada y ansiosa de que la recuerden.

Como despedida, le he pedido al Espíritu que me envíe hoy un mensaje que pueda compartir con todos vosotros como regalo de iniciación al mundo que os invito a explorar. A continuación me subo al coche y pongo la radio, y entonces mis sentidos se amplifican conforme me suben escalofríos por los brazos. La bella voz de una mujer canta solo para nosotros: *todos viajamos por un lugar en el que las maravillas jamás cesan.*

Que llegues a comprender la bendición que has recibido.

COLETTE BARON-REID

INTRODUCCIÓN

Mensajes del Espíritu

*H*OY HE IDO A LA PLAYA y he pedido un mensaje en relación con este libro. El proceso de escritura a lo largo del pasado año me ha proporcionado muchas respuestas, pero también otras tantas cuestiones más que explorar. Eso es bueno, y resulta de lo más revelador acerca de la auténtica esencia de esa aventura que es buscar la guía. De hecho, así es como se conecta con lo Divino. No se trata de un proceso estático y por definición limitado, sino de una conexión que está siempre evolucionando, igual que nosotros mismos.

Ya lo llamemos Espíritu, lo Divino o le demos cualquier otro nombre, esa consciencia emergente se revela a sí misma a nosotros y a través de nosotros de forma siempre cambiante, creando algo diferente de lo que era. El auténtico milagro se produce cuando reconocemos que esta consciencia está inherentemente presente en todas partes. El Espíritu nos habla a través de la naturaleza, de cada uno de nosotros y de todo ser vivo en un diálogo constante que jamás deja de fluir. El dominio de los oráculos, presagios y señales es solo una de las formas de explorar ese lenguaje, y se trata de un territorio de tremenda profundidad en su belleza y revelación.

Así que, ¿qué significa todo esto en el gran esquema de las cosas? ¿Qué estoy tratando de transmitirte al invitarte a explorar el territorio espiritual de los oráculos, presagios y señales? ¿Cómo puedo crear un camino al margen de la superstición, del miedo y de las malinterpretaciones, que tantos muros y barreras han levantado para separarnos de la verdad? Hay muchas complejidades, colores, formas y símbolos en este lenguaje, así que ¿cómo hacer de ellos una lengua sencilla?

Yo simplemente recito una oración; la única que de verdad ha recibido siempre respuesta y que es tan fácil como la misma pregunta planteada: «Por favor, Espíritu, ayúdame».

Hoy, mientras paseaba por el lago, permití que mi conciencia se expandiera e invité al mundo natural a ser el vehículo de la guía Divina. Para mí la playa es como un camino de oración; es donde encuentro muchas de las respuestas en lo que parece un simple paseo por la orilla.

Estar presente

Recibí mi primera señal conforme mi conciencia comenzó a enfocarse en el paseo mismo: sabía que me estaba diciendo que prestara atención y que fuera plenamente consciente del momento presente. Pero permitidme que me explique primero. Yo, por naturaleza, tomo siempre el mismo camino. Comienzo el paseo en el muelle de cemento, junto a la zona en la que está permitido soltar a los perros, en donde me paro para saludarlos a todos por su nombre (aunque la mayoría de las veces me olvido de los de sus dueños). Me estiro, me coloco de cara al Este y por lo general sonrío. Me quedo siempre un rato en el mismo sitio, digo mi plegaria y, a continuación, camino hacia el agua y sigo la línea de la playa durante casi un kilómetro hasta el muelle siguiente, esta vez construido con piedras naturales apiladas. Al llegar a este punto me giro y vuelvo.

¿Por qué pongo esto de relieve? Bueno, hay algunos días en los que en realidad no veo nada a mi alrededor. Estoy pensando

en otra cosa, o manteniendo una conversación en mi cabeza en
la que intento convencer a ciertas personas que ni siquiera saben que estoy tratando de solucionar un problema en relación
con ellas. Las distracciones no tardan en aparecer, incluso aunque comience orando con la frase: «¿Cuál es tu voluntad hoy
para mí?». A pesar de todo, acabo pensando en cosas como «¡Estoy tan asustada de que tal y tal dijeran *tal y cual!*», o bien «¡No
puedo *ni creer que costara tanto!*». En mi cerebro pensante, a
veces me creo que estoy detrás de las líneas enemigas donde
transcurre la acción y me pierdo las señales que aparecen porque no estoy presente en el aquí y ahora. Y cuando esto ocurre, mi
intuición no puede conectar con la *conciencia oracular*: la consciencia más alta, presente en cada uno de nosotros y que conoce el lenguaje de los presagios y de otras formas de guía Divina.

Aquí la clave es estar presente y ser consciente. En el aquí
y ahora reside el poder más grande que se pueda imaginar.

Mi siguiente señal me recordó los cambios siempre constantes y emergentes de mi vida, en perpetua evolución. Mientras caminaba me daba cuenta de lo diferentes que habían sido
las cosas el día anterior, en el momento de dar este mismo paseo. Entonces la playa estaba en silencio, y las olas lamían con
suavidad la orilla. Ahora eran grandes y poderosas, y desde el
fondo del lago traían consigo algas que arrojaban en la playa;
depositaban allí todo tipo de bienes para las gaviotas, patos y
cisnes. Mi perfume favorito, «L'eau de Poisson», invadía la brisa... y sí, ya sé que es un bonito nombre para eso que todos
conocemos como «huele a pescado». Pero a mí me decía que el
lago está vivo. No siempre el aire huele así, pero en ese momento sí y me encantaba.

Las piedras que había visto el día anterior tampoco eran las
mismas en las que me fijaba ahora. Las contemplé, tan bellas,
lisas y brillantes que lanzaban destellos como parpadeos en
medio de la arena. Jamás antes había visto semejantes reflejos.
A cada paso de mi camino advertía una diferencia notable.

¿Y no es así la vida entera? Nada permanece igual, por mucho que volvamos nuestros pasos atrás. Todo cambia, evoluciona y madura. La fuerza Divina presente en todas las cosas es constantemente creativa. Y todo emerge y fluye de un estado a otro.

Así es el impulso Divino: se crea a sí mismo de forma manifiesta, emergiendo y revelándose siempre como una consciencia que escribe y reescribe una y otra vez una historia nueva a partir de las viejas. Por mucho que cambie la trama, la esencia infinita que nos infunde la vida es el Espíritu. Formamos parte de todo este drama porque estamos hechos de Espíritu, como todo lo que se manifiesta en este mundo. Somos además los traductores de las primeras historias y los escritores de las nuevas, que a menudo tejemos tomando trozos prestados del pasado y alterándolos para ilustrar lo que existe en el presente.

Caminé un poco más, ya por fin claramente presente en el aquí y ahora, y contemplé el mundo que me rodeaba tratando de formar parte de él y sumergiéndome a mí misma en el interior de la consciencia. Y entonces, de pronto, algo blanco y brillante hundido en la arena captó mi atención.

Allí mismo, justo delante de mí, vi una pluma enorme enterrada a medias en la tierra mojada, a medias en la arena seca. Una tercera parte, la que formaba la base más ancha, era de un blanco puro y esponjoso como la nieve. A pesar de hallarse enterrada entre tanta humedad, sus pelillos blancos estaban limpios y secos, lo cual me parece extraño. Las otras dos terceras partes eran de un color marrón sucio, y estaban embadurnadas de densa arena mojada. Eso alteraba su forma y su color a partir del punto en el que la pluma surgía blanca de la tierra hasta el otro extremo, donde se retorcía y quedaba enterrada. Era como si algo tangible, completamente formado y más bien pesado, saliera de una nube informe y vaporosa.

El mensaje estaba muy claro: toda la vida es así. Esa esencia que nos permite volar; esas esponjosas plumas blancas protectoras de toda forma de vida son el Espíritu, sin el cual no habría vuelo posible. Y sin embargo el Espíritu solo puede planear a través del ala del pájaro, que es al mismo tiempo espiritual y material. Y esto es cierto para todos nosotros. Nosotros también formamos parte de la consciencia siempre emergente del Espíritu, que se expresa a sí mismo a través de nosotros.

HIJOS DE LO DIVINO

Me senté cómodamente en una roca y reflexioné sobre la forma natural de hallar una relación íntima con el Espíritu. ¿Cómo es que los oráculos, presagios y signos nos proporcionan un puente entre el mundo material y su esencia espiritual? Y entonces oí una voz en mi interior, que me decía: *Todos somos hijos e hijas de Dios.*

Si eso es verdad, entonces tiene que haber un Dios; una fuente detrás de todas nuestras versiones del Todopoderoso. Tratar de definir esa fuente es como intentar darle forma a algo que necesariamente tiene que evolucionar y emerger a través del poder de su propia falta de forma o informidad. Yo creo que la fuente es amor; que es luz. Y creo que la expresión de todas esas cosas es la compasión.

Pero hay muchas ideas y mitos diferentes acerca de Dios y de cómo tenemos que relacionarnos con Él o Ella; se trata de historias emergentes que evolucionan al mismo tiempo que *nosotros.* No obstante todas esas historias son rasgos externos, y si *comparamos* únicamente esos rasgos externos jamás seremos capaces de *identificarnos* con el impulso común que hay detrás. Estaremos condenados a luchar entre nosotros porque nuestra fe dependerá de nuestros hábitos, reglas, conceptos, dogmas e ideologías, que representarán nuestra versión religiosa de Dios o del Espíritu. Vistos todos esos elementos de una forma miope, solo servirán para separarnos como miembros de clubs re-

ligiosos distintos y exclusivos. Y sin embargo el Espíritu no
excluye ningún método de diálogo; siempre responde, le preguntemos como le preguntemos.

Hay una espiritualidad común detrás de todas estas diferencias externas. A través de nuestras diversas historias estamos
buscando la guía Divina. Necesitamos respuestas, y las queremos de una forma que nos resulte familiar, coherente y perfectamente medible para hacernos sentir seguros. Y no obstante
no hay ninguna forma que vaya a permanecer siempre igual; no
hay ninguna vía única por la que recibamos siempre la respuesta.
El diálogo Divino está constantemente cambiando y emergiendo, conforme crece la conciencia en nosotros. Las conversaciones con el Espíritu están inmersas en la actividad, rebosantes
de vida y de luz.

Todos nosotros luchamos con la misma dualidad del ego
que se interpone en el camino del alma: bondad frente a mal-
dad, correcto frente a incorrecto. Todos queremos las mismas
cosas: sobrevivir, mantener a salvo a nuestras familias, prosperar
y tener lo que nos corresponde, sea lo que sea. Queremos amar y
ser amados; ser felices y disfrutar de paz.

Anhelamos conocer la respuesta a preguntas como ¿quién
soy?, *¿cuál es mi propósito en la vida?, ¿por qué estoy aquí?, ¿cuál
es el sentido de la vida?, ¿quién es Dios?, ¿por qué he nacido?, ¿qué
pasará cuando muera?, ¿por qué tengo que sufrir, y cómo puedo
liberarme del sufrimiento?* Y cuando de verdad recibimos nuestro
mensaje del Espíritu, ¿cómo podemos saber que esa guía es la
auténtica? A pesar de escuchar, todavía tenemos que aprender
a diferenciar la voz del alma de la voz del ego. No importa de
qué manera describamos los detalles, los pasos a dar o la forma
del puente, aún tenemos que cruzarlo. En esencia estamos buscando una experiencia personal e íntima con lo Divino.

Muchas de las grandes tradiciones espirituales y de las enseñanzas de la sabiduría comienzan con una revelación mística
y personal de un individuo que responde a estas preguntas, ya

se trate de Jesús, Mahoma, Abraham, Zoroastro, Buda, Confucio, San Francisco de Asís, Martín Lutero, Santa Teresa de Ávila o cualquier otro. Exteriormente son todos diferentes en hábitos, formas y métodos, pero en esencia se trata de lo mismo, y todos ellos beben de la misma fuente.

SUMARSE A LA EXPLORACIÓN

Te invito a explorar eso que provoca nuestra indagación espiritual y representa la fuente de toda esa búsqueda. Y te aliento a hacerlo por medio del diálogo con la guía Divina, a través del puente que constituyen los oráculos, presagios y señales. El Espíritu infinito se revela a sí mismo a través de nosotros de muchas formas distintas, y por ello todos estos métodos y tradiciones son medios legítimos de experimentar la guía Divina.

Aunque intelectualmente jamás llegaremos a comprender de verdad quién o qué es Dios, no obstante podemos tener de Él una experiencia personal, poderosa y extraordinaria. En este libro se describen muchas formas de lograr esa conexión íntima con lo Divino, aunque no son los únicos métodos. Hay incontables medios y maneras de hacer las mismas preguntas desde que la humanidad comenzó a indagar por vez primera; las que he incluido aquí resultan interesantes, divertidas y seductoras, y lo mejor de todo: funcionan.

¿Importa la forma en que lleguemos? ¿No resulta increíble que el Espíritu nos proporcione su guía utilizando el mundo natural como medio a través del cual entablar el diálogo? ¿No es absolutamente fantástico y maravilloso que todos nosotros estemos conectados con la totalidad de la vida? ¿No es genial el simple hecho de que estemos aquí, de que seamos conscientes y capaces de formar parte de la danza infinita?

Por eso me quedé atónita y, tras pedir una señal, rogué humildemente: «Dios, ayúdame, por favor». Entonces vi la pluma y fue como si alguien la hubiera dejado directamente allí, en la playa, para mí.

Tras todas estas profundas reflexiones y revelaciones que surgieron durante el paseo, llegó la hora de volver a casa y de escribir esto para todos vosotros. Pero antes de subirme al coche, recibí otro mensaje.

Un hombre ya mayor y desaliñado, con la ropa sucia y el pelo enredado y apelmazado, se inclinaba sobre un contenedor de reciclaje, al borde de la playa. Notaba su olor a un metro de distancia; despedía un hedor a basura podrida y a sudor humano que parecía exhibir su decadencia a las claras ante mí. La peste era insoportable.

Al acercarme comprobé que él también estaba todo manchado, aunque no parecía en absoluto consciente de ello. Musitaba algo entre dientes, absorto en la búsqueda de latas de refresco que iba sacando del contenedor para aplastar con el pie. A continuación apiló las latas con meticulosidad una encima de otra a su lado. Tuve que pasar por delante de él y, conforme me acercaba a mi coche, me di cuenta de que mis sentidos volvían a amplificarse otra vez. Yo sabía que eso significaba que no estaba prestando atención pero, ¿a qué o quién?, ¿a ese viejo apestoso?

Al abrir la puerta del coche le oí gritar, alto y claro: «¡Todo encaja! ¡Todo es perfecto! ¡Perfecto! ¡Perfecto! ¡Él lo ha hecho así! ¡Lo ha hecho él! ¡Lo ha hecho él!».

Entré en el coche y entonces me acordé de una canción en la que no había pensado durante años y años. Era un himno que solíamos cantar en el coro de la iglesia cuando yo era pequeña:

Todo es brillante y bello,
tanto las criaturas grandes como las pequeñas;
todo es sabio y maravilloso,
porque nuestro Señor Dios lo hizo todo.

Me quedé sentada en el coche durante un rato, contemplando la playa y observando a aquel hombre alejarse mientras musitaba algo acerca de lo perfecto que era el mundo. Entonces alcé la vista hacia las nubes que comenzaban a formarse justo delante de mí, sobre la línea del horizonte en el agua. Era perfecto. Rayos de luz se derramaban a raudales y atravesaban las nubes como si se tratara de cortinas celestiales que los mismos ángeles descorrieran.

En ese momento me di cuenta de que las nubes estaban formando un enorme edificio con cúpulas y otras estructuras típicas de una catedral. ¡Por supuesto, se trataba de esto! ¡El mundo es el templo sagrado de lo Divino! Todos estamos hechos de Dios y del aliento Divino; la consciencia del Dios es el Espíritu, y está dentro de cada uno de nosotros. Toda vida puede utilizarse como medio de comunicación entre lo Divino y nosotros.

El Espíritu habla a través de toda la vida, y este libro te ayudará a unirte a la conversación.

Así que ven conmigo y contempla…
Lo bendecidos que estaremos todos… ya para siempre.

PRIMERA PARTE

Encuentros auténticos con el Espíritu

CAPÍTULO 1

Café, té y yo

EN MI CASA UNA TAZA de café turco era algo más que un simple café; era la puerta a otros mundos. Con una taza de café turco se podía adivinar lo desconocido; comprender el pasado; revelar el presente y apuntar hacia el futuro. Pero una noche, al final de una fiesta, y tras irse mi padre de la lengua mientras estaba en trance hablando de los amoríos secretos de los vecinos, mi madre le hizo prometer que jamás volvería a leer los posos. A partir de entonces solo tomaríamos una taza de café turco en ocasiones especiales, y jamás volveríamos a utilizarla más que como un simple café.

A pesar de todo, algún que otro domingo seguíamos dándole vueltas a aquel oscuro, rico y profundamente aromático café que rebosaba con su misterioso potencial en aquellas tazas diminutas con una hoja pintada en los bordes. Yo era todavía una niña, pero recuerdo que mi padre jamás perdió la curiosidad por los dibujos que dejaban los posos del café pegados a la taza, aunque nunca nos animó a aprender ese lenguaje de símbolos que nos conecta con el Espíritu y con esos recipientes mágicos. Yo lo aprendí mucho después, por mi cuenta, mientras me suspendían en la carrera de derecho y el resto de estudios académicos que mis padres eligieron para mí cuando era ya mayor y mucho más rebelde.

Aunque mi padre apenas hablaba de las tazas, un día, cuando yo tenía unos diez años, me dijo algo que recordaré toda mi vida. Yo le había preguntado cómo era posible que las tazas tuvieran tanto poder como para que mamá le pidiera que no volviera a leer los posos. Él me contestó que, en realidad, ni las tazas ni el café tenían poder alguno por sí mismos. Me dijo que la energía subyacía en la relación invisible entre el alma de quien bebía y los dibujos que dejaban los posos, que contaban una historia que esa alma ya conocía. Era la forma en que el alma le hablaba a los pensamientos de esa persona: a través de símbolos e imágenes que yo, con el tiempo, he llegado a comprender que constituyen el lenguaje del Espíritu.

Recuerdo que le pregunté por qué el alma tenía que hablarle a los pensamientos. Él me contestó que el alma inmortal de la persona lo sabía todo, pero su mente mortal no. Y al llegar a ese punto, lo recuerdo muy bien, se pasó un buen rato filosofando acerca de la muerte y la inmortalidad; discurso que yo escuché solo a medias porque estaba observando a Linus, uno de mis gerbilinos, que se había escapado y en ese momento deambulaba justo por el respaldo de la silla de mi padre. Recuerdo sin embargo que le escuchaba con mucha atención cuando dijo que en la vida, lo más importante era unir esas dos partes de la persona de forma que el individuo pudiera experimentar la paz y ser consciente de Dios. ¡Menuda revelación para una niña, tan simple y al mismo tiempo tan profunda! (Y por supuesto, eso es exactamente lo que pienso hoy en día). Guardé aquellas palabras en un lugar muy especial de mi corazón y de mi memoria, aunque realmente en aquel momento no las comprendí; sí sentí, no obstante, que algún día todo me sería revelado.

Por aquel entonces a mi madre no parecían gustarle los oráculos, pero mi padre y sus posos del café no eran los únicos espíritus mensajeros a los que tuvo que enfrentarse en nuestra casa. Permitidme que os presente a la señora Kelly y sus cartas oráculo. Ella fue, junto con mi padre, la influencia más fuerte en mi vida en lo que respecta al Espíritu, y todavía hoy oigo el eco de sus sabias palabras.

LOS ORÁCULOS DE NANNY

La señora Kelly era escocesa y contaba ya setenta y muchos años cuando vino a nuestra casa para servir de niñera. Era una mujer excéntrica, repleta de contradicciones y sorpresas, además de psíquica y espiritista, y sentía una fuerte afición por las carreras de caballos. Se había abierto camino en el mundo trabajando de niñera, apostando en los hipódromos y manteniendo charlas con los muertos. (¡Escuchaba sus conversaciones con la esperanza de que le revelaran a qué caballo apostar!) Os la presenté brevemente en mi primer libro, *Remembering the Future*, pero ahora me gustaría extenderme un poco más debido a la importancia que tuvo en mi vida en lo referente a mi iniciación en el mundo de los oráculos, presagios y señales.

La recuerdo perfectamente. Era bajita y delgadita, y tenía unos legañosos ojos de color azul oscuro y la piel blanca y arrugada típica de una anciana escocesa. Me acuerdo de que llevaba el pelo blanco, plateado y rizado, sujeto muy tirante detrás de las orejas, pero los mechones se le escapaban por todas partes al estilo de Einstein. Su dentadura, amarillenta y gris por la edad, parecía abalanzarse hacia delante como si no tuviera espacio suficiente en la boca. Las pinceladas de lápiz de labios rosa chillón, que se confundían con las múltiples arrugas de sus labios fruncidos, parecían resaltar siempre sus rasgos menos atractivos. Era una mujer extraña, pero a mí me fascinaba; sobre todo cuando sacaba una baraja de cartas normal y corriente, a la que ella misma se refería como «mi oráculo especial». Entonces nos sentábamos en la mesa de la cocina, y la señora Kelly miraba fijamente con sus ojos vidriosos el despliegue de cartas sobre el paño de encaje antiguo que mi madre había traído desde Alemania hasta nuestra casa, en Canadá. Y luego la señora Kelly alzaba un poco la vista hacia el aire, por encima de las cartas, como si estuviera viendo algo flotar justo allí.

A continuación se ponía a divagar con su fuerte acento escocés que, como mínimo, resultaba difícil de entender. En aquellos instantes comprender lo que decía resultaba todavía más complicado, porque la señora Kelly tenía por costumbre croar como una rana entre aliento y aliento. Yo oía algo así como fragmentos de oraciones, así que me quedaba sentada muy calladita, sin delatar la menor inquietud. No me atrevía a interrumpir una conversación con Dios, a pesar de esperar ansiosamente el té con galletas que venía después. La señora Kelly seguía mirando alternativa y fijamente las cartas y el objeto misterioso que flotaba en el aire justo encima hasta que por fin, tras un buen rato, hallaba el ritmo adecuado. Yo mientras tanto trazaba con el dedo los dibujos del encaje y la escuchaba contarme cosas que no tendrían ningún sentido para mí hasta 30 o 40 años después. Y aunque todo esto ocurrió por primera vez cuando yo tenía solo cinco años, recuerdo vívidamente los dones que ella me legó.

Valiéndose de las cartas como herramienta y como oráculo, la señora Kelly hacía una cosa que la mayoría de los adultos jamás hacen: me distraía y me hacía olvidarme de las galletas prometidas. Porque en lugar de pensar en ellas, yo me sentía cautivada por la forma en que cambiaban sus ojos; como si estuvieran mirando hacia su interior y, al mismo tiempo, muy, muy lejos. También me sentía hipnotizada por sus alteraciones físicas: sus rasgos se suavizaban, como si los huesos de su rostro adquirieran otra forma, más bella. Sus manos de venas azules, por lo general retorcidas y dobladas por la artritis, mostraban una asombrosa flexibilidad juvenil cuando, sin el menor esfuerzo, barajaba las cartas. Hoy sé que era testigo de algo que en aquel entonces, con la sensibilidad de una niña de cinco años, era incapaz de comprender: estaba viendo cómo el Espíritu alteraba los rasgos de una anciana en el momento de expresar una visión intuitiva.

Cuando la señora Kelly leía las cartas, yo sentía que toda la cocina vibraba y cobraba vida con un nuevo tipo de energía. Mis sentidos se enfocaban y amplificaban conforme la oía contarme mi propia historia. En aquel momento sus palabras no tenían ningún sentido para mí, pero yo sabía que todas y cada una de ellas eran importantes. Era como si estuviera oyendo contar mi propia historia desde «otro» punto de vista. Yo entonces no comprendía que estaba experimentando sus afirmaciones a través de la *clariviaudiencia*; un sentido amplificado del oído que se produce cuando recibimos mensajes del Espíritu. Ni siquiera sabía intelectualmente ni era consciente de que todo aquello tenía un significado más profundo. Solo *sabía* que estaba experimentando algo muy antiguo en mi interior; algo mucho más antiguo y sabio que yo en aquella época. Se trataba realmente de otro tipo de conocimiento, porque estaba escuchando a la conciencia del Espíritu de mi interior.

Mucho antes de ser consciente de mis propios dones intuitivos, tuve la suerte de conocer una sabiduría del Espíritu que me fue confiada a través de aquella mujer, realmente dotada. Sus profecías para mí, que realizó en muchas y diversas ocasiones, tardaron años en manifestarse, pero yo solo me acordaba de ellas una vez cumplidas. Y sin embargo, cada vez que alguna cobraba vida, me parecía como si aquella misma «consciencia más antigua» despertara y me hablara. En cuanto me ocurría algo, enseguida me decía: «¡Madre de Dios, ya me lo *dijo la señora Kelly! ¡Guau!*». A veces incluso oía su voz en algún lugar distante de mi mente. (A continuación, cuando leas la lista que sigue, imagínate que estás oyendo de verdad a una anciana con un fuerte acento escocés).

- «Tú tienes la Visión».
- «Hay música a tu alrededor».

- «Te subirás a los escenarios de todo el mundo».
- «Tu propósito en la vida es ayudar a muchas personas de una forma bastante poco corriente».
- «No olvides jamás que lo que te hace diferente de los demás es un don».
- «Tienes una afinidad especial con los animales, y ellos contigo».
- «Amarás la vida, y la vida te corresponderá y te amará a ti».

Estas afirmaciones no significaron nada para mí la primera vez que las oí. Imagínate a mi joven cerebro, tratando de comprender la frase «ayudar a muchas personas de una forma bastante poco corriente». A esa edad solo significaba salir al patio con un amigo a buscar gusanos después de una llovizna; te lo aseguro. Exacto: íbamos a por la cosecha de gusanos. Y en cuanto a lo de la música, es cierto que me encantaba, pero no sabía qué era un «escenario». Por otra parte yo daba clases de aporreo del xilofón justo antes de la siesta cuando iba al jardín de infancia, así que supuse que se refería a eso.

La palabra *afinidad* era extraña, y esa era precisamente la razón por la cual la recordaba, aunque yo creía que tenía algo que ver con un barco[1]. También sabía que me encantaban los animales, porque siempre andaban a mi alrededor. Nuestro *golden retriever*, Rascal, tuvo una camada de cachorritos, y también teníamos una cotorra que se llamaba Schnookyputz. Luego estaba la cobaya; no me acuerdo de su nombre, pero siempre asomaba la cabeza por uno de los bolsillos del delantal de mi madre. El ratón Mickey viajaba siempre en el otro. Y por último estaban los amiguitos magníficos del jardín, algunos de los cuales, según mi madre, eran imaginarios. Así que cuando la señora Kelly me hablaba de mi vida, aquel inocente punto de

---

[1] La palabra *kinship*, afinidad, en inglés, está compuesta por el sufijo *ship* que, además, significa *barco*. *(N. del T.)*

vista de una niña de cinco años era todavía bastante limitado. Y, no obstante, sí veía todas esas cosas que tanta influencia han tenido en mi vida adulta.

MI MADRE

A regañadientes le permitía mi madre a la señora Kelly utilizar el salón para leer las cartas oráculo a sus clientas mientras ella salía con mi padre. Toleraba los «tea parties» de la señora Kelly porque, como niñera, era una persona muy estricta, que sabía imponer la disciplina y hacía muy sencilla la vida familiar. A decir verdad, aunque mi madre jamás lo habría admitido entonces, a ella también le gustaba que le echaran las cartas. En realidad le encantaba, pero no quería que un miembro de su propia familia se comunicara con el Espíritu.

Sé que a mi madre le preocupaban profundamente mis dones intuitivos. Tuve pesadillas recurrentes de los tres a los cinco años, momento en el cual esos malos sueños se poblaron de detalles reales de hechos acaecidos durante la vida de mi madre antes de venir a vivir a Canadá, mucho antes de que yo naciera. Mis sueños se entrometían en su seguridad, tan duramente alcanzada, y en su nueva identidad. (Hablo de ello más extensamente en mi primer libro, *Remembering the Future*). Mi madre ocultaba el hecho de que era la hija de un judío muerto en Dachau, y de que había experimentado en carne propia las atrocidades de la guerra en Berlín. ¿Cómo era posible que yo, una niña pequeña criada como cristiana en la seguridad del nuevo mundo, sin conocimiento alguno acerca de la guerra o de los lazos que unían a mi madre con el Holocausto, pudiera soñar con semejantes detalles, tan reales e íntimos? Mi madre quería protegerme de los demás y de mí misma... pero también quería protegerse a sí misma de mí. Demasiados secretos que proteger de la intrusiva visión de su pequeña.

A duras penas toleraba mi madre las cartas oráculo de la señora Kelly, capaces también de hablar del pasado y de descubrir secretos que ella misma prefería olvidar. Por el contrario, las revelaciones acerca de la seguridad del presente y del futuro eran temas aceptables; el pasado estaba prohibido.

LA VIDA CON LA SEÑORA KELLY

También el carácter de la señora Kelly resultaba a veces difícil de comprender. ¡Era tan estricta, y sus reglas y órdenes eran tantas! Yo siempre me iba a la cama a la hora exacta, y debía dejar el plato de la cena tan limpio, que tenían que verse las rosas pintadas en la porcelana incluso aunque detestara la asquerosa empanada de carne con patatas que me habían servido. Por otra parte, sin embargo, la señora Kelly siempre me aseguraba que las hadas del jardín no eran solo fruto de mi imaginación, alentando de este modo a mi joven mente a abrazar semejantes misterios. Pero inmediatamente después se daba la vuelta y profería una orden. A su manera, la señora Kelly instauró en mí valiosas lecciones en relación con el camino de la lectura del oráculo; porque en el mundo espiritual no se admiten excusas a la hora de romper las reglas.

No obstante la señora Kelly era un ser humano como todos los demás, y tal y como he dicho le gustaba apostar. Estaba convencida de poder adivinar el caballo vencedor en sus charlas con los muertos. Jamás ganó mucho dinero, pero no sé cómo encajaba ella un hecho tan palmario en el esquema de su pensamiento. Era dura de oído, así que supongo que esa era la causa principal a la que achacaba sus fallos. «¡Ay, Dios mío, pero si resulta que los espíritus dijeron '*Vanilla Bean*' en lugar de '*Manila Dream*'!». Ganara o perdiera, le gustaba tanto apostar como echarle las cartas a cualquiera que necesitara una guía o quisiera darse el capricho de curiosear los secretos prohibidos de algún parroquiano.

A veces los domingos, mientras mis padres iban de visita a casa de amigos, yo iba a la iglesia con la señora Kelly. A mí no me importaba; al revés, me encantaba. Allá se sentaba ella con otro par de ancianas de cabello color azul violeta, todas bien juntitas, con sus cómicos y gigantescos sombreros y sus guantes blancos, en piadosa y solemne solidaridad. Luego las invitaba a venir a casa, y entonces era cuando empezaba la fiesta. Se trataba de un *tea party*, sí, pero a esa reunión asistían todo tipo de «espíritus» dominicales. Las damas se sentaban alrededor de la mesa de la cocina y empezaban a cotorrear con expectación hasta que la señora Kelly croaba unas cuantas veces. ¡Pobrecilla, no podía evitarlo! Y sin embargo eso le confería un aire de extraña y misteriosa autoridad. A mí me echaba de la cocina, pero yo siempre miraba a hurtadillas desde detrás de la puerta.

La señora Kelly consultaba las cartas y proporcionaba una importante visión a sus amigas justo en el momento indicado. Las carreras, por supuesto, formaban parte del ritual. Fuera como fuera, tras una hora hablando en susurros y lanzándose miradas cómplices, sus estados de humor invariablemente levitaban al unísono con el tono de la cháchara, lo cual significaba que había llegado la hora de tomar el té. Y era entonces cuando yo oía mi nombre pronunciado en un tono severo y estridente, con acento escocés. La señora Kelly había descubierto que faltaban las galletas. Y por mucho que yo intentara convencerla, jamás creía que «habían venido los espíritus y se las habían comido». ¡Ups! Mirándolo en retrospectiva, creo que debería haber culpado a las hadas.

Yo adoraba a la señora Kelly, pero ahora, al volver la vista atrás, me doy cuenta de que en realidad sabía muy poco de ella. Sí sé, sin embargo, que tuvo un fuerte impacto en mí. Los momentos en los que ejercía como mi *mensajera oracular* eran inconfundibles y, en el fondo, inolvidables, por mucho que el tiempo los relegara a rincones «oscuros» de mi mente. Hace muy poco tiempo que he comenzado a tratar de explicarme a

mí misma estos episodios, al tiempo que sigo las huellas de los
recuerdos de mis experiencias con el Espíritu.

No basta con aproximarse

Por fin un día dejaron de ser necesarios los servicios de la
señora Kelly en nuestra casa. No por ello rompimos nuestra
relación, tan especial. La señora Kelly siguió echándome las
cartas durante largos años, hasta mucho después de abandonar
nuestra casa. La última vez, que yo recuerde, tenía 14 años y
estaba a punto de marcharme con mis padres a Europa a pasar
el verano. Me describió a mi futuro marido y me dio todo tipo
de detalles acerca del día de la boda.

La señora Kelly me dijo que la familia de mi marido procedía de un país de habla germana, pero que vivían en un lugar
exótico. Afirmó que su voz me convencería de que estaba hecho para mí, y que tendría unos penetrantes ojos verde azulados como dos océanos. Incluso me contó que tocaba en una
banda de rock, lo cual me pareció la bomba. Yo esperaba conocerlo a los 18, casarme, y vivir feliz para siempre. Pero la señora Kelly había olvidado mencionar que no lo conocería hasta
los 44. O puede que lo dijera, y que yo olvidara ese detalle.
¡Después de todo hablaba de matrimonio! ¡Con una estrella de
rock! ¡De ojos increíbles!

Y esto es lo que yo me inventé a partir de esos datos: me
encontraría con mi marido a la vuelta de la esquina, tendríamos seis niños magníficos, tres coches y mucho dinero. Y entonces me convertiría yo también en estrella del rock y tendríamos más hijos y más dinero, y viviríamos felices para
siempre en otra galaxia a la que mis padres no podrían venir
a visitarme. Naturalmente, ella no dijo nada de esto último,
pero es que yo tengo una gran imaginación. Esto demuestra
lo importante que es discernir exactamente lo que estás escu-

chando durante una lectura del oráculo; porque creo que yo, más que leer, soñaba.

De hecho aquel verano tuve lo que podríamos considerar mi primer romance adolescente con un chico noruego. Él y su familia vinieron de vacaciones al mismo pueblecito turístico que nosotros, en la rocosa costa croata de la antigua Yugoslavia. Me acuerdo perfectamente de él. Tenía los ojos de un color azul pálido, y el pelo como las espigas de trigo recién germinadas. Su piel había adquirido un bonito color caramelo, en contraste con el crudo blanco escandinavo. En resumen: ¡era el chico más mono que había visto nunca!

Nos cogíamos de la mano e intercambiábamos besos inocentes. Yo entonces era terriblemente tímida, (¿quién lo habría dicho?), igual que él. Él sabía poco inglés y yo nada de noruego, pero sí logré enterarme de que tocaba en una banda de rock en Oslo que se reunía en el garaje de sus padres. Quería que yo fuera a verlo el verano siguiente.

Pues bien: no todos estos detalles encajaban a la perfección en el mensaje oracular de la señora Kelly, pero se aproximaban bastante. Para mí Noruega era un lugar exótico, y su acento me sonaba a alemán. Y aunque no veía nada de verde en sus ojos, me conformaba con el hecho de que fuera rubio y cantara en una banda de rock. ¡Era genial! Además Noruega estaba bastante lejos de la casa de mis padres. Así que hice lo que hacemos casi todos: amoldar el mensaje oracular para que encajara con la medida y forma de mis deseos.

En aquel entonces mi mente adolescente no era capaz de ver más que unos pocos años por delante, así que yo estaba segura de que mi amorcito noruego era el definitivo. Estuvimos escribiéndonos durante unos cuantos meses, declarándonos nuestro mutuo y eterno amor; pero al final nos ganó la distancia, y nos olvidamos el uno del otro con facilidad, conforme nuestras vidas se desenvolvían a orillas opuestas del océano. ¡Valiente presagio de amor!

Cuando nos conocimos, yo estaba convencida de que él era el marido que la señora Kelly me había anunciado. Muchas de las cosas que me había dicho guardaban cierto parecido con él. Pero jamás se produjo esa sensación de «¡Ajá!», ni se amplificó ninguno de mis sentidos comunes y corrientes a través del sexto sentido. Yo racionalicé nuestro encuentro, en lugar de vivirlo con la familiaridad de la sabiduría interior que nos proporciona la consciencia más alta. (Y este es uno de los detalles que podrás aprender en este libro).

Naturalmente aquel chico no fue «El Elegido». Y en mi mente adolescente aquello sonó a la mayor tragedia que se pueda imaginar.

MEJOR UNO QUE NINGUNO

Mi auténtica experiencia de dicho mensaje oracular ocurrió exactamente 30 años más tarde. Conocí a mi marido, Marc, a través de Internet, y oí su cálida y amigable voz por teléfono antes de encontrarnos en persona. Yo supe al instante que él era «El Elegido». Escuchar su voz me trasladó intuitivamente a la más dulce percepción interior de la consciencia; era como llegar a casa, a un lugar de mi interior al que siempre había querido ir, pero en el que jamás había estado. Nunca había tenido una sensación semejante al conocer a nadie; estaba realmente nerviosa y tranquila a la vez. «¡Dios mío, allá vamos!», pensaba.

En nuestra primera cita, Marc me contó algunas cosas interesantes que me devolvieron una vez más aquella altísima sensibilidad que había experimentado al escuchar a la señora Kelly relatarme mi destino. Y cuando comenzó a hablar de sí mismo, sentí incluso la presencia de mi Nanny.

Durante algunos años Marc había formado parte de una banda de rock canadiense que logró alcanzar su minuto de fama. Eso me llamó extraordinariamente la atención, porque yo conocía al grupo y me sabía de memoria la letra de su primer éxito en la radio, de finales de los ochenta. Su padre era holandés (lo cual sonaba a alemán), pero él se había criado en Indonesia. Su familia había vivido también en Pakistán durante un par de años, cuando él era pequeño. Definitivamente todos esos sitios sonaban exóticos. Y daba la casualidad de que tenía unos ojos verde azulados increíblemente penetrantes, y su pelo, del color del trigo maduro, se teñía de rubio en verano. En resumen; encima era la mar de guapo. Yo apenas podía respirar cuando nos encontramos por primera vez en el Starbucks.

Una mañana, justo un mes y un día después de conocernos, Marc me pidió que le hiciera una lectura. Yo adoraba las cartas oráculo y tenía una estantería llena de barajas de todo tipo, así que saqué mi tarot favorito: el universal de Waite. Tenía miedo de espantarlo si me servía únicamente de mis dones; al menos con las cartas u otras herramientas parece como si fueran ellas las que transmiten el mensaje. Yo creo que a veces la gente se siente más cómoda preguntándome qué veo en las cartas; es más fácil que reconocer que soy capaz de leer en medio del vacío, con solo aire a mi alrededor. En cualquier caso las herramientas también funcionan, y son divertidas de utilizar cuando hablas con el Espíritu.

Así que Marc barajó las cartas y extrajo 21. El mensaje era tan inconfundible, que no podía revelárselo. Fundamentalmente venía a decir que él y yo estaríamos unidos para siempre, que tendríamos una casa, trabajaríamos juntos, nos enamoraríamos, nos casaríamos, viajaríamos por todo el mundo y viviríamos felices en plena madurez espiritual. ¡Sí! ¡Dios mío!

¿Cómo iba a decirle una cosa así? Llevábamos saliendo solo un mes, y los dos habíamos afirmado rotundamente que jamás volveríamos a casarnos (ambos habíamos sufrido un desastre de matrimonio anterior). Creo que en realidad en eso yo me engañaba, pero él lo decía muy en serio. Desde el principio dejó bien claro que no pensaba quedarse en Toronto. Había vivido en Los Ángeles unos cuantos años, y estaba decidido a mudarse de vuelta allí para hacer realidad su sueño de convertirse en guionista. Aquel día su pregunta era si iba a tener éxito en su carrera.

Decidí no contarle lo que veía porque sentí que el mensaje lo espantaría. Así que le dije que todo le iría realmente bien; que no tendría grandes preocupaciones en la vida; y que me parecía que aquella mañana las cartas no estaban muy dispuestas a dar detalles. Creo de verdad que el Espíritu me mandó una visión del futuro para que la recordara en momentos como aquel, en los que inevitablemente me dejaba llevar por mi inseguridad femenina. Y cuando recogí las cartas noté cómo se amplificaban mis sentidos, dando paso a otro conocimiento. Dejé que mi consciencia reflexionara acerca del mensaje, lo relegué a un lugar seguro de la memoria, y a continuación pregunté: «Bueno, ¿vamos a desayunar?».

Tuve que esperar seis meses hasta que Marc descubrió que confiaba plenamente en nosotros como pareja. ¡Y luego hablan de paciencia! El oráculo es una prueba de fe, y por eso aquellos seis meses resultaron una tortura. Me sentí otra vez como una niña, arrancando obsesivamente pétalos a las flores: me quiere; no me quiere; tiene que quererme; no, no tiene por qué; él es «El Elegido»; quizá, solo quizá; ¡por favor, que lo sea!... y así hasta la náusea. ¡Vaya con eso de «me olvido y lo dejo todo en manos de Dios»! Este es un ejemplo evidente de apego emocional al mensaje y a un resultado que todavía tiene que ocurrir. Después de todo, quedarse mirando la tetera no hará cocer antes el agua.

Al final aprendí la lección más importante: que tengo que aunar la intuición con la fe, y rendirme ante lo que sea que el Espíritu quiere que descubra y haga. Aprendí a aceptar a las personas tal y como son, y a seguir rindiéndome ante su derecho a elegir. Aprendí también a soltar los deseos de mi ego y su egocéntrico miedo. No hace falta decir que Marc no se mudó a Los Ángeles. Arranqué el pétalo correcto de la margarita: me quería.

El nuestro es un amor verdaderamente profundo. La verdad es que jamás me había gustado ningún hombre tanto como él. Le admiro y respeto, y nunca nos dirigimos palabras injuriosas. Él me inspira y me hace reír. Cuando nos casamos, nos juramos que el divorcio jamás sería una opción. Nuestro hogar está allá donde vamos, cualquiera que sea el lugar, siempre que estemos juntos. La señora Kelly tenía razón, a pesar de que su anuncio llegó con 30 años de retraso. Pero la espera mereció la pena.

PREDICCIONES, FUTUROS PROBABLES, Y EL PODER DEL AHORA

He aquí una cuestión crucial sobre las predicciones: las basamos y vemos todas desde el ahora. Es como observar cómo alguien planta una semilla y al mismo tiempo saber si unos gusanos asesinos de viaje por la China se comerán de paso los brotes hacia el día tal o cual; o si la tierra será rica y las semillas germinarán y florecerán en una explosión fabulosa. Dicho esto, conocer el resultado final no te garantiza los pasos a dar; las cosas pueden cambiar. Todavía tienes que vivir en directo las experiencias que se te presentan por el camino hacia tu destino, que es precisamente la forma de llegar. El auténtico trabajo del alma se desarrolla siempre en el presente.

Las predicciones no son sino hitos en el camino que señalan aquellos acontecimientos situados allí potencialmente por el Destino; solo descubres si son correctos al llegar. La guía Divina te muestra la siguiente acción correcta a lo largo del camino, pero cada instante es un paso hacia tu destino. Aun así, recibimos la noticia de ese hito por alguna razón, y saber qué significa puede jugar un papel muy importante en el proceso de autodescubrimiento.

SEGUIR MI CAMINO

La verdad es que hace poco, antes de conocer a Marc, intercambié una lectura con una psíquica muy respetada de Toronto llamada Kim White. No se parecía en nada a la señora Kelly: Kim es una bella mujer que pasa de los cuarenta, y sin embargo sigue resultando tan impresionante como cuando era modelo en París, hará unos veinte años. Es una mujer profundamente espiritual, de infalible integridad. Aunque ambas tenemos conceptos muy diferentes de nuestro trabajo, su perspectiva fresca y sincera era exactamente lo que necesitaba. Yo jamás me hago más de una lectura al año por razones que explicaré más adelante, pero en esa ocasión decidí que fuera Kim mi testigo. Me hallaba en un momento de transición y quería saber qué me tenía preparado el Espíritu, aunque por otro lado tenía planes bastante concretos, y mi ego mostraba fuertemente su apego a hacerse pasar por mi alma.

Kim utilizó las cartas oráculo y rezó para pedir la guía antes de empezar. Comenzó mencionando con mucha exactitud ciertos hechos de mi pasado, lo cual, según mi parecer, establece firmemente la propia credibilidad. Y luego preguntó: «¿Quién es Marc?». Yo me puse de inmediato muy nerviosa, porque me gustaba un chico que se llamaba Michael. Le dije que la letra M era correcta, pero el nombre no. Kim insistió en que se llamaba Marc y no Michael, pero al final capituló ante la arrogancia y la inflexibilidad de mi argumentación. Entonces procedió a enumerar todas las cualidades de dicho hombre, que se parecían mucho a las del chico por el cual yo me interesaba, aunque no eran las mismas. ¡Oh, Dios!, yo estaba decidida a que Michael fuera «El Elegido», y lo que ella dijo se acercaba bastante. Ni que decir tiene que el romance con Michael no se produjo, por mucho que yo me empeñara en que la predicción encajara. Me negué a escuchar a mi propia intuición, que trataba desesperadamente de hacerse oír por encima

del estruendo de mis deseos: esos que gritan la letra de la canción *Mi camino*.

Tras rendirme finalmente a la guía del Espíritu, aprendí
ciertas lecciones vitales extremadamente importantes y tuve la
oportunidad de ver en profundidad algunas de mis heridas que
todavía no habían sanado. Así que de hecho la lectura del oráculo constituyó todo un catalizador del dolor, pero también de la
necesaria reflexión y curación.

Logré soltarlo todo, entregándoselo al Espíritu con desapego. Entonces, un año después de que mi ego agarrara la lectura
e hiciera malabarismos con ella en lugar de intentar entender
lo que el Espíritu tenía en mente, Marc entró en escena: justo
como había predicho Kim. La señora Kelly y Kim White habían
visto lo mismo, con 40 años de intervalo de diferencia. Pero lo
más importante de todo este asunto no fue el lado romántico
de la historia, sino la lección espiritual y de crecimiento personal que Marc y yo convergimos al unísono en explorar.

Es muy fácil perderse en la forma que adoptan las lecciones, en lugar de buscar en ellas un significado más hondo y de
penetrar en las profundidades que nos invitan a experimentar.
La señora Kelly me lo dijo muchas veces, pero yo era demasiado inmadura para comprender la inmensa sabiduría que se vis-
lumbraba tras las puertas que ella abría cuando leía las cartas.
Pero, una vez alcanzada la madurez y a pesar de todos mis conocimientos, me sigo dejando enredar por el deseo de un resultado final concreto, que necesariamente tiene que eludirme.

A lo largo de los años, conforme comprobaba que cada una
de las experiencias que la señora Kelly predecía se convertía
para mí en una lección imprescindible que aprender, me acordaba también de que al oírlas al principio no las comprendía.
Y no obstante sí recuerdo las sensaciones intuitivas que me
producían. Así es como se experimentan los oráculos; siguen
desenvolviéndose en nuestro interior mucho después de que el
mensaje sea plantado en nuestra conciencia.

Yo le había permitido a la señora Kelly entrar a conocer mi historia, y el recuerdo de sus palabras supuso un gran consuelo para mí cuando más lo necesitaba. En los momentos más oscuros de mi vida, siempre me acordaba de cómo sonaba su fuerte acento escocés, sobre todo cuando se quedaba mirando fijamente las cartas y después apartaba la vista. Yo entonces no sabía que estaba hablando de mi vida futura... creía que practicaba para recitar un triste poema:

- «Pensarás que te han vencido, pero triunfarás».
- «Entrarás en lugares oscuros, pero los ángeles te acompañarán».
- «Jamás perderás la luz».
- «Cuidado con la bebida; te producirá tristeza. Muchísima tristeza».
- «Correrá un río de lágrimas que te lavará y te dejará limpia y pura».
- «Todo irá bien».
- «Jesús te quiere».
- «Dios te quiere».

Cada vez que me encontraba a mí misma al término de otra aventura amorosa fallida, de repente me acordaba de unas frases de una lectura que me habían sonado extrañas cuando era niña:

- «Muchos hombres te querrán y no te querrán».
- «Serás feliz más tarde, pero la paciencia te resultará difícil de alcanzar».
- «Encontrarás el verdadero amor».
- «Paciencia, pequeña».
- «Paciencia...».

Cuando comencé mi carrera como intuitiva, me acordé con claridad de una conversación secreta que mantuvieron la señora Kelly y mi madre mientras yo escuchaba detrás de la puerta del comedor. «Tu pequeña tiene la visión», dijo la señora Kelly. «Tú lo sabes muy bien... la tiene».

A lo cual mi madre contestó: «¡Shh!, cállate. No nos hace ninguna falta. Es solo su imaginación; tiene una imaginación desbordante».

A pesar de todo, la señora Kelly me lo repitió personalmente: «Tú tienes la visión. Tienes la visión, pero faltan todavía muchos años para que puedas ver realmente». «Fantástico, entonces no necesitaré gafas como el resto de la familia», pensé yo. Esas eran las grandes sensateces que profería la infantil, curiosa y estruendosa mente de una niña.

Todo aquello fue cobrando sentido poco a poco, a lo largo del tiempo. En mi primer libro, *Remembering the Future*, escribí largo y tendido acerca de los primeros años de mi vida, cuando luchaba contra la adicción y el alcoholismo y sufrí la consiguiente violación en pandilla, mientras por otra parte mis habilidades como intuitiva se convertían en una carga; mi sueño de ser cantante se venía abajo; y mis relaciones personales fallaban una tras otra. Entonces llegó el bendito momento de la rendición y del despertar espiritual, seguido de la gracia de una sobriedad regular y continua; una vuelta con éxito a la música; y un trabajo como consejera intuitiva. Y este último paso es el que me ha traído hoy hasta aquí, donde estoy ahora, incluyendo mi relación con Marc y con Hay House. Pero en este libro no voy a hablar de nada de eso; en esta obra pretendo explicar cómo fueron vistos todos esos hechos años antes a través de las señales, presagios y mensajes oraculares. Porque hacía años que la señora Kelly me había entregado el mapa confeccionado por el mismo Espíritu para enseñarme mi ruta.

EL ESPÍRITU ME ENVÍA UN MAPA

Ahora me doy cuenta de que a pesar de tener cinco años y de carecer del entendimiento propio de la madurez, yo tomé ese mapa que me dio la señora Kelly y lo guardé a salvo en algún lugar de mi alma. Y cada vez que necesitaba volver a encontrar el camino, una mano invisible lo desenrollaba y abría para mí. Mi alma lo devolvía a la conciencia siempre que llegaba a un punto señalado o hito de mi destino. Fue su recuerdo lo que definitivamente me transformó el día en que al fin me fue revelado parte de su significado. A todos nos pasa igual. Mucho después de recibir, asimilar, guardar y olvidar el mensaje, el alma desenvuelve un pedacito del mapa de vez en cuando (aunque a algunos se lo revela todo de un tirón).

De hecho durante algunos años, cuando yo insistía en no referirme a mi trabajo con el nombre de *psíquica*, lo llamaba *cartografía espiritual*. El problema era que nadie parecía saber que la cartografía es el arte de la confección de mapas, así que tuve que cambiar mi nombre por el de *consejera intuitiva*. Aun así, con frecuencia me refiero al camino que cada individuo debe recorrer como el mapa sagrado de las potencialidades, en el cual pueden fundirse el destino y la libertad de elección. Es como un mapa astrológico en el que se produce una aguda sensación de estar viendo acontecimientos y de presenciar en qué lugar debería situarse la persona a la que pertenece la carta.

Precisamente una de mis mejores amigas me lo recordó el otro día, cuando hablábamos de lo lejos que había llegado en mi carrera. Me dijo que la metáfora del mapa era la descripción más exacta que había oído en referencia a mi lectura de su oráculo. Añadió que para ella la experiencia había sido como ir desenrollando el mágico mapa de su vida.

La señora Kelly plantó ciertas ideas importantes en mi mente que crecieron, echaron raíces y finalmente se convirtieron en el fundamento sólido de mis creencias de hoy en día. Me contó que había otras dimensiones de la realidad a nuestro alrededor. Conforme la humanidad evolucionaba y expandía su influencia sobre el mundo natural, muchas de esas cosas se habían olvidado y los hombres habíamos comenzado a confiar cada vez más y más en nuestro intelecto. Recuerdo estar sentada en el jardín con la señora Kelly cuando era todavía una adolescente (por entonces ella pasaba ya de los ochenta). Con suma tristeza me contó que cuando perdemos nuestra compresión de que solo custodiamos el mundo y comenzamos a verlo como un lugar al que dominar, de manera que sirva solo a nuestras necesidades, entonces el Espíritu empieza a desvanecerse en la niebla. Y además no dejaba de referirse al futuro como a un mapa con hitos invisibles en los que podía adivinarse nuestro destino.

Para mí es como desenrollar un mapa y ver aparecer cosas mágicas, aunque a veces solo las capto después de haber llegado a mi destino. Aquello que en un momento dado es invisible queda claro siempre con posterioridad. Me di cuenta de que los momentos de soledad en los que creía estar sufriendo más eran precisamente aquellos en los que, en realidad, los ángeles aparecían en mi camino; solo que yo nunca los veía asomar con antelación.

Todo lo que creo, lo he visto

Jamás he sido capaz de coaccionar a seres como los ángeles para que vengan a reunirse conmigo, aunque de vez en cuando ellos insisten en aparecer. Por todo el mundo existen hadas, ángeles y otras criaturas por el estilo, y mucha gente normal y corriente los ve y tiene experiencia de ellos. Se trata de uno de esos auténticos casos en los que «ver es creer». Yo he visto, y por eso creo. Pero nadie tiene por qué creer o vivir por duplicado

mi experiencia. Mis creencias han evolucionado y mi consciencia ha crecido conforme maduraba. El camino para conocer al
Espíritu y recibir la guía Divina es muy personal, y si yo necesitaba esas apariciones para captar mi atención, pues así tuvo
que ser. Tu experiencia puede ser diferente, pero recuerda que
es igual de válida. Todos los caminos llevan a la Luz siempre y
cuando tú estés dispuesto a iluminar las sombras.

La señora Kelly me otorgó el mayor don, aunque yo entonces no lo sabía ni hice uso de él durante mucho tiempo. Me
enseñó a respetarme a mí misma y a honrar la vida que se me
ha dado, con todo lo que ello implica. Sin embargo yo tardaría
muchos años en hacerlo de verdad. Hoy sé que para soportar
el desdén de los demás es esencial tener un espíritu fuerte; mi
alma jamás será vencida por una amenaza exterior de abandono.
La Luz jamás me abandonará siempre que sea ella, y no mi ego,
la fuente de mi ser en el mundo. Y sé además que no soy el juez
de nadie.

La señora Kelly me dijo que el Espíritu le hablaba a través
de las cartas, y que el oráculo era el ser que entregaba el mensaje para ayudar a guiar o arrojar luz sobre el camino de una
persona. Me dijo que el tiempo y el espacio eran ilusiones. Sé
que el Espíritu está en todas partes, en la Naturaleza y en mí,
como ella me aseguró. Además la señora Kelly estuvo de acuerdo conmigo en que los halos que rodean a las imágenes de los
ángeles y los santos en las vidrieras significan que toda vida es
sagrada. En una ocasión, durante una de sus lecturas de mi
oráculo, añadió que yo tendría una experiencia directa de este
hecho; aunque por supuesto, yo entonces no tenía ni idea de
qué hablaba. Pero ahora sí lo sé. Los mensajes oraculares de la
señora Kelly siguen desenvolviéndose incluso ahora, mientras
escribo esto.

No me acuerdo del día exacto en que me enteré de que la señora Kelly había fallecido, pero sí recuerdo que durante unos cuantos días antes de conocer la noticia estuve oliendo su perfume a polvos de talco rancios de lavanda mezclados con una nota amarga de halitosis (tenía muy mal aliento). Y he continuado oliendo esa fragancia de vez en cuando, a lo largo de los dos años siguientes. Constituye uno de los primeros recuerdos que conservo de esos momentos en los que uno de mis cinco sentidos me alerta de la presencia de un espíritu que ha muerto. Recuerdo haber sentido que de algún modo la señora Kelly permanecía a mi lado… y creo sinceramente que lo estaba.

Así que cuando yo misma me leo las cartas oráculo, algunas veces me pregunto si ella está ahí, planeando a mi alrededor y susurrándome mensajes al oído. También me he preguntado si mi padre estaría presente cuando observaba los mensajes oraculares escondidos en los bordes de esas tazas de café turco que he tomado a lo largo de los últimos veinte años.

⚜

De modo que, ¿adónde me lleva esta inmersión en el mundo de los oráculos?, ¿al dentista?, ¿qué os parece? (Esto sí que no os lo esperabais, ¿a que no?).

⚜

CAPÍTULO 2

Delfos en el dentista

 A LO LARGO DEL AÑO PASADO me fui convenciendo de que no podía retrasar ya más la visita al dentista, así que decidí hacerme todo lo que me habían dicho que necesitaba ocho años atrás. Porque la verdad, ¿y si tenía que plantarme delante de una audiencia sin dentadura? No, de ningún modo... y creedme, iba ya voluntariamente de camino, solo que me aterra que me inmovilicen. Por supuesto que la enfermera no va a sujetarme, pero no podría moverme a menos que no me importara que me clavaran un instrumento metálico en la nariz por accidente. De todas formas detesto ir al dentista desde pequeña. Lo he probado todo a lo largo de los años: desde la hipnoterapia, las afirmaciones positivas o la reingeniería de las creencias fundamentales, hasta la acupuntura; nada me alivia la histeria creciente que me producen el taladro, la silla, el ruido y la amenazadora figura de un hombre con las manos en mi boca. Incluso ahora, mientras escribo, rompo a sudar.

Así que me dirigí al mejor profesional de Toronto, especializado en trabajo dental... durante la somnolencia. ¿Cómo? ¿El dentista, durmiendo? Bueno, tú ya lo conoces: trabajo dental al estilo del dentista Edgar Cayce, el profeta del sueño... (jaja, me ha parecido una broma graciosa). No, en serio: el paciente se duerme y mientras tanto le ponen una dentadura nueva fabulosa, y además se gasta una fortuna.

Las primeras dos veces la experiencia no me molestó en absoluto. Solo que mi magnífico dentista insistió en educarme a propósito de cada pequeño detalle de mi pesadilla de cirugía oral. El problema era que yo no tenía ningún interés en saber tales cosas, y solo pensar en ello me producía ansiedad. Sé que él creía que su explicación me reconfortaría, pero yo tuve que recitar mentalmente la letra de una nana para bloquear el sonido de su voz al tiempo que sonreía y contemplaba su bello rostro; apreciaba su inteligencia; y admiraba su elocuencia y sus gestos.

«Mary tenía un corderito... Déjame dormir ya, y luego me cuentas que has solucionado el problema», pensaba yo. «Su lana era blanca como...».

Y luego está la cita en la que no tenía que dormirme por completo, y los enfermeros me ofrecieron algo para calmar mis nervios, solución frecuente sobre todo para pacientes como yo. Me dieron óxido de nitrógeno, creo que se llama.

Así que tras mucha investigación por mi parte y muchas garantías por parte de mis conocidos sobrios de que semejante experiencia no me llevaría de vuelta a mis problemas de adicción, accedí a inhalar dicho gas. Ya me lo habían puesto una vez hacía años, durante una emergencia dental; solo que yo no me acordaba de nada. Estoy convencida de que esa es la razón principal por la que esta sustancia no dispara la adicción en la gente con un historial de drogadicción: porque no deja ni rastro en la memoria. Por eso decidí que me lo administraran.

Y ahora, antes de entrar en el consiguiente divertido episodio, tengo que hacer una digresión por un momento.

OPERACIÓN BAJO LOS GASES

Cuando me decidí a escribir este libro, resolví rastrear la historia de los oráculos para averiguar cosas acerca de las personas que, en su momento, habían actuado también como mensajeros. Quería saber cómo lo habían vivido. Y uno de los temas más interesantes que descubrí fue un turbio asuntillo sobre el oráculo de Delfos. Las sacerdotisas que servían en el Templo de Apolo y dispensaban su sabiduría procedente del Espíritu a los griegos, siguiendo una respetada tradición que duró 1400 años, tenían un secreto. Se emborrachaban. Lo supieran o no, sentadas sobre aquellos taburetes de tres patas se colocaban.

Aunque todavía hoy sigue habiendo controversia y se discute sobre todo esto, muchos arqueólogos han concluido que no cabe duda de que hay una fisura en la cara de la montaña donde estaba situado el templo. Por esa grieta emana una mezcla de gases capaz de alterar la mente. La estructura del templo estaba justo encima de ella, y los humos tóxicos subían directamente desde la tierra hasta la cámara de la sacerdotisa.

Así que cuando alguien dice que «los éteres» hablaban a través de la sacerdotisa para entregar el mensaje del oráculo, es completamente cierto. Aunque por aquel entonces éter era el nombre de la inteligencia invisible del Espíritu Divino. El gas real al que nosotros llamamos hoy éter fluye de la tierra y emborracha a cualquiera que inhale sus vapores.

Al principio esto me molestó, porque mi capacidad para utilizar mi sexto sentido en beneficio de los demás solo se mantiene sin distorsionar cuando estoy sobria. Tengo que confesar sinceramente que mi intuición jamás me otorgó semejante sabiduría oracular mientras me drogaba, cuando era joven y luchaba contra la adicción. O si la recibía, estaba demasiado perjudicada como para comprender nada o servirme de ella para un buen uso.

Sin embargo, una vez más, cobró sentido uno de mis sueños recurrentes: el de estar en un templo antiguo rodeada de humos. Y volviendo la vista atrás recuerdo algunos momentos aislados de extraordinaria claridad que me hicieron reflexionar. Obviamente, sin embargo, existe un tremendo abismo entre el uso recreativo de la droga y su utilización para un ritual sagrado. Porque yo no me he pasado el tiempo como una sacerdotisa sentada en un templo, canalizando los mensajes de Apolo mientras me pongo ciega con un gas natural, ¿verdad?

De hecho hay muchas tradiciones espirituales que incluyen el uso de psicotrópicos y plantas alucinógenas como medio para alcanzar la fuente de la sabiduría del Espíritu. Muchas de estas prácticas antiguas siguen existiendo en diversas culturas, sobre todo en Sudamérica, México y África. También hay tradiciones relacionadas con plantas sagradas en las culturas nativas de Australia y Norteamérica.

Durante miles de años, los indígenas han utilizado el peyote, las setas alucinógenas y otra serie de plantas inductoras de visiones como medios para conectar con estados de conciencia no ordinarios en rituales chamánicos dedicados a la curación. Estos conductos se utilizan también con el objeto de adquirir la sabiduría del mundo habitado por las formas espirituales, a las que consideran tan reales como a los seres que caminamos por la tierra en el mundo físico. Dichas sustancias inducen el mismo tipo de experiencia que el gas que, supuestamente, transformaba los oráculos de Delfos en realidades alternativas a interpretar por quien preguntara.

Es interesante notar que el uso de estas sustancias servía a un importante propósito. Habilitaban al mensajero para liberarse de su apego a su identidad personal y a su percepción del mundo físico con el objeto de moldear más fácilmente su estado de conciencia en sintonía con el Espíritu. Esto es crucial para abrirse a un nivel más alto o no ordinario de conciencia, pero es posible llegar allí de muchas otras formas que no incluyen el uso de sustancias que alteran el estado de la mente. Estas tradiciones sagradas existen desde hace mucho, mucho tiempo. Sin embargo es posible acceder a estados de conciencia no ordinarios muy similares a través de rituales como tocar el tambor, la danza extática y por supuesto la meditación. Yo prefiero estos otros caminos. Llevo limpia y sobria 22 años en el momento en que escribo esto (y tengo planeado seguir así), de modo que dejo esas extravagantes plantas, drogas, alcohol o gas sagrado para aquellos capaces de asimilarlas.

Solo hay una excepción: el dentista. Y esto me lleva de vuelta a mi historia.

¡MENUDO GAS!

El gas que utilizaba el dentista tenía una propiedad muy interesante: abría por completo mi capacidad para recoger información de cualquiera que estuviera en la misma sala, a menos que yo me empeñara conscientemente en pensar en otra cosa. Para mí era como una invitación a ver un *show* nuevo de la televisión tremendamente personal, llamado *Todo sobre la familia de la ayudante del dentista*.

La primera vez que experimenté este efecto comencé a farfullar felizmente con la máscara de gas puesta, y a soltar detalles íntimos acerca del pobre e inocente novio de la ayudante del dentista y su colorida familia. Digamos simplemente que me quedé sentada en la silla hasta mucho después de pasada la hora de la duración prevista de la cita. Entre el claqueteo metálico inevitable en mi boca, y mi escupitajo de una lectura gratuita, la ayudante y yo estuvimos juntas en esa sala tanto tiempo que al final grité. Apuesto a que la risotada que solté fue una rotunda y reveladora señal de que algo raro pasaba.

Esto me ocurrió en otro par de ocasiones más, así que entonces empecé a comparar el gas dental con las propiedades oraculares únicas de los vapores de Delfos. No era de extrañar que esos griegos antiguos hicieran lo que hicieron: dales gas, y déjalos farfullar. No obstante solo podía funcionar sin distorsionar si la sacerdotisa estaba verdaderamente equilibrada a nivel psicológico, su espíritu estaba claro, y además era psíquica.

Me imagino la información que le revelaría al líder de un ejército que le preguntara si el pillaje en el país vecino merecía la pena en términos de vidas humanas. Proviniendo el mensaje oracular de una sacerdotisa que no era sino una chica normal y corriente, con temas emocionales sin resolver y borracha de gas alucinógeno, puede que la respuesta fuera: «Pues claro, adelante: ¡viola, saquea y destruye sus casas! Será divertido, y caerá una gran nación».

Reafirmado y seguro de sí, allá iría dicho líder a encarar la peor derrota de su vida y a ver caer a *su* propia nación. ¡Ay! Pues de hecho todo esto ocurrió, y se trata de un desastre de presagio muy famoso. Y ahora sabemos por qué.

Al principio yo no estaba muy segura de si incluir todas estas historias del dentista en este libro, pero entonces ocurrió algo. Y por eso tengo que volver atrás.

En la ocasión que ahora voy a relatar, me tocó otra enfermera distinta, Bessie, a la que no conocía, y además había decidido controlar mi mente a través de una meditación específica. Por nada del mundo estaba dispuesta a hacer otra lectura intrusiva durante la consulta del dentista; esa vez no, me dije. Empezaré por el principio.

La consulta transcurrió sin incidentes. Me las apañé para pasar toda la experiencia en una playa de arena, retozando con los delfines en el mar de mi mente. ¡Guau! Yo estaba a salvo, la enfermera también estaba a salvo, y todo marchaba bien.

Sin embargo el dentista no terminó el trabajo, así que me dijo que tenía que volver. Cuesta una vida entera conseguir una cita, de modo que esperaba que me la dieran para un par de meses más tarde.

Pero entonces la recepcionista me preguntó: «¿Puedes venir mañana a las 11? Bessie acaba de anotar una cancelación».

Resultó que yo también tenía una cancelación, así que le dije que sí.

Al día siguiente, de nuevo en la silla, me relajé y comencé a conjurar las imágenes de mis amigos los delfines. El problema fue que apenas permanecieron en mi mente. Nada más lograr la conexión, fue como si una fuerza invisible cambiara de canal utilizando para ello el mando a distancia de mi meditación. En lugar de delfines, fueron otras las imágenes que se entrometieron en mi adorable escena playera.

Mi falta de habilidad para meditar fue definitivamente otra señal; una indicación clara de que tenía que entregarle un mensaje oracular a Bessie. No hacía más que oírla hablar acerca de quedarse embarazada, de cuánto ansiaba estar embarazada, de lo triste que se sentía porque no lo estaba a pesar de seguir intentándolo, y así hasta el infinito. La única forma de librarme de esas visiones era contándole algo.

«Genial», me dije. «Ya estamos otra vez. El oráculo ha venido al dentista».

Así que le relaté a Bessie todo lo que sabía, y ella me confirmó que era exactamente lo que le estaba ocurriendo. Entonces yo me lancé a describirle todos los detalles íntimos de su pasada relación; de su nuevo matrimonio; y de las importantes ramificaciones psicológicas de su experiencia, su karma, y el sentido de la vida.

De acuerdo, ponme el gas y olvídate de la limpieza dental.

Cuento esta historia por el impacto que tuvo tanto sobre Bessie como sobre mí. Por supuesto que en las otras ocasiones, cuando el gas desencadenaba semejante chorreo de información, yo sabía que algo pasaba; pero entonces no tenía en mente escribir este libro. No esperaba recibir el impacto de un mensaje oracular, predicción o señal.

Esta vez fue diferente. De repente el aire a mi alrededor se hizo nebuloso. Oí el nombre de Michael en relación con el marido de Bessie, y supe que había muerto. Ella me confirmó que se trataba del padre de su marido. Yo podía oír su voz, y entonces recibí la imagen de un hombre griego corpulento, bajito y fornido, que parecía estar delante de un soldador eléctrico. Oí que se llamaba Nick.

«¿Se lo digo?», me pregunté.

Más claqueteo metálico en mi boca.

Se lo dije.

Bessie me confirmó que Nick era su padre y que era electricista, y yo añadí que «Él había fallecido con treinta y pocos años».

Ella contestó que sí.

A continuación vi la imagen de Jesús y un ataúd. Supuse que significaba que su padre había fallecido durante la Semana Santa, que estaba ya próxima a llegar, y que el mensaje tenía sentido porque pronto sería su aniversario.

La parte de Jesús era correcta, pero lo de la Semana Santa no. Bessie me dijo que su padre había fallecido en Navidad.

Atónita, la pobre chica siguió trabajando en mi boca mientras yo me dejaba llevar a la deriva a otra dimensión y me preguntaba qué ocurriría. ¿Y dónde estaban mis delfines?

Tomé una nota mental en mi memoria: tenía que interrogar al médium psíquico John Holland acerca de esto. Me sentía atrapada de una forma extraña, como si no pudiera marcharme mientras no hiciera lo que se suponía que tenía que hacer. También sentí que formaba parte de algo importante para Bessie, así que me rendí a lo que fuera que requiriera de mí aquella sincronicidad.

Entonces oí el nombre de Peter... no, Patti... ¿o era Panni?

«¿Tienen algún sentido para ti?», le pregunté.

Bessie me explicó que el nombre de su madre era Panniotta. Y en ese momento ocurrió una cosa sorprendente (por si lo que había sucedido ya no lo fuera lo bastante). Oí la voz de un hombre decir: «Dile a tu madre que tú eres el resultado de mi amor por ella en Junio».

Transmití el mensaje. Bessie pareció confusa, pero entonces vi otra imagen; una especie de tarta de cumpleaños, y pregunté: «¿Cuándo es tu cumpleaños?».

«Hoy».

Las dos, juntas, contamos hacia atrás hasta llegar a Junio: nueve meses.

Felicidades, Bessie.

A veces me pregunto si de verdad la gente del otro lado puede ver a aquellos de nosotros que contamos con la capacidad receptiva para oírlos, y por eso deciden orquestar todos estos acontecimientos. Me pregunto: ¿Hace falta planearlo mucho? ¿Es que somos como una especie de cabina telefónica andante? ¿Contamos con un brillo especial, de manera que ellos puedan vernos y *adivinar adónde vamos*? *¿Planearon esto el padre y el suegro de Bessie, ambos fallecidos, de manera que alguien cancelara una cita justo a tiempo para que yo recibiera el gas y así pudieran utilizarme para decirle «Feliz cumpleaños»?* ¿Quién puede saberlo con seguridad? Imaginar siempre resulta entretenido, porque la verdad es que nadie me ha dicho nunca cómo funciona exactamente esto de los signos. Solo sé que funciona.

Y en lo que se refiere a recibir información de personas fallecidas, ya he superado mi profundo apego al escepticismo. Durante años me resistí a vivir esa experiencia en buena parte porque no podía explicarla, pero eso ya pasó. Ahora lo acepto como algo muy real, y este tipo de experiencias se repiten con frecuencia cuando voy de *tour* y hago lecturas ante grandes audiencias, donde puedo confirmar la información.

El impacto que produce la entrega de semejantes mensajes íntimos a alguien a quien no conozco es de suma importancia.

Ver cómo el Espíritu me utiliza de este modo, como conducto para maravillar y apaciguar la mente de otra persona, es un don extraordinario. Yo me siento más humilde de día en día. Ver cómo se ilumina el rostro de alguien, asombrado tras recibir semejante información, es increíble.

Sin embargo, el hecho de sintonizar con aquellos que tratan de comunicarse conmigo desde el otro lado me produce un sentimiento extraño. Es como si yo solo fuera un receptor y traductor de las imágenes, símbolos, nombres y palabras que debo transmitir a otra persona. También hay sentimientos, además. Capto cierta sensación de un amor que resulta transformador y curativo, y que pasa de un lado a otro. Yo procuro no inmiscuirme con mis opiniones, porque soy muy consciente de que el mensaje no es para mí.

Dejé la consulta del dentista y mi función oracular tras realizar mi trabajo y transmitir un importante mensaje de amor de un padre en los cielos a su hija en la Tierra. Las dos recordamos el extraordinario poder del Espíritu durante aquella sesión espontánea. Bessie recibió el regalo de cumpleaños más extraño de su vida, y yo tengo los dientes más blancos del planeta.

MÁS CUENTOS DEL OTRO LADO

Estaba deseando repetir todo el proceso de ir al dentista porque me habían invitado al *tour* de Hay House con Sylvia Browne que tendría lugar en un crucero, y no quería tener problemas dentales durante el viaje. Ojalá que Dios me prohibiera necesitar una endodoncia de emergencia mientras entregaba un mensaje a alguien en altamar.

En mi entrevista con el presidente de Hay House, Reid Tracy, a propósito del crucero, le expresé mi temor a convertirme en una persona pública a causa de mi trabajo; sobre todo a la luz del tipo de trabajo que hacía. La gente me conocía a través del boca a boca, así que nunca había tenido que definir mis servicios ni colocarlos en ninguna categoría determinada. Me sentía cómoda con el nombre de intuitiva en lugar de psíquica, y creía que con él abarcaba todas las posibilidades de comunicación básica con el Espíritu.

«No hablo con personas fallecidas», le comuniqué durante la entrevista. «Bueno, sí, pero no puedo estar segura al cien por cien de que esté hablando con ellos, así que será mejor dejarlo al margen».

«No te preocupes», me contestó Reid. «Tenemos gente suficiente para hacer eso».

¡Guau!

¿Por qué era tan importante para mí definir lo que *no* hacía? Hasta el momento de contactar con Hay House, yo sabía que me pasaba algo raro en relación con ese tema, pero me mostraba escéptica al respecto; es decir, con eso de hablar con los muertos. Porque siempre supe que la información que recibía sí era *muy* real.

Comprendo que para mí es importante estar segura de que lo que hago es legítimo, pero francamente: hasta hace muy poco tenía graves dificultades para aceptar que estaba hablando de verdad con los muertos. Es importante, sin embargo, que yo no me engañe a mí misma acerca de la fuente de información. Por eso mismo he tardado tanto tiempo y solo a lo largo del último año he llegado a ser una verdadera creyente, aunque me muestro siempre muy vigilante acerca de la forma en que recibo esos mensajes. ¿Se trata de una comunicación con el Espíritu, o con un espíritu? El impacto es el mismo… pero la diferencia, enorme.

COMENZAR A CREER

Desde el momento en el que comencé a hacer lecturas, descubrí que con frecuencia, durante la sesión con una persona determinada, recibía espontáneamente información sobre otra que había fallecido. De vez en cuando surgían nombres, sucesos, descripciones de pertenencias o de las enfermedades que los habían llevado a su fin. Mis clientes estaban plenamente convencidos de que me estaba comunicando con sus seres queridos fallecidos. A veces yo también lo sospechaba, aunque en general creía que solo estaba recogiendo datos del pasado a través de una facultad intuitiva llamada retrocognición, término que significa que conoces el pasado de una persona sin tener ninguna información previa acerca de ella.

Es mediante la retrocognición como yo anclo mi visión cuando hago una lectura. Permito que mi conciencia vea el pasado de alguien y encuentre pistas y patrones que la hayan llevado al presente y que puedan influir en su futuro. Así es como establezco cierta credibilidad sobre mi trabajo, tanto en mis clientes como para mí misma. Y como este es un aspecto muy importante en todas mis lecturas, me perturbaba el hecho de que a veces no pudiera adivinar si la información venía de una lectura particularmente nítida o del *otro lado*.

Lo cierto era que yo no lo sabía, pero el asunto me fascinaba. Contactar y conseguir información sobre personas fallecidas constituía una experiencia que yo no había solicitado y que, por lo general, nos asustaba tanto a mi cliente como a mí. No era algo que yo pudiera pedir o buscar. Yo siempre digo que aquellos que residen en el mundo espiritual vienen por su cuenta cuando ellos mismos lo deciden, y a mí de alguna manera me toca la tarea de traducir las percepciones que recibo. Saber si tienen sentido o no depende ya de mi cliente, porque se trata de una información sin ninguna relación conmigo.

Me ocurrió exactamente lo mismo cuando trabajaba como aromatoterapista hace 19 años, durante un período de transición de mi vida, antes de dedicarme de lleno a las lecturas. La recepción de mensajes por aromaterapia era una nueva forma de mensaje-terapia que acababa de introducirse en Canadá, procedente de Gran Bretaña. Se basaba en una técnica de drenaje linfático combinado con la utilización de aceites esenciales con propiedades curativas. Yo me lo pasaba en grande trabajando con el cuerpo y observando los múltiples efectos positivos del tratamiento, y tuve unas cuantas experiencias interesantes.

En una ocasión coloqué las manos sobre los hombros de una mujer y oí el nombre de Joseph en mi cabeza. Una vez terminado el masaje, la clienta alzó la vista y me dijo que había tenido una visión de una persona que se llamaba Joseph. Aquel día tenía cinco clientes más esperando, y todos ellos me dijeron algo muy similar:

«Creo que he visto a un espíritu guía llamado Joseph o Josephine».

«No hacía más que oír el nombre de Joseph, y vi a una persona con una túnica hecha de una luz verdaderamente brillante».

«¿Quién es Josephine?».

«¡Dios mío!, ese tal Joseph se me ha acercado irradiando luz, pero yo no lograba adivinar si se trataba de un hombre o una mujer».

Al terminar mi trabajo hablé con el propietario, que ya había oído a todos los clientes contar sus extrañas experiencias de aquel día. Estaba completamente anonadado y conmovido hasta las lágrimas. Resultó que su madre había fallecido en esa misma fecha dos años antes. Se llamaba Josephina.

En otra ocasión yo le estaba aplicando un tratamiento a una clienta que me había contado que padecía dolores lumbares crónicos y dificultades reproductoras. En cuanto le puse las manos en los riñones, sentí un arrebato de melancolía y remordimiento y oí la voz de un hombre en mi cabeza que decía su nombre. Supe que él había abusado de ella cuando era niña, y que quería reparar el daño. Yo le conté a mi clienta lo que estaba recibiendo (¡a pesar de estar horrorizada!), y ella saltó de la silla. Acabamos manteniendo una conversación que se prolongó bastante más allá de la hora asignada para la cita.

En parte mi clienta estaba atónita, pero también curada. O al menos eso dijo. Y eso sin el tratamiento de aromaterapia acordado. Aquella clienta fue una de las razones por las que dejé de trabajar con el cuerpo. En primer lugar porque no estaba segura de cómo manejar la información que estaba recibiendo, pero sobre todo porque la gente quería que le hablara en lugar de hacerle masajes. Volviendo a la historia de aquel día, aquella mujer les habló de mí a muchas personas que luego fueron mis clientes.

Aun así, la experiencia de conectar con los fallecidos era algo diferente del enfoque «normal» de mis lecturas. Como intuitiva, mi trabajo consistía en proporcionar cierta información íntima que yo recibía sobre el contenido y la dirección potenciales de la vida de una persona, además de discutir sobre los patrones, lecciones y tendencias de su experiencia vital. Nadie vino a mí esperando encontrar a una médium; eso ocurrió aparentemente de forma accidental.

En relación con la comunicación de mensajes de los muertos, yo siempre siento un pequeño conflicto una vez se marchan los clientes. Ellos parecen absolutamente seguros de que han recibido un mensaje directo de sus seres queridos; yo, por el contrario, lo dudo en la misma medida, pero asiento con la cabeza y sonrío felizmente por haberles servido de ayuda. Era evidente que el impacto del mensaje y de su información resultaba transformador a pesar de que yo no pudiera garantizarles legítimamente que esa era la auténtica fuente. Y no obstante, ¿cómo podía saber tantas cosas sobre los muertos, a menos que fuera capaz de intuir el pasado?

Las experiencias fueron sumándose a lo largo de los años. Describí al detalle cómo había muerto un hombre de un ataque al corazón en casa de una de mis clientas; nombré a su viuda, Charlotte, amiga de mi clienta. Cuando Charlotte vino a verme, no recibí ningún mensaje ni pude siquiera establecer una conexión clara. Fue una desilusión para las dos, pero yo no podía hacer nada para que ocurriera. Yo misma estaba muy desconcertada, porque las dos esperábamos mantener una conexión especial y fue evidente que no ocurrió así. ¿Por qué a su marido le resultaba tan fácil comunicarse a través de su amiga, y no directamente con ella? Yo no tenía ninguna respuesta.

Hoy me doy cuenta de que la conexión era más fácil porque se había hecho a través de una fuente neutral; una amiga en vez de una esposa, sin tanta carga emocional y sin ninguna expectativa. A veces ansiar con demasiada fuerza esa conexión puede de hecho impedirla. Charlotte, que se apegaba emocionalmente a la posibilidad de conectar con su marido, no pudo establecer ese enlace, pero su amiga sí. La mujer que recibió el mensaje estaba presente en el momento del repentino fallecimiento de ese hombre en su propia casa, pero no esperaba que yo le hablara de esa experiencia durante la lectura. Fue toda una sorpresa.

Conocí a Janice, mi primera editora, como clienta en mi consulta. Vino para que le hiciera una lectura y yo le conté todo tipo de detalles oscuros sobre su abuela fallecida. Ella no conocía ninguno de esos hechos, pero los confirmó más tarde con su madre. A pesar de que Janice no tenía ni idea de lo que le estaba hablando, la información invadía alegremente mi mente a la velocidad del rayo, así que insistí en que comprobara su veracidad. Su madre dijo que todo era verdad y que la familia se alegraba de recibir información de su ser querido. Sin embargo, durante un tiempo yo había tenido muchas experiencias repetidas de este mismo tipo que luego cesaron, así que una vez más seguí sin estar segura.

«Yo no hablo con los muertos».

Era mi forma de protegerme a mí misma, no fuera a ser que se tratara únicamente de mi capacidad para conocer el pasado; y eso incluso aunque esos detalles no constaran en el banco personal de memoria de mi clienta. Así que comencé a creer... aunque solo un poco. Durante un tiempo llegué a pensar que quizá lo mejor sería hallar la solución con una espiritista o médium correctamente entrenada en la comunicación con el otro lado. Jamás hallé el momento de concertar semejante cita, pero sí leí muchos libros que parecían confirmar que yo estaba hablando de verdad con los muertos. Y sin embargo, como yo entonces pensaba que esa no es mi especialidad, preferí declarar en Hay House que no habría muertos en mis lecturas, muchas gracias.

Grandes planes proyectan los hombres, mientras Dios se ríe... igual que todos los demás de *por allí*.

EL VIAJE DE LAS VOCES

Mi primer encuentro con Hay House fue en un crucero con la psíquica Sylvia Browne y el médium John Holland. Yo estaba aterrada. Aunque había dado seminarios y talleres de un día entero como profesora de metafísica e intuición, jamás había hecho lecturas para personas desconocidas sobre un escenario. Gracias a Dios conocí a John entre bastidores. Él era, y sigue siendo, uno de esos chicos guapos y divertidos con gorra de béisbol que siempre caen bien. De inmediato me sentí a gusto con él. Era tan generoso y amable, que enseguida noté un profundo alivio. Todavía hoy le estoy agradecida, porque me ayudó a que esa primera experiencia en un ambiente tan estresante resultara maravillosa. No me gusta eso de ser la nueva, pero él me lo puso fácil.

De un modo u otro, se suponía que yo tenía que salir a escena después de John. Al principio estuve observándolo, y me quedé impresionada ante su exactitud y la similitud de algunas de las cosas que ambos enseñábamos. Pero enseguida me marché, porque no quería oír el contenido de sus mensajes. No me gusta conocer con antelación nada acerca de las personas a las que les hago lecturas, y me preocupaba la posibilidad de que me influyera lo que le estaba oyendo decir a John.

Al llegar mi turno estaba muy nerviosa. Ahí delante había
55 rostros expectantes, todos dispuestos a absorber sabiduría y
recibir mensajes... y ahí estaba yo, con un ataque de ansiedad.
«¿Y si me equivoco en público?». Así que recé, que es mi respuesta para todo. Y me calmé, aunque tuve que hablar durante
un minuto entero y embutir en él toda la historia de mi vida.

Y entonces llegó el momento de las lecturas. Eso sí que lo
sabía hacer, y enseguida fue evidente que había cogido carreri-
lla. Fui capaz de hacer unas cuantas afirmaciones muy exactas
sobre personas de la audiencia, y además me lo pasé en grande.
Logré incluso disparar el sistema de alarmas tras fundir la luz y
perder la conexión audiovisual en el instante en el que la experiencia intuitiva se intensificaba a nivel energético, cosa que
me ocurre con frecuencia. (¡Pero esa es otra historia!).

Y entonces comenzó todo: empecé a oír voces a mi alrededor y dentro de mi cabeza; voces que decían nombres. También
sentí una suave brisa en el lado derecho, muy notoria en términos físicos. Por la izquierda percibía un calor y una increíble
sensación de amor y de compasión por mí y por todas las personas de la sala. Se trataba de una sensación que no provenía
de mí, no; sino que se dirigía *hacia* mí. Entonces comencé a
notar además como si algo me subiera por el costado izquierdo;
era muy parecido a la forma en que un gato alza las patas y
empuja hacia delante cuando ronronea. *Con las yemas de los
dedos. Yemas, yemas, yemas.* Procedía de los bordes exteriores
de mi energía, y en realidad ni siquiera tocaba mi cuerpo.

Oí y sentí las palabras *amor, amor, amor.*

Te queremos.

Gracias, te queremos.

Y entonces la aventura comenzó con una anciana llamada
Ina, que masticaba caramelos de violeta y quería hablar con su
nieta de ochenta años, sentada en la última fila. Luego el padre
de alguien me enseñó su ropa y una foto de él con su tractor
favorito. Después un marido echó un chal sobre los hombros

de su joven y afligida viuda, que tenía niños pequeños; y además nombró al hombre que les había robado el ordenador de su casa. Todos fueron dándome pequeños detalles insignificantes; cosas que solo resultaban significativas y relevantes para aquellos que conocían a las personas que se presentaban a través de mí. Las lágrimas no dejaban de saltar. Yo también lloré, junto con el resto de oyentes. Sentí su profunda pena y conocí su soledad y su dolor… y luego experimenté su alivio, conforme les proporcionaba información personal detallada que solo ellos podían conocer o entender. Para mí, formar parte de todo aquello fue una experiencia tan profunda como para ellos.

Durante aquel crucero entregué tantos mensajes oraculares del otro lado, que tuve que dejar de cuestionarme su validez. No podía degradar ni negar la experiencia, o ignorar por otra parte lo mucho que ganaban tantas personas gracias a ella. Me sentía como en casa. Tras muchos años de escepticismo y argumentaciones, inquieta por si se trataba solo de mi intuición o si de verdad el Espíritu inmortal estaba activo, llegué a una comprensión fundamental. Yo sabía que era cierto que recibía mensajes de personas que habían fallecido. Así que comencé a considerarme a mí misma una médium natural, ya que no me había entrenado en una iglesia espiritualista como la de Gordon Smith (un psíquico muy famoso del Reino Unido) o John Holland. Mi experiencia es que esos mensajes llegan a través de mí tal y como me los envían, y no porque yo lo solicite.

No hace falta decir que de inmediato le mandé un *e-mail* a Reid Tracy:

Ah… hola. Te escribo para retractarme de mi afirmación sobre mi trabajo. Parece que sí hablo con los muertos.
Me ha salido de miedo. ¡Guau!
Y ahora me siento humilde y agradecida y muy, muy segura de mí misma.
Espero que te parezca bien.

Porque no creo que pueda apagarlo.
Bueno, tengo que dejarte; me necesitan al otro lado.
¡Te aseguro que son un montón de charlatanes!

UN MENSAJE DE MICHAEL

A partir de ese momento a veces hay lecturas que me afectan tanto, que me recuerdan lo poderosamente transformadores que pueden llegar a ser los mensajes. Jamás olvidaré el siguiente caso por el impacto que tuvo en mí como mensajera oracular.

Cuesta mucho trabajo conseguir una cita conmigo, así que la mayoría de la gente espera hasta un año entero en una lista. De vez en cuando, sin embargo, hay cancelaciones, y entonces el trabajo de mi ayudante Michelle consiste en elegir a alguien para rellenar el hueco. Yo siempre le digo que contemple la lista con el corazón y la intuición en lugar de la cabeza, y que permita que su voz interior le muestre el nombre de la persona a quien llamar. Hemos comprobado que al hacerlo así las dos tenemos la sensación de que la persona a la que está destinado el mensaje lo recibe en el momento oportuno, y eso es exactamente lo que nos dicen siempre al final estos clientes.

Michelle me escribió un *e-mail* para contarme que un hombre había cancelado una cita y que había encontrado a una mujer llamada Deb que vendría en su lugar. Mientras me preparaba para hacerle la lectura, tuve la sensación de que el espíritu de un joven estaba a mi lado. No le presté mucha atención porque nunca estoy segura de si es mi imaginación o es real hasta que no hablo con mi cliente. Por eso solo tomo nota mentalmente, y luego reviso la imagen recibida una vez comenzada la lectura.

Tras establecer contacto telefónico con Deb procedí más o menos como siempre; permitiendo que mi visión interior y mi intuición comenzaran a mostrarme una historia. Tardé unos minutos en ajustar mi enfoque a la energía que me empujaba suavemente a ver y oír el mensaje. En ese momento Deb me dijo que esperaba conectar con su hijo, que había fallecido.

Yo sabía que era importante realizar este servicio para Deb. Le recé a Dios para que hiciera desaparecer mi sentido de la limitación, y le pedí recibir la bendición de establecer la conexión. Y entonces oí muy claramente un nombre, repetido una y otra vez, y lo dije en voz alta: «Michael, Michael, Michael». Deb se quedó sin aliento, y me dijo que en realidad ese era el nombre de su hijo.

Entonces las imágenes comenzaron a surgir, y de pronto me encontré manteniendo una charla con un hombre joven con una personalidad ingeniosa y ocurrente, que encontraba casi gracioso el hecho de ser un Espíritu. Su única preocupación era que su madre no se angustiara por la forma en que él había muerto. Tuve la fortísima sensación de que él quería que su familia supiera que no había sufrido. Me dijo que se había caído por un acantilado porque le había asustado una serpiente, y que había muerto instantáneamente al romperse el cuello en la caída. Después procedió a mostrarme la posición en la que lo habían encontrado. Yo se lo describí a Deb, y ella me confirmó que era cierto.

Cuando entrego mensajes como este siento que se me revuelven las tripas, pero en ese instante no albergo ningún sentimiento. Sin embargo luego me pongo muy sentimental. No obstante para mí es muy importante mantenerme neutral, porque de esa forma no ejerzo ninguna influencia sobre la lectura. Dicho esto, he llorado muchas veces después de una sesión, una vez me doy cuenta de la magnitud del mensaje entregado a través de mí a unas personas que han venido para ser testigos de mi don.

Me sorprendió lo nítidos que estaban todos los detalles. Era como si Michael estuviera también al teléfono conmigo, contándome lo que tenía que decirle a su madre. Me sentí conmovida ante la certeza de que la información no solo era correcta, sino que además me llegaba a través de la conciencia inmortal de Michael. Era como si la lectura, además de conectar con aquel maravilloso joven, fuera tan importante y significativa para mí como lo era para el espíritu inmortal de Michael y para Deb. He rezado para pedir una señal que me indique si he hecho bien al hacer público todo esto. En aquel momento se me mostró de verdad el auténtico Espíritu y todo lo que permanece en el Misterio, que es algo que se puede conocer y sin embargo es incognoscible en el sentido intelectual tradicional del término. Estas dos personas me otorgaron un don inolvidable.

No se trata de una cuestión de fe a causa de las creencias; se trata de fe porque sabemos, y como resultado de ese conocimiento somos capaces de trascender lo mundano y experimentar lo milagroso.

Invité a Deb a compartir su historia en este libro con la esperanza de que ayudara a otros.

La historia de Deb

«Michael, Michael, Michael…», solía repetirle yo a mi hijo todo el tiempo, mientras lo veía crecer.

Fui bendecida con dos hijos maravillosos, Kristin y Michael, que crecieron juntos como dos buenos hermanos. Aunque para mí siempre fue importante quererlos a los dos por igual, Michael era mi niñito. Creció hasta convertirse en un hombre joven; el orgullo de su madre. Era cariñoso y muy compasivo, y tenía una sonrisa que podía iluminar una habitación entera. Era un alma dulce.

Michael iba a recibir su graduación en psicología ese verano. Además se había mudado de vuelta a casa para ahorrar, y era estupendo tenerlo otra vez cerca. A veces, cuando piensas que todo va bien y lo tienes todo para ser feliz, ocurre algo que cambia tu vida para siempre. Y eso fue lo que me sucedió a mí el 19 de abril de 2005.

Recuerdo vivamente aquel instante. Estaba en el trabajo y recibí una llamada telefónica de la policía del Condado de Apache. No tenía ni idea de qué querían decirme, hasta que me di cuenta de que me hablaban a través del móvil de mi hijo. Entonces tuve claro que había ocurrido algo terrible. Me dijeron que habían encontrado su coche, y que sospechaban que se había caído. Mi hijo, Michael Morgan, había muerto en un accidente en el monumento nacional de Canyon de Chelly.

Michael había salido de viaje al Suroeste; le encantaba esa región. Por lo general me llamaba cada dos días, y eso era lo que había hecho esa misma semana. Me dijo que se lo estaba pasando de maravilla. Si hubiera sabido que era la última vez que hablaba con él, le habría dicho muchas cosas. No obstante puede que el Espíritu supiera que era nuestra última conversación, porque Michael me llamó otras tres veces a pesar de que su móvil perdía la conexión. Me dijo que seguía llamando porque quería decirme que me quería. Y de hecho las tres últimas palabras que me dijo en vida fueron «Te quiero, mamá».

Debido a la naturaleza repentina e inesperada del accidente, toda la familia sentía que había muchas preguntas sin contestar y muchos remordimientos. ¿Qué estaba haciendo él allí aquella mañana? ¿Qué ocurrió ese día? ¿Cómo se produjo el accidente? Estábamos tristes porque no habíamos estado allí con él para protegerlo. Y había muchas cosas que queríamos decirle.

Encontré a Colette en una búsqueda por Internet. Me obsesionó la foto de la portada de Remembering the Future. *Algo me incitó a investigar más, a pedir su libro y a solicitar una cita para una lectura.*

*Me sentí muy nerviosa y feliz cuando descubrí que mi es-
pera de un año se había reducido a solo dos días. Sabía que
conectaría con mi hijo. Estaba absolutamente convencida de
que aparecería en la lectura de Colette; de que hablaríamos
de él, y de que yo podría sentirlo mucho más cerca.*

*Nada más comenzar la lectura me sentí como si conociera
a Colette y hubiera hablado con ella muchas veces. Charlamos como buenas amigas que vuelven a ponerse al día, y enseguida me dijo cuánto lamentaba oír la mala noticia.*

*Yo le dije que quería conectar con mi hijo, y en ese momen-
to la lectura cobró vida por sí misma. Colette me describió su
aspecto; me dijo su edad y su nombre. Luego comenzó a deta-
llar progresivamente las circunstancias que rodearon el accidente. Solo una persona muy cercana a mí podría haber conocido todos esos detalles y respuestas. Recuerdo que Colette me
contó cuánto le había sorprendido la claridad del mensaje
aquel día.*

*Y nada más comenzar ella también repitió: «Michael, Mi-
chael, Michael...».*

*Mi lectura con Colette me dejó una inmensa sensación de
haberme quitado un peso de encima; un sentimiento de alivio
porque mi hijito es feliz, está a salvo y sigue conmigo... solo
que de otra manera diferente. Al día siguiente recibí un e-mail
de la ayudante de Colette dándome las «gracias». Me quedé
helada al ver su nombre: Michelle Morgan. Comparte el apellido con Michael, y lleva el nombre de su tía favorita. Recibí
lo que creo que es otra señal de la sincronicidad de Dios; otra
conexión y otra validación para mí.*

*Confío en que al relatar esta historia pueda ayudar a otra
persona en el proceso de duelo. Quisiera proporcionarle la esperanza de que es posible aprender a vivir otra vez tras una
pérdida devastadora; es posible volver a honrar y celebrar la
vida. La pérdida de un hijo o de un hermano es algo que nadie
debería experimentar jamás, porque nadie está nunca prepa-*

rado para ello. Fue una suerte que no estuviéramos peleados ni tuviéramos nada que ocultar ninguno en relación con mi hijo. Manteníamos una relación muy especial, y éramos capaces de expresar lo que sentíamos el uno por el otro.

Te quiero, Michael.

CAPÍTULO 3

Un mensaje
del oráculo para mí

$\mathcal{A}$LO LARGO DE LOS AÑOS jamás recibí un mensaje para mí del otro lado; solo los entregaba. Pero eso cambió en 2006, cuando conocí al médium psíquico, escritor y compañero de Hay House, John Holland, durante el crucero mencionado en el capítulo anterior (que, por cierto, se llamaba «Una experiencia psíquica en altamar»). Nos hicimos amigos al instante, al descubrir que compartíamos el mismo sentido del humor y teníamos miles de cosas en común. Marc, mi marido, también se lo pasó muy bien con él, así que quedamos en vernos fuera del trabajo cuanto antes.

Tras decidir reunirnos en Toronto a principios de 2007, John no logró encontrar un vuelo que encajara con las agendas de los tres más que para el fin de semana del 17 de febrero, el aniversario de la muerte de mi madre. Nada más llamarme para decirme la fecha, se me revolvieron profundamente las entrañas. Yo me lo tomé como una señal de algo importante. No le dije nada a John porque casualmente habíamos convenido que él me haría entonces una «sesión» (que es como llama él a las lecturas oraculares, cuando entrega mensajes de la consciencia viva de los difuntos), y naturalmente yo no quería influir en él.

Yo esperaba ansiosa la lectura, pero con emociones encontradas. Todavía no había conseguido deshacerme de la irritante sensación de que había sido una mala hija y de que jamás había logrado resarcir a mi madre por todos los años y momentos perdidos y arruinados entre ella y yo. Porque por mucho que yo hablara a los demás de la gran curación, mi madre era una pieza del puzle con la que yo todavía no me había reconciliado. De modo que, ¿qué mensaje iba a recibir?

A veces los oráculos nos llegan de formas muy profundas y completamente inesperadas. Incluso aunque podamos anticipar las respuestas o contactar de alguna manera, jamás sabemos en qué medida nos afectarán.

A pesar de todo mi éxito, tuve que aceptar en silencio que el dolor en relación con mi madre estaría siempre ahí. Me recordé a mí misma el lema: *progreso, no perfección*. Pues en lo que respecta a mi madre, yo sencillamente «cumpliría con mi parte» como mejor pudiera; porque había llegado a creer que algo se había roto entre ella y yo que jamás podría ser reparado del todo. Aun así ansiaba la paz, que me resultó tan esquiva tras su muerte como en vida.

UN MENSAJE ORACULAR CURA EL PASADO

Me resulta imposible hacer honor a toda la complejidad de la relación con mis padres en solo unas cuantas frases, pero me parece importante adelantar cierta información con el objeto de explicar hasta qué punto la lectura de John me impactó. (He revelado parte de esa información en mi primer libro, *Remembering the Future*, pero por supuesto podría hablar acerca de este asunto mucho más). Esta historia muestra lo poderosos que pueden llegar a ser los mensajes oraculares si nos mostramos receptivos y permitimos que ellos mismos inicien la curación al nivel del corazón.

Mi madre y yo lo pasamos mal navegando por las turbulentas aguas de nuestra vida juntas. Sé que yo la asustaba porque siempre fui incontrolable. Para ser justos, lo cierto es que mi madre vino a Norteamérica para escapar del pasado y empezar de nuevo en una tierra que prometía seguridad y oportunidades. Tras la II Guerra Mundial, Canadá y Estados Unidos eran el paraíso de los europeos ansiosos por comenzar una vida nueva. Y después de darle la espalda a Alemania y al horrible legado que había desgarrado a su familia, mi madre tenía todas las razones para sentirse esperanzada en que así sería.

Antes de emigrar a Canadá, se había comprometido para casarse con un joven rico que había sido oficial de las SS. Poco antes de fallecer nos contó que una mañana se había despertado y había decidido que no podía seguir adelante con esa boda, porque su novio no sabía toda la verdad acerca de ella. Me imagino el dilema que tuvo que padecer. Había buscado a su padre en los campos de concentración, y por fin se había enterado de que había muerto en Dachau. ¿Casarse con un oficial de las SS, que creía que ella era una buena cristiana? ¡Ni loca!

Rompió el compromiso aquella misma mañana, y esa tarde se subió a un barco que zarpaba hacia Canadá. Tenía 25 años, y no conocía a nadie en el nuevo continente.

Mi madre era judía, pero una familia cristiana que luego la adoptó la ocultó de los nazis. Su verdadero padre había nacido en París, y allí se trasladó al finalizar su turbulenta relación con mi abuela, cuando mi madre era todavía muy joven. Únicamente regresó a Berlín para recoger a mi madre y ponerla a salvo en Francia; Alemania era un país demasiado peligroso para una niña judía. Pero los nazis lo arrestaron en la puerta de la casa donde vivía mi madre con sus padres adoptivos, y precisamente en el día de su cumpleaños. En ese momento aquella familia cristiana solo quería echar a mi abuelo de allí cuanto antes, así que le dijeron que mi madre había muerto.

Por esa razón mi madre tuvo muchos conflictos con su sentido de la lealtad. La criaron entre dos familias: una de cristianos modestos, que vivían a las afueras de la ciudad; y la otra de judíos ricos con una buena casa en pleno centro. Ambas familias compartieron la responsabilidad de su crianza, educación y seguridad, y para ella eran igual de importantes; sin embargo sus circunstancias no podían ser más diferentes.

Sus abuelos judíos escaparon de los horrores de los campos de concentración porque él era uno de los socios de la firma de arquitectura que dirigía Albert Speer, más conocido posteriormente como «el nazi bueno» tras los Juicios de Nuremberg (y no porque algún nazi hiciera alguna vez algo bueno). Esta circunstancia sí que les permitió sobrevivir, no obstante, mientras se llevaban al resto de sus vecinos. Mi madre nos contó que ella estaba asomada a la ventana de la casa de sus abuelos la noche del *Kirstallnacht*, a sabiendas de que su familia no sería objeto de aquellos horrores y sintiendo una profunda sensación de disgusto por lo que estaba ocurriendo.

Mi madre vino a Canadá para olvidarlo todo y comenzar de nuevo; para iniciar una nueva vida con otra identidad y con esperanzas y sueños renovados. Así que cuando nací yo y comenzó a ver señales extrañas (y con esto me refiero a todas esas cosas que podrían hacer de mí una persona diferente a las demás), comprendo perfectamente que se asustara. Destacar no era seguro.

Puede que todas nuestras dificultades comenzaran cuando mis pesadillas empezaron a incluir detalles que solo ella podía entender. Apenas puedo imaginar el terror que debió sentir al saber que su hija de tres años soñaba con regularidad con los peores momentos de su vida durante la guerra en Alemania; con todos los hechos que prefería olvidar; todos los secretos que se había jurado que nadie conocería jamás. Tuvo que sentir una angustia terrible cuando oyó precisamente todas esas cosas salir por la boca de su inocente hija.

Me imagino la sensación de miedo y de estar siendo espiada que tuvo que experimentar. Y comprendo su necesidad de protegernos a las dos: a sí misma de mí, y a mí de mí misma. Por eso los cimientos de nuestra relación se fundaron sobre las rocosas e inestables costas de la emoción. Sé que compartimos un fuerte lazo de amor, que no obstante amenazaba constantemente con romperse.

Durante la primera etapa de mi vida luché contra mi intuición y mis habilidades especiales al tiempo que sucumbía a un desorden de la alimentación que se fue transformando sucesivamente en depresión, adicción a las drogas y alcoholismo. Por supuesto que mi relación con mis padres era tensa, ¿cómo podría haber sido de otro modo? Dadas sus heridas ancestrales, yo sé que ellos lo hicieron lo mejor que pudieron; apenas soy capaz de imaginar el profundo sufrimiento que les causé. Mi madre y yo estábamos muy unidas, así que fue especialmente duro para las dos.

¡Ocurrieron tantas cosas que llevaron nuestro conflicto hasta la exacerbación! Una pandilla de jóvenes me violó a la misma edad que a mi madre, a los 19 años, a manos de unos soldados rusos 30 años antes, al final de la guerra. Así que por mucho que intentáramos establecer una relación saludable, yo no hacía más que despertar su conciencia del dolor por los conflictos pasados no resueltos, repitiéndolos en vivo, en directo y a todo color.

Aunque para mí la experiencia de la violación conllevó al final un regalo extraordinario porque me permitió reivindicar mis habilidades intuitivas, lo cierto es que al principio constituyó una tremenda espiral hacia abajo por el camino de la autodestrucción. Finalmente conseguí salir limpia y sobria a la edad de 27 años, pero para entonces casi todo el daño estaba ya hecho entre mi madre y yo. Volviendo la vista atrás, supongo que las dos nos quedamos estancadas ahí.

Incluso tras mi despertar espiritual y a pesar del tiempo que llevaba yo sobria, ella y yo jamás nos pusimos de acuerdo en nada. Contando justo hasta el último día en que estuvo lúcida en la cama del hospital, mi madre y yo solo tuvimos un único momento precioso como madre e hija. Nos quedamos las dos inmóviles, reconociendo nuestro mutuo amor y agotamiento. Aun así y por difícil que fuera su carácter, en mi opinión nuestra dinámica fue culpa mía; sin embargo no hubo tiempo de hacer las paces. Su cáncer cerebral fue rápido e inmisericorde. Yo estaba enfadada por su muerte y por nuestra relación. Y además estaba enfadada con mi padre, que también había padecido una muerte horrible, triste y solitaria. Me moría de rabia porque Dios hubiera permitido que ocurriera todo aquello, que era tremendamente injusto. Y seguí enfadada porque el dolor me daba miedo. Pasé mucho tiempo sin expresar jamás mis emociones hasta que al final conseguí hacerme «insensible». Engordé 27 kilos en los tres primeros meses, tras la muerte de mi madre. «Os voy a demostrar lo enfadada que estoy; me voy a hacer daño a mí misma». Aunque ya no bebía y mi situación había mejorado inmensamente, todavía me sentía dolida y me hacía daño a propósito, comiendo de una forma compulsiva para tratar de tragarme mis sentimientos.

Luego ya no hubo más rabia ni tristeza, sino solo la rendición ante la supuesta insensibilización a la que yo llamaba curación. Solía desmayarme a media frase en la consulta de la terapeuta, cuando hablábamos de mis padres. Me despertaba cuando ella anunciaba «La sesión ha terminado». Era una mujer amable y compasiva, y yo necesitaba a alguien como ella. Después, a lo largo del tiempo, dejé de hacerme daño a mí misma y fui permitiéndome soltar todo lo que podía.

Logré curarme bastante con el correr del tiempo. Trabajé muy duro y cambié una barbaridad. Ya no estaba avergonzada de mí misma porque me hubieran violado; por haber padecido una depresión; ni por la subsiguiente drogadicción. Creía que había perdonado ya a todo el mundo; que había hecho las paces y que había descubierto una vida pletórica de milagros. Y también que me había perdonado a mí misma. Pensaba que me había curado por completo de mi conciencia de víctima del pasado. Y eso era verdad, pero todavía quedaba algo: una vergüenza innombrable en relación con mi padre y mi madre, de la que yo era consciente en secreto y de la que escasamente hablaba.

Mi padre

Tengo que mencionar también algunas cosas importantes sobre mi padre. Fue una persona conocida y respetada durante toda su vida; era un brillante ingeniero y promotor inmobiliario, además de intelectual, filósofo, inventor y activista medioambiental muy comprometido en política. Siempre estaba abierto a nuevas ideas, y nos animaba a ser autodidactas. Más que nada, mi padre era un orgulloso Leo muy devoto de su papel como gran proveedor.

Uno de los mejores recuerdos de la familia fue la invitación a dar una charla pública en una conferencia en Estocolmo (Suecia) sobre temas medioambientales. Mi padre tenía que hablar sobre la energía eólica, los coches eléctricos y la energía solar; pero eso fue en 1966. Él estaba convencido de que el calentamiento global podía ser potencialmente desastroso y quería promover cambios, pero de esto hace 40 años. Definitivamente, mi padre iba por delante de su tiempo.

Gracias a él yo me sentí como una privilegiada durante la primera parte de mi vida: él hizo posible que mi hermana y yo asistiéramos a un colegio privado de élite y disfrutáramos de coches elegantes, viajes a Europa durante la infancia y abrigos de piel (¡aunque ahora ya no llevo ninguno jamás!). Su nombre nos abría puertas cerradas para otras personas.

Pero no es por eso por lo que lo recuerdo. De alguna manera la tragedia logró borrar todos esos buenos momentos y sustituirlos por los recuerdos que se crearon después. He visto este proceso también en muchos clientes. La pérdida puede ser una fuerza extraordinaria a la hora de cegarnos e impedirnos ver las cosas buenas de la vida.

Cuando murió mi padre, el 2 de febrero de 1991, estaba destrozado y no tenía un penique. Lo perdió todo en un mal negocio a la edad de 75 años; nos quitaron hasta la casa. Mi familia tuvo que sobrevivir vendiendo malamente las antigüedades, óleos y objetos de colección a precios ridículos... y del salario de mi madre, 8 dólares por hora, en una tienda de ropa de segunda mano.

Mi padre jamás se recobró. Lo observamos morir lentamente a lo largo de ocho años, conforme iba perdiendo la voluntad de vivir. La enfermedad de Alzheimer y el sentimiento de fracaso lo hundieron. Y mi madre lo siguió justo después debido a un tumor cerebral maligno.

UNA LECTURA PERSONAL

Resultaba evidente por qué la lectura de John Holland me ponía tan nerviosa; sin embargo yo solo esperaba la confirmación de que todo iba bien al otro lado y me oían con claridad. Iba a hacerle las mismas preguntas que yo les susurraba a mis padres a diario, a solas, durante mis oraciones: «¿Estáis bien?, ¿sois felices?, ¿sabéis cuán dolida estoy todavía, y cuánto lo lamento a pesar de todos los años transcurridos? ¿podéis perdonarme?, ¿estáis orgullosos de la persona en la que me he convertido?».

¿Es que creíais que mis preocupaciones serían más hondas que las de cualquier otra persona que busque respuestas a través de una psíquica, simplemente porque soy una de ellas? Las cuestiones idealistas y existenciales no son para mí. A mí no me importaba cómo fuera el cielo, o si la matriz Divina o el «multiverso» eran reales. Yo solo quería saber la respuesta a esas preguntas concretas. Los mensajes oraculares que buscaba eran de naturaleza profundamente personal.

El día antes de la llegada de John, Oprah Winfrey invitó a su *show* a los médiums psíquicos John Edward y Allison DuBois. Allison, cuya vida ha inspirado la famosa serie de TV *Medium*, se presentó a sí misma de una forma tan altamente acreditada, que yo me quedé impresionada. El científico Dean Radin expuso brevemente la idea de que la ciencia está demostrando que los seres humanos tenemos una percepción sensorial más alta, y de que nuestra conciencia puede, de hecho, ser eterna. Más allá de mi entusiasmo por la tremenda credibilidad que el espectáculo de Oprah prestó a mi profesión debido a su enorme influencia en el mundo, yo vi el programa como una señal personal de que estaba preparada para conectar con mis padres.

Pero John estaba tan exhausto al llegar, que nos sentamos a relajarnos. Entonces me di cuenta de que debía dejar pasar mi deseo de realizar esa lectura; lo último que quería era presionarlo, cuando era evidente que necesitaba descansar. Me sentí curiosamente aliviada. Tenía la inquietante sensación de que quizá, de todas maneras, mis padres no aparecerían... y entonces, ¿qué? ¡Pues vaya con la «señal de Oprah»!

Ese fin de semana nos lo pasamos muy bien. Llevamos a John a visitar a unos amigos que decían que su casa estaba embrujada. Aunque ninguno de nosotros «vio» aparecer ningún fantasma en la fiesta, definitivamente todos tuvimos la extraña sensación de percibir una presencia y volvimos a casa agotados. Yo no pude dormir aquella noche, así que me quedé despierta, haciéndome preguntas sobre mis padres y, en especial, sobre mi madre.

Nadie podría haber planeado jamás lo que sucedió después. La noche del 17, el aniversario de la muerte de mi madre, John y yo fuimos a mi despacho donde, naturalmente, comenzamos a hacer lo que hacemos siempre: decidí hacerle una lectura yo a él, y entonces John se puso a garabatear. Yo creía que estaba escuchando mi sabiduría porque se trataba de una buena lectura; creía que escribía con fervor cada palabra que decía. Me parecío un poco extraño que escribiera tan deprisa y que utilizara las dos caras de la hoja de papel, pero una vez más, ¿es que acaso alguno de los dos era una persona normal?

No os preocupéis por lo que yo le conté a él; resultó que él estaba recibiendo impresiones de mis padres. Ellos estaban allí.

Entonces comenzó a ocurrir algo poderoso. De repente yo vi una luz débil y borrosa detrás de John, y mi perra Beanie, que siempre está callada y tranquila, se volvió loca y empezó a ladrar al aire, mirando al espacio entre John y yo.

«John, ¿lo ves?, ¿lo ves?», le pregunté yo.

Beanie ladraba con mucha ansiedad y seguía a la luz borrosa que se movía despacio a nuestro alrededor y que luego desapareció. ¡Pero la perra siguió viendo algo y ladrando! Tuve que calmarla mientras John comenzaba a contarme lo que había recibido.

Primero apareció mi padre. Quería que yo lo viera en esmoquin; su aspecto era muy importante para él. Dijo (a través de John) que él solo había querido ser la persona que sustentara a la familia.

Me partió el corazón a pesar de mi excitación, porque él había repetido a menudo esas mismas palabras. ¡Ah!, y en mi foto favorita de él... ¡lleva esmoquin! Comprendo por qué quería llevar esa ropa para comunicarse conmigo. Estaba en el cielo; en pleno esplendor otra vez, como en la foto.

John comenzó entonces a contar cosas sobre mi padre que él no podía saber. He escrito largamente acerca de mi familia en *Remembering the Future*, pero nada de lo que me dijo aparece en el libro. John habló de la etapa política de mi padre durante la II Guerra Mundial, cuando trabajaba como espía para los británicos. Papá era ingeniero, y nos contó que había construido varios puentes para los alemanes que después había volado para los británicos.

John vio que mi padre había estado en una especie de prisión en dos ocasiones. En la primera fue encarcelado por el intento de atentado contra la vida de Mussolini. La segunda vez se produjo cuando lo capturaron los rusos, creyendo que trabajaba para los alemanes. Lo torturaron durante días y estuvieron a punto de matarlo, pero los británicos lo salvaron. John también me proporcionó impresiones sobre el activismo político posterior de mi padre aquí, en Canadá, mucho después.

Definitivamente se trataba de mi padre. Nada de sensibleros «te quiero» por su parte; quería que recordara todas las cosas buenas de las que él estaba orgulloso. Durante mucho tiempo yo había visto solo los últimos y difíciles años. No me acordaba más que de su impotencia, y él quería decirme que no siempre había sido así.

Por primera vez mi corazón escuchó un mensaje que rompió el hechizo de mis sórdidos recuerdos. Yo me había olvidado de todo lo bueno. Estaba atónita y al mismo tiempo profundamente conmovida.

Entonces apareció mi madre, y en unas cuantas frases John describió su misma esencia. La veía tal y como era: físicamente bella, compleja, vivaz, manteniendo siempre el control a todas horas, y amante de los animales. Era una superviviente. Quizá el Holocausto hubiera destruido a su familia, pero no le había roto el espíritu. Jamás había vuelto a mostrarse tan vulnerable. Así como cambió de país, asimismo cambió de religión. Al fin y al cabo Jesús comenzó siendo judío como ella, así que lo que era bueno para él tenía que serlo también para todos nosotros. Por eso crecí como cristiana, amando a Cristo; o al menos lo que él representaba.

Entonces vi que John escribía: «Mi querida Colette», tal y como había escrito mi madre. Alzó la vista hacia mí y me dijo con calma: «Tu madre me está diciendo que cuando encontraste la carta, ella estaba justo detrás de ti. Estaba contigo».

Antes de morir, mi madre me había escrito una carta que había guardado junto con unas cuantas fotos en una caja. Yo acababa de encontrarla hacía unos meses, y ese día me lo pasé de rodillas, llorando. ¿Por qué no podía superar *aquel asunto?*, ¿*cuál era la pieza que me faltaba?*, me preguntaba. John no podía saber que yo me había encontrado una carta de mi madre; una que precisamente comenzaba: «Mi querida Colette».

«Ella te quiere mucho», continuó John. «Está muy contenta de que te acuerdes de ella, y quiere que la perdones».

Ella quiere que la perdones.

Yo estaba sobrecogida. Aunque había muchos detalles que demostraban que John estaba de verdad en contacto con mis padres, este era para mí el más significativo. Porque era la llave de la puerta que yo no había podido abrir jamás.

Y así el poder transformador del oráculo comenzó a tomar cuerpo a mi alrededor. El tiempo se ralentizó y mis sentidos se agudizaron, y yo me sentí serena y preparada para escuchar con más profundidad que nunca. Cuando un oráculo es cierto, todo el cuerpo vibra como la cuerda de un arpa. El caos comienza a adquirir una forma con sentido; es como si todas las preguntas fueran respondidas por primera vez... incluso las que todavía no se han formulado.

Con esa última afirmación John me había hecho una lectura tan rica en poder de curación, que estuve un par de días sin poder hablar de ella. Marc me preguntó si quería dialogar sobre el asunto, pero yo no podía pronunciar palabra.

Yo me había pasado muchos años rogando perdón, pero jamás había pensado que tenía que perdonar a mi madre. Y tampoco me había dado cuenta de que nunca lo había hecho. (La verdad era que ni siquiera me había perdonado a mí misma). Ahora comprendo que era yo la que nos mantenía a las dos estancadas, cuando deberíamos haberlo superado hacía décadas.

Y no obstante yo caminaba por la senda del milagro: me había curado del trauma de la violación; me había embarcado en un camino espiritual; y había permanecido limpia y sobria durante casi 22 años, tomándomelo todo paso a paso. Disfrutaba de un matrimonio feliz, y mi vida era un éxito. Había cambiado tanto, que nadie de la época de mi infancia me reconocía. Aun así, había dejado atrás una parte crucial de mi vida. Y esa frase era la llave; la clave fundamental que se me estaba escapando.

La lectura de John fue tan profunda, que cualquier descripción palidece en comparación con el impacto que tuvo en mí. Nada más recibir ese mensaje oracular sentí que por fin tenía permiso para curarme.

En *Remembering the Future* explico que una de las siete claves para recuperar la intuición es el perdón. Estoy convencida de que es uno de los aspectos más importantes del crecimiento espiritual y de la curación. Y supongo que al final todos acabamos por enseñar precisamente aquello que nos hemos visto obligados a aprender; solo que yo no tenía ni idea de cuánto me faltaba por aprender… hasta que John se transformó en el conducto de las almas de mis padres: ahora puedo volar.

CONFIRMACIÓN

John me dijo que quizá, si albergaba alguna duda a propósito de esta experiencia, mis padres podían decidir aparecer otra vez de alguna otra forma. Y las sincronicidades constituyen otro de los métodos por los que el Espíritu nos trae la consciencia.

Cuando hago una lectura para alguien sobre un escenario, a veces el mensaje tiene sentido también para otra persona de la audiencia. En incontables ocasiones se me ha acercado la gente, mientras firmo libros después de una lectura pública, para contarme muy nerviosos que lo que he dicho se les puede aplicar también a ellos, y que por eso se sienten muy agradecidos. Cuando el Espíritu utiliza a un orador inocente para entregar inadvertidamente un mensaje de esta forma, a este fenómeno se le llama *cledonismancia*. Se trata de una tradición oracular que se remonta a la antigua Roma (y de la que hablaré más adelante en este libro).

Me había llegado el turno de experimentar la sincronicidad de forma personal. Durante la lectura que yo misma hice el martes siguiente nada más marcharse John, se me otorgó otro oráculo. Mi cliente, un empresario de éxito, había venido a verme todos los años desde 1995. Por lo general hablábamos de sus negocios, pero aquel día fue diferente. Charlamos sobre su nuevo amor, porque estaba convencido de haber encontrado a su media naranja. Durante el curso de la conversación mencionó que su amorcito y él compartían el mismo día de cumpleaños, y que él jamás había conocido a nadie que hubiera nacido en esa fecha: el 31 de enero.

¡Aquello era otra vez producto de la cledonismancia! El cumpleaños de mi madre también era el día 31 de enero. Se lo conté todo a mi cliente, tanto lo de mi madre como lo de mi lectura, y ambos notamos que algo muy profundo nos estaba pasando. Yo seguí con su sesión de lectura, muy nerviosa ante aquella sincronicidad. Y entonces le pregunté por casualidad cómo se llamaba su novia. Y él respondió: «Se llama Eva».

Es el nombre de mi madre.

Me llevó una semana asimilar la profundidad del mensaje del oráculo. Aquella información jamás habría tenido semejante impacto en mí de haber provenido de otra fuente. Si un terapeuta me hubiera dicho que mi madre deseaba mi perdón y que yo necesitaba dejar de sabotear mi propia identidad de hija imperfecta y desagradecida, nunca me habría causado el mismo efecto.

La forma en que recibí el mensaje, a través de la extraordinariamente exacta y compasiva mediación de John Holland; la luz difusa; los ladridos de mi perra al aire; y la sincronicidad de la lectura de unos días más tarde... todo ello servía a un propósito mayor. Yo no podía negarlo, y tuve que sopesarlo todo. Ya era hora. Por fin era libre de sentir de verdad el dolor, y comprendía el potencial de transformación que nos proporcionan los oráculos. Yo había recibido lo que había tenido la bendición de entregar a los demás.

EL ESPÍRITU, EL BRÓCOLI Y EL TRICICLO AMARILLO

He aquí otra historia en relación con los lazos entre padres e hijos. Durante el transcurso de la gira *Spiritual Connections*, un día no hacía más que suspirar por comer brócoli chino. Me habían dicho que en ese idioma se llamaba *kai-lan*, así que oía esta palabra en la cabeza cada vez que pensaba en el humeante brócoli anhelado. La misma rareza del término demostraría ser una de las claves del transformador mensaje espiritual que recibí para una mujer llamada Madge.

Marc me había pedido que le hiciera un favor a Madge. Ella era una de las estudiantes certificadas de LifeLine, y trabajaba con el doctor Darren Weissman, escritor de Hay House. Madge había perdido recientemente a su hijo. Marc había estado con ella en un par de conferencias, y ella le había impresionado profundamente.

Marc me sugirió que intentara oír algo acerca de su hijo cuando ella asistiera al encuentro que se celebraría en Nashville programado como parte de la gira *Spiritual Connections*. No me dijo el nombre del chico, pero sí que había muerto en un accidente de coche en el que conducía un borracho.

Yo no me creía capaz de hacer una lectura para Madge porque tenía la impresión de que hacía falta un período de ajuste tras la defunción de alguien; en otras palabras, se tarda unos cuantos meses antes de que la consciencia de alguien vuelva a activarse al otro lado. Mis habilidades como médium estaban todavía verdes y por madurar, así que estaba convencida de que no podría establecer contacto. Lamentaba tener que decepcionarla, pero lo aceptaba como un hecho. No obstante la invité a reunirse conmigo entre bastidores antes de que comenzara el encuentro.

Antes de salir al escenario yo siempre rezo al Espíritu para que me utilice y ayude así a cualquiera que lo necesite. Aquella noche, nada más ponerme a orar, mi mente se llenó de recuerdos que no eran míos, pero que fluían con toda naturalidad. Al principio vi imágenes de un todoterreno y de ruedas de todos los tamaños. Vi a alguien con una contusión y un fuerte golpe en la cabeza, que parecía haberle resquebrajado el cráneo. Sentí algo así como el restallido de un trueno en mi interior, y luego la serena sensación de flotar. A continuación me vi a mí misma debajo de un camión o de un coche, alzando la vista hacia el sucio motor.

Las dos imágenes que siguieron fueron extrañas e insistentes. Vi un triciclo grande de plástico amarillo con un asiento reluciente. Y vi el brócoli chino... ¿cómo?

«Ah, bueno», pensé. «A lo mejor, después de todo, puedo pedir que me lo traigan cuando termine el encuentro».

Ninguna de esas imágenes significaba nada para mí, y lo cierto es que podían pertenecer a cualquiera de las diez personas que serían llamadas a escenario para una lectura.

Entonces llevaron a Madge entre bastidores. Yo me acerqué a ella, y en ese instante todas las escenas que había visto durante mi plegaria volvieron a fluir. Le conté lo que había visto, y ella me confirmó que todo eso podía aplicarse a su hijo. Yo había visto que desde que le regalaron el triciclo amarillo, le encantaban los camiones. Y sabía que había muerto al instante y que no había sufrido.

Mientras Madge estaba ahí de pie, capté también la consciencia de un hombre alcohólico. Supe de inmediato que era su padre fallecido. Tuve la sensación de percibir sus sentimientos y palabras (más que oírlas verdaderamente como una voz); irradiaban sinceridad y un verdadero deseo de hacer las paces y de alimentar a su familia, aunque no hubiera podido hacerlo en el pasado. Parecía querer decir: «Lamento mucho no haber estado ahí para ti, pero ahora puedo cuidar de tu hijo».

Madge se quedó un tanto atónita. Me dijo que su padre había muerto hacía casi 30 años. Y entonces añadió que su hijo se llamaba Kylen.

Nos abrazamos; las dos estábamos conmovidas ante aquella conexión. Y después me fui. Necesitaba desconectar para evitar todo posible apego al salir al escenario.

Sin embargo, antes de marcharse Madge me dio una tarjeta con un señalador de páginas enganchado que yo decidí examinar detalladamente más adelante, cuando estuviera de vuelta en el hotel. La tarjeta decía:

> *La fe ve lo invisible,*
> *cree lo increíble,*
> *y recibe lo imposible.*

Más tarde, cuando me senté a escribir todo esto, de pronto comprendí cuál era el significado del brócoli chino: *kai-lan...* Kylen.

Y he aquí lo que Madge tiene que decir con respecto a esta lectura:

> *Después del fin de semana en el que conocí a Colette, mucha gente comenzó a llamarme por teléfono para contarme que, de alguna manera, habían oído hablar de Kylen. Recibí incluso un mensaje de un viejo amigo de Oregón con el que no había hablado en 15 años; se trata de un profesional de la intuición, que había oído hablar de mi hijo durante una meditación. Además, mientras preparaba la cena nada más volver de casa de mi amiga Deborah, ella oyó a mi hijo decir: «Mi*

madre también solía cocinar ese plato». Una noche mi vecina de la puerta de al lado me preguntó si quería que fuéramos juntas a pasear a los perros. Tras unos minutos caminando, ella dijo: «No sé si debería contarte esto o no, pero Kylen ha estado hablando conmigo».

Sin embargo la experiencia con Colette fue sencillamente increíble; es una historia en la que todos podemos creer. Después de hablar con ella me apresuré a volver a casa y saqué las fotos de Kylen de su tercer cumpleaños. Se lo veía ayudando a su padre a montar el camión amarillo. Contemplé su diminuto rostro, agachado en cuclillas, observando cómo encajaba la primera rueda en su sitio. Vi lo concentrado que estaba mientras giraba el destornillador. ¡Qué tesoro! ¿Podéis creer que de verdad lo tengo todo en fotos? Al enseñarle a Colette el triciclo, Kylen tuvo que darse cuenta de que yo necesitaba algo tangible como prueba para que mi corazón pudiera alegrarse por sus aventuras más allá del velo, en el «mundo real».

También me siento increíblemente agradecida al saber que mi padre ha estado intentando ponerse en contacto conmigo durante años, y que quiere hacer las paces y olvidar los problemas que tuvimos. Y sobre todo estoy contenta por el hecho de que vaya a cuidar de su maravilloso nieto.

CAPÍTULO 4

Los animales como mensajeros
del oráculo

NUESTROS ANIMALES DE COMPAÑÍA no son importantes para nosotros simplemente como mascotas a las que querer y cuidar; también nos sirven para un propósito oracular, aunque con frecuencia no sabemos verlo. De hecho, son los espejos más precisos de nuestro punto de partida para el diálogo con el Espíritu: esta es su tarea principal al elegir pasar el tiempo con nosotros. Se nos acercan para facilitar nuestra maduración espiritual en una relación dinámica y mutua que evoluciona. Actúan constantemente como portadores de la señal sagrada que nos conecta a diario con el lenguaje de los oráculos, presagios y signos.

Los animales salvajes, incluidos aquellos que viven en entornos urbanos, son también poderosos oráculos portadores de señales sagradas. En muchos sentidos son los primeros mensajeros oraculares vivos de la historia humana. Por esta razón he dedicado un capítulo entero a estas criaturas peludas o llenas de plumas o escamas que el Espíritu nos envía como mensajeros Divinos.

Yo nací para amar y proteger a los animales. Crecí rodeada de ellos; de los ratones que mi madre llevaba siempre en los bolsillos del delantal, de los pájaros que volaban dentro de casa, y de todos los adorados perros que ladraban y babeaban. Siempre teníamos un animal salvaje al que mi madre cuidaba y devolvía la salud para volver a ponerlo en libertad. Por ejemplo, amamantó a una cachorra de mapache con un cuentagotas hasta que abrió los ojos. Yo me había enamorado de ese mapache al instante, nada más verla en nuestra chimenea. La llamamos Petunia.

Siempre creí que los animales, los pájaros y el resto de criaturas vivas tienen alma y que, de alguna manera, son más sabios, más dignos y más auténticos que los humanos. Y lo que es más importante aún: he visto a su alrededor las mismas aureolas de luz brillante que llevan los santos en las vidrieras de las iglesias. Yo sabía que esos halos significan que los animales también son sagrados. De hecho, todos los perros que he tenido han llegado a mí de la misma forma: a través de sueños y de extrañas pero evidentes sincronicidades, que siempre me recuerdan que su presencia a mi lado viene a satisfacer un contrato espiritual y sagrado conmigo muy importante.

¡Gizmo!

La forma en que me llegaron estos animales me demuestra que el Espíritu no solo me envía señales, sino que prácticamente va colocando anuncios en las vallas publicitarias para captar mi atención. Por ejemplo, Gizmo, mi travieso perro maltés, se había comprometido a hacerme saber a quién podía dejar entrar en casa y a quién no. En una ocasión, cuando yo todavía ejercía la aromaterapia en casa, vino un hombre a verme para que le administrara un tratamiento a base de masajes. Tras echarle un vistazo al cliente, Gizmo comenzó a atacar a uno de sus juguetes. A continuación alzó la vista hacia mí, luego la desvió hacia aquel hombre y de nuevo me miró otra vez a mí, haciéndome saber con claridad que no aprobaba la energía del cliente. Y entonces se le ocurrió hacer la cosa más histérica que se pueda imaginar.

Gizmo cogió un rollo de papel higiénico y echó a correr a toda velocidad y a dar vueltas una y otra vez alrededor de la camilla de masajes, desenrollando el papel. Yo hice todo lo que pude para no echarme a reír, pero no pude evitarlo. Entonces mi cliente me dijo que detestaba a los perros, y yo lo despedí sin cobrarle. No podía parar de reír. Ahí estaba Gizmo, con todo el cuerpo y la cabeza envueltos en papel higiénico. ¡Además de una larguísima «correa» blanca, enrollada alrededor de la camilla!

Dejé de reír sin embargo un par de semanas más tarde, cuando descubrí que aquel cliente había sido acusado de asalto con agresión. Lo habían encarcelado por secuestrar y encerrar a la fuerza a su antigua novia. Gizmo quería hacerme saber que era un hombre peligroso. A partir de entonces presto siempre mucha atención a mi perro cuando trata de decirme qué piensa de la gente.

El siguiente perro que tuve fue Trinket, una yorkshire terrier pequeñita. Nada más llevarla a casa descubrí que era incontinente. ¿Qué iba a hacer con una perra que necesitaba pañales igual que un bebé? Fabriqué pañales; eso fue lo que hice. Aquella perrita era una criaturita paciente, pues aguantó estoicamente mientras yo experimentaba como una loca con los pañales. El primer intento lo llevé a cabo con un maxipañal que corté y cosí para transformarlo a su medida. Tenía un forro de franela con dibujos de leopardo.

Yo me llevaba a Trinket a todas partes; incluso a Europa. Era muy inteligente y siempre estaba alerta, y cada vez que le hablaba, ella ladeaba la cabeza y una de sus «peludas» orejas. Tenía una insólita sensación o percepción del mundo, y para mí constituyó toda una auténtica portadora de señales sagradas, pues funcionaba como un sistema de alarma en miniatura. Me avisaba incluso cuando iba a sonar el teléfono, y se ponía a ladrar diez minutos antes de que llamaran a la puerta.

Trinket llevaba ya años viviendo conmigo cuando se me ocurrió salir de vacaciones sin ella. Unos días antes de marcharme yo misma me «eché» las cartas con una baraja de tarot, y obtuve una indicación clara de que pronto se produciría una muerte en mi entorno. Cada vez que sale el as de espadas junto con la muerte y una carta que es un rostro en una lectura, se trata de un presagio de muerte. La carta correspondiente al rostro que saqué fue la sota de copas, lo cual significa que se trataba de una chica joven. Yo estaba asustada y con mucha ansicdad, porque no sabía a quién se refería. ¿Sería capaz de prevenirlo, en caso de averiguarlo? Escribí todo esto en mi diario y se lo confié a un par de amigas. Pero como no encontraba ninguna respuesta que me sonara veraz, decidí que era una coincidencia y lo dejé pasar.

El viaje no me resultó en absoluto relajante porque no dejaba de darle vueltas a la cabeza a lo que había visto en las cartas. Estaba en estado de máxima alerta, y no pude disfrutar del maravilloso spa jamaicano. No hacía más que tener sueños tristes en los que lloraba y corría, tratando de detener algo que era inevitable.

Volví a casa y descubrí que mi pequeña Trinket había muerto en un extraño accidente, en las garras de otro perro. Prevenirlo habría sido imposible. Yo sabía que no era culpa de nadie, porque la amiga a cuyo cuidado había confiado a mi perra la quería y jamás la habría puesto en peligro. Según me contaron, ella prácticamente saltó sobre las fauces del golden retriever que mató a Trinket instantáneamente de un solo mordisco. Yo estaba consternada y apesadumbrada, y me sentía culpable por haberme marchado sin ella.

Entonces, una semana después de su muerte, Trinket se me apareció en un sueño. Expresó a través de imágenes y de sentimientos que yo había demostrado ser capaz de procurar un amor no egoísta y un cuidado extraordinario a un ser sensible y necesitado. Me «dijo» que ella había cumplido su parte, que consistía en cuidarme, y que tenía que volver al Espíritu. Cuando murió tenía cáncer, y le preocupaba que yo prolongara su vida de enferma, pensando que eso significaba que la quería mucho. Porque ella estaba lista para marcharse. Yo le conté que su pérdida me había roto el corazón, y que la echaba mucho de menos. Y ella me llenó de sentimientos de amor.

Justo tres semanas después del día de la muerte de Trinket, me desperté con una luz brillante sobre el rostro. Era la luna, que por fin se mostraba completamente llena y brillante. Salté de la cama y me dirigí al salón, y allí me di cuenta de que el cojín de Trinket tenía una hendidura. ¡Era imposible! Había estado ahuecándolo el día anterior a pesar de saber que antes o después tendría que sacarlo fuera, porque olía mucho a orina. En aquel momento, sin embargo, su fragancia era semejante a la de la ropa tendida fuera, al correr de la brisa. Olía a limpio y fresco; en absoluto como el día anterior.

Plenamente despierta ya tras este hecho, comencé a pensar en tener otro perro. Me atraían los pomerania, porque no hacía más que pensar en los dos perros de esa raza de una amiga mía. Así que aquella misma noche busqué en Google «pomerania», y elegí una perrera que además fabricaba productos de aromaterapia para perros. Yo me había dedicado a esa misma disciplina de la aromaterapia, y aquella coincidencia fue mi primera pista.

Entonces leí: «Se vende perrita de dos años de edad, de nombre Trinket. Colgado el 12 de febrero a las 12 de la noche, según el horario estándar de la zona montañosa de Canadá». Me quedé boquiabierta. Mi Trinket había muerto el 12 de febrero a las 2 de la madrugada, según el horario estándar del Este.

No era ninguna coincidencia. Caminé de un lado a otro por el apartamento, esperando con impaciencia a que dieran las siete de mañana en la zona horaria de la perrera para llamar. Entonces telefoneé y comencé a farfullar a propósito de Trinket y de todas las señales, presagios, y actos de voluntad del Espíritu... ¡Supongo que debí parecerles una loca! Incluso me ofrecí a salir de viaje conduciendo hasta allí «justo en este preciso instante, hoy mismo, porque Dios ha dicho que esa perra es mía». Sin embargo, semejante viaje me habría llevado al menos cuatro días o más, porque estábamos en pleno invierno. Así que los empleados de la perrera me dijeron que me la mandarían.

Nada más llegar a casa, Trinket se deslizó fuera de la bolsa de viaje con la agilidad de una pequeña zorrita roja con una enorme y frondosa cola blanca. De inmediato me lamió, me miró a los ojos, y comenzó a hacer los ruidos más divertidos que quepa imaginar. Sonaban igual que el lenguaje de los *tribble*, de la antigua serie de TV *Star Trek*. En lugar de ladrar «guau, guau», ella emitía un agudo «rrreee rrreeee».

Al igual que el resto de mis perros, esta segunda Trinket también padecía una enfermedad de la que nadie tenía constancia cuando me la enviaron; los síntomas se declararon dos semanas después. Desarrolló un colapso traqueal, que es frecuente en esta raza. Pero la visita al veterinario me reveló además algo horrible: alguien le había cortado las cuerdas vocales. La noticia me dejó desolada, porque entonces me di cuenta de que los divertidos sonidos en *tribble* procedentes de aquella expresiva carita eran el resultado de dicha operación. De todas formas era una perrita muy charlatana, y sus circunstancias no le impidieron expresarse jamás. Chillaba alegremente largo y tendido, sin importarle si lo que se oía sonaba a cachorrillo de perro o a al estallido de un globo de helio.

Llamé de nuevo a la perrera, y me contaron que su entrenador anterior la había «desenladrado»; un procedimiento habitual con los perros que trabajan en el mundo del espectáculo, y que ladran en exceso. Así que además del colapso traqueal, Trinket tenía una herida en la diminuta garganta, producto de la operación en la que le habían extraído las cuerdas vocales. Tuve la terrible sensación de que no estaría conmigo mucho tiempo.

Y así fue. Era la naturaleza de nuestro contrato. Yo le proporcioné a Trinket los cuidados que requería mientras ella me ayudaba a sanar el corazón y me enseñaba más cosas sobre la vida, la compasión y la responsabilidad. Y lo que es más importante aún: me enseñó a seguir amando. ¡Ah!, y también me dejó bien claro que no quería que la llamara Trinket, ya que ese nombre nos resultaba incómodo a las dos. La rebauticé con el nombre de Tinkerbelle, pero a ella siempre le gustó más que utilizara el diminutivo Tinky.

Tinky además me transmitió otra clase de señal. Cada vez que chillaba, yo sentía una punzada de pena por la pérdida de su voz... hasta que me di cuenta de que yo misma también, de algún modo, había perdido la voz. Me había rendido en mi carrera como cantante, y hasta había renunciado incluso al deseo de cantar. En realidad me sentía como si hubiera perdido mi capacidad para expresar auténticamente quién era yo. Mi trabajo como intuitiva requería de mí algo que me proporcionara equilibrio, pero yo ni siquiera me había reconciliado con el hecho de que me había permitido a mí misma permanecer en silencio.

Unos cuantos meses más tarde, se me presentó la oportunidad de volar a Los Ángeles para colaborar con el productor Eric Rosse en unos cuantos temas musicales, que al final acabaron convirtiéndose en el disco *Magdalene's Garden*; entonces por fin relancé mi carrera con el sello EMI. Comencé otra vez a cantar, y redescubrí mi voz a la joven pero ya madurita edad de 42 años. Fue Tinkerbelle quien me mostró que todavía tenía cosas por descubrir.

La perrita solo estuvo conmigo año y medio antes de sucumbir a las complicaciones surgidas a causa de la herida de la garganta y el colapso traqueal. Murió en mis brazos, incapaz de respirar, sabiendo que yo la querría y escucharía para siempre.

LOS MENSAJEROS DEL ESPÍRITU SON PELUDOS

Mis perros han sido siempre para mí un recuerdo constante de la divinidad e inteligencia de todos los seres sensibles. Como compañeros amados, ellos realizan un servicio sagrado para nosotros al mostrarnos que el Espíritu está en todas partes, y no solo en nuestro interior. Nos recuerdan que todas las relaciones son espejos en los que mirarnos, de manera que podamos crecer y ser las personas que estamos destinadas a ser. Nos muestran la belleza que supone permanecer por completo en el momento presente, sin juzgar. Nos enseñan a vivir. Y nos recuerdan que «el Todo estará siempre en las pequeñas partes».

Sus muertes me proporcionaron siempre una oportunidad clave para reconciliarme conmigo misma y para sentirme viva, sin ese entumecimiento que nos aísla de nuestro mundo moderno. El dolor de sus respectivas pérdidas me ha ayudado a comprender qué significan en realidad la gratitud y la gracia. Ellos contribuyeron a abrir mi corazón de par en par. Ahora soy más compasiva, y conozco las profundas conexiones que con tanta facilidad olvidamos cuando adoptamos una actitud egocéntrica, y no vivimos en el momento presente. Ellos me permitieron sentir a Dios con cada aliento que compartieron conmigo.

Marc y yo vivimos ahora con otros dos perros pomerania: Sebastian y Beanie. Como ya te habrás figurado, soy chica de perro. Pero no me malinterpretes; no es porque no me gusten los gatos. De hecho tendría diez si pudiera, pero el asma me obliga a hacer honor a mis contratos vitalicios con los caninos. Creo que mi conexión vital con los felinos se agotó durante mis vidas pasadas, cuando servía como sacerdotisa en los templos gatunos de Egipto. Así que para no hacer de menos a nuestros compañeros felinos, permitidme que os cuente la historia de la gatita de mi amiga Jill Kramer.

EL HOMBRE PEQUEÑITO Y EL CASO
DE LA IDENTIDAD EQUIVOCADA

Cuando Sage, la amada gata de Jill, murió a la edad de
19 años, aquella fue una dolorosa y triste despedida. Sage había
aparecido en su vida justo cuando ella atravesaba un período
de transformación, y la llegada de aquella extraordinaria y altamente evolucionada criatura marcó el punto de inflexión de
su despertar espiritual y de su elección de práctica. Sage fue la
compañera inseparable de Jill y de Dolly, su otra gata de
15 años, y el vacío que dejó tras su muerte resultó una tortura.
Jill decidió entonces hacerse con otra gata, más que nada porque tanto ella como yo creíamos posible que nuestra Sage original volviera en el cuerpo de otra gatita.

Encontramos por fin una camada de gatitos recién nacidos
listos para la adopción, y entonces Jill se sintió atraída por un
cachorrito macho atigrado blanco y negro, a pesar de que
Sage hubiera sido hembra. Muchos amigos, incluida yo, la
animamos a elegir a ese gato en particular. Jill decidió llamarlo Sr. Sage. Yo tuve la intensa intuición de que le pertenecía,
y como además quería que fuera feliz, deseaba que aquel cachorrillo fuera la reencarnación de nuestra «Sage, retornada a
la vida».

Bueno… quizá sí… o quizá no. Conforme transcurría el
tiempo, el Sr. Sage comenzó a comportarse como el doctor
Jekyll y Mr. Hyde, solo que este último papel lo interpretaba
con un traje felino de pelo de gato. Primero se mostraba gracio-
sísimo y parecía el compañero ideal, y al minuto siguiente se
convertía en un demonio de Tasmania. Le dio por atacar y
montar a la pobre Dolly, que era diabética. Entonces Jill comprendió que aquel gamberrillo no podía ser Sage, pero de todos
modos le caía bien. Era evidente que había sido el gato quien
la había *elegido* a ella pero, ¿quién era en realidad, y cómo iba
ella a restaurar la paz en el hogar?

Me sentía culpable por haber tomado parte en el desastroso intento de devolver a «Sage a casa», así que le regalé a Jill por su cumpleaños una lectura de la extraordinaria clarividente animal y sanadora natural, Christine Agro. Jill se quedó completamente atónita ante la exactitud de aquellas revelaciones. Christine declaró que, según le había «dicho» el Sr. Sage, su nombre no le gustaba y quería que le pusiera otro. Entonces Jill comprendió que en realidad lo que no deseaba era ser la reencarnación de otro gato; quería que Jill lo apreciara por sí mismo. Se puso a pensar en otro nombre, y por alguna razón le vino a la mente el de «Hombre Pequeñito». Sin embargo, como no estaba segura, lo consultó conmigo más tarde aquel mismo día.

A la mañana siguiente yo hice una lectura para una persona de Chicago. Era una mujer encantadora, que me gustó de verdad. Además noté que había algo en ella que podía resultar significativo, aunque no tuve ninguna visión clara de qué o del porqué. Lo atribuí a lo ameno y divertido de su personalidad. Sin embargo de repente, mientras hablaba con ella, empecé a pensar en el gato de Jill, que parecía «arañarme la mente» para que le prestara atención. Es frecuente que conecte con espíritus que se presentan como mensajeros oraculares simbólicos en representación de mis clientes. En esa ocasión, no obstante, en lugar de interpretar la presencia del señor Sage, es decir, de un gato, como un símbolo de independencia y de la necesidad de establecer límites, etc., etc., me sentí compelida a preguntarle a aquella mujer:

«¿Tienes gato?».

A lo cual ella contestó: «Sí, Hombre Pequeñito».

¡Vaya! Me lo tomé como una señal evidente por parte del gato de Jill de que quería que lo llamaran Hombre Pequeñito, así que llamé por teléfono a mi amiga para contárselo. Ella había salido a comer, de modo que le dejé un mensaje. Poco después Jill me reveló que justo en ese momento ella iba con-

duciendo y pensando: «Sí, su nombre va a ser Hombre Pequeñito. Yo sé que él quiere que lo llame Hombre Pequeñito».
    ¡Naturalmente nuestro antiguo señor Sage es ahora un feliz
Hombre Pequeñito!
    (¡Y con suerte su hermana mayor, Dolly, cosecha los frutos
de su felicidad recién encontrada!).

⁕⁓⑤⁓⁕

Los perros y los gatos son los más populares de entre nuestros animales de compañía, pero ahora quiero presentaros a
otro montón más, que sirven también de mensajeros oraculares. Los animales salvajes, nuestras mascotas y los seres humanos estamos todos aquí para satisfacer un sagrado propósito
Divino. Todos albergamos una chispa individualizada de la inteligencia Divina. Somos los hijos y las hijas del Espíritu, llenos
y rodeados de su consciencia, que nos conecta y nos entrelaza
por dentro y por fuera al tiempo y al espacio. Y a esta danza le
es inherente un poder demasiado grandioso como para medir-
lo. Puede que no seamos conscientes del papel que jugamos en
nombre de otros, pero el Espíritu sabe siempre hacia dónde
guiarnos para que aprendamos y maduremos.
    Una vez nos demos cuenta de todo esto y abramos nuestros
corazones sin juzgar, quizá podamos recordar la característica
más importante de nuestra existencia: que estamos aquí como
custodios de este mundo sagrado. Es posible que entonces nos
acordemos de cómo comportarnos como amantes cuidadores
de este planeta, en lugar de la fuerza destructora e intrusiva en
la que nos hemos convertido (por mucho que creamos que
nuestras intenciones son buenas y progresistas).
    Lo cierto es que aunque no nos merezcamos este planeta
aparentemente moribundo, las criaturas de la tierra, del mar y
del cielo están esperando a que nos demos cuenta de que el
Espíritu está en todas partes. Y entonces, cuando lo compren-

damos, ellos podrán reanudar la conversación perdida hace tanto tiempo. Ellos quieren ser nuestros sagrados portadores de señales y mantener una buena relación con nosotros. Yo sé que la magia nos espera, y el Espíritu también lo sabe. Todos necesitamos experimentar el mundo como algo más que simplemente una mera apariencia física. Tenemos que empezar a «comportarnos como si el Dios que está presente en toda forma de vida sí importara».

Tampoco es tan difícil. Dentro de cada uno de nosotros está el recuerdo ancestral de cómo nos han servido nuestros compañeros no humanos, tanto a un nivel simbólico como interpersonal, desde el comienzo de los tiempos. Tenemos la habilidad de recordar que todos provenimos del Dios que está detrás de todos los dioses.

Todos y cada uno de nosotros podemos sintonizarnos, cada cual por su cuenta, con la frecuencia que facilita la comunicación entre las especies, lo cual nos ayudará a crecer y nos guiará en nuestro viaje. Y una vez hayamos sintonizado con la Naturaleza nos sorprenderá su charla impaciente, deseosa de ser escuchada y comprendida. Hoy en día los animales no permanecen en silencio; jamás lo han estado. Ellos saben qué está pasando en nuestro mundo, y se han comprometido a ayudarnos a recordar quiénes somos.

Una tarde en la que me hallaba meditando, pedí una señal con el objeto de descubrir quién quería compartir la historia de su mascota e ilustrar así todos estos puntos de los que estoy hablando. En mi mente no hacía más que aparecer la imagen de una urraca. Entonces pensé en Christine Agro (www.healingdog.com), que me había ayudado a dilucidar el papel que tenía que jugar con respecto a la descuidada salud de mi perra.

Christine ha supuesto un profundo impacto tanto para mí, como para mis animales y para este libro. Es una mujer dotada de un auténtico don, verdaderamente clarividente; una sanadora natural con un planteamiento único acerca de la salud, el bienestar y la comprensión espiritual de los animales. Tras trabajar con miles de ellos, incluyendo a mi mascota, se ha convertido en la abogada de los derechos de estas criaturas y en la defensora de sus habilidades curativas naturales; habla en su nombre, y nos explica sus necesidades y deseos. Sin lugar a dudas es una auténtica líder a este respecto, y yo misma soy testigo de sus servicios.

Debido a su profunda e íntima relación con el reino animal, yo sabía que Christine tenía muchas historias que contarnos a propósito de sus experiencias con los animales, tanto salvajes como mascotas, además de explicarnos su papel como mensajeros oraculares y portadores de las señales sagradas. Por eso la llamé por teléfono. Estuvimos charlando con entusiasmo acerca de dichas historias, y las dos juntas descubrimos la conexión con la urraca. Yo le pregunté entonces si quería compartir su historia de la urraca en este libro, y ella accedió contenta (además de contribuir también con otra segunda historia).

El rescate

En mi vida había cuatro perros cuando nos mudamos a vivir a Denver (Colorado) en 1997. La más joven era una perrita shar-pei a la que llamábamos Pebbles: era muy graciosa. Yo estaba convencida de que veía Espíritus incorpóreos, y de que era capaz de seguirlos durante horas por toda la casa. ¡Al menos cuando estaba con ella siempre sabía dónde se hallaban los Espíritus! Pero además yo también los sentía. Un día Pebbles estaba tumbada junto a la puerta corredera de cristal del balcón, que estaba cerrada, cuando una urraca aterrizó allí y se quedó mirándola. Pebbles permaneció inmóvil, observándola a su vez. Ambos animales adquirieron entonces la costumbre de mirarse el uno al otro de esta forma a diario. A mí jamás me sorprendían las cosas que hacía Peb-

bles, así que me alegré de aquella extraña relación. En la vida se me habría ocurrido pensar que Pebbles estaba forjando una alianza de la mayor importancia con el mundo exterior.

Yo tenía la costumbre de salir a caminar sola, por mi cuenta, cuando vivía en Colorado. Sé que la gente dice que jamás se debe hacer senderismo en solitario, pero yo siempre me sentí segura y protegida por la Naturaleza y el Universo. Sin embargo un día, no sé cómo, me desvié de mi camino; se estaba haciendo tarde, y yo sabía que me había perdido. Por un momento me entró pánico, pero enseguida traté de arraigarme a mí misma a la tierra firme y segura, y pedí ayuda con estas palabras: «Estoy perdida, y necesito una guía que me indique el camino de vuelta por el que he venido».

Instantes después llegó una urraca, que se posó sobre la rama de un árbol a unos cuantos metros de mí en la dirección opuesta a la que yo seguía. Iba a echar a caminar sin cambiar de rumbo cuando la urraca me llamó. Me giré y le pregunté: «¿Estás hablando conmigo?». La urraca voló y se posó dos árboles más allá, otra vez en la misma dirección opuesta a la mía. Y allí se quedó, esperando. Así que me acerqué, y entonces ella volvió a hacer lo mismo: cada vez que yo me aproximaba, ella echaba a volar y se posaba unos cuantos árboles más allá. Seguí a la urraca hasta que me llevó de vuelta a casa. Nada más vislumbrar mi destino, la urraca soltó un gran graznido y se marchó.

No creo que sea una coincidencia que la amiga de Pebbles fuera una urraca, porque fue ella quien me ayudó a volver.

La bendición

He dedicado mi vida a ayudar, curar y hablar con los animales, y por esta razón el reino animal me envía su apoyo y su guía y me felicita cuando conquisto un logro que es importante para ellos.

Como iridóloga (experta en el hallazgo de indicios de enfermedades físicas en el iris del ojo), sé muy bien cómo ayudar
a los perros. Tras repasar la bibliografía sobre el uso eficaz de
la iridología en los perros, decidí por fin propagar toda esa
información entre el público. Convine en dar una charla en
una conferencia sobre masaje animal y trabajadores del cuerpo que iba a celebrarse en Toledo (Ohio). Tenía previsto que
un coche me llevara al hotel nada más aterrizar en el aero-
puerto. Debíamos tomar una autopista que atravesaba toda
un área rural; había muchos árboles a ambos lados, y la carretera apenas estaba concurrida. Fue entonces cuando ocurrió
algo de una forma un tanto borrosa, así que voy a relatarlo tal
y como lo recuerdo:

Vi a un lobo por el rabillo del ojo. Asomó por uno de los
boscosos laterales de la autopista, cruzó los carriles y la media-
na, y llegó al lado opuesto, junto a mi ventanilla, justo cuando
yo pasaba. Lo vi observarme por la ventana: incluso nuestras
miradas se encontraron. Nada más pasar nuestro coche él
echó a correr y, antes de internarse de nuevo en el bosque,
volvió la vista atrás. El chófer exclamó: «¡Jamás había visto
lobos por aquí!».

Yo tenía unas cuantas razones para encontrar muy significativa aquella experiencia: en primer lugar, los lobos son
guardianes. En segundo lugar yo los considero los tatarabuelos
de los caninos. Y por último, los lobos mantienen una fuerte
conexión con la energía psíquica y la intuición o visión. Aquel
lobo quería transmitirme una felicitación, una bendición y un
don como premio y reconocimiento a la importancia de mi
trabajo y del paso que estaba dando. Y me recordó que existían poderosas energías capaces de apoyarme.

Y NO TE OLVIDES DE LOS CABALLOS, POR SUPUESTO

Aunque podemos considerar a los caballos como animales de compañía, cuentan con ciertas características distintivas que los diferencian del resto de las mascotas. Nos sirven de una forma muy diferente a la de los perros, gatos y demás animales domésticos, que viven en casa con nosotros. Todos los aficionados a los caballos con los que he hablado están de acuerdo conmigo en esto: estos animales forman un grupo aparte por su relación con nosotros. Cuentan con su propio sello de fidelidad, inteligencia y majestad, que jamás serán cuestionadas. Y una vez penetramos profundamente en los oscuros y líquidos pozos de sus ojos, somos capaces de ver nuestra propia alma reflejada en ellos y de experimentar una gran transformación. Cuando un caballo establece una conexión con nosotros la mantiene para siempre, como demuestra la siguiente historia que os voy a contar.

Conocí a Juli en un seminario que impartí en San Francisco. Me quedé atónita ante el poder transformador de las historias que relataba, y el papel que habían jugado los animales como mensajeros oraculares para ella, guiándola en su proceso de profunda transformación personal. He aquí su historia y la de su caballo, Bluestem.

Bluestem y las yeguas de cría

Siempre me han encantado los caballos. Ya desde la infancia mi compañero favorito era un caballito balancín gris de lunares, llamado Apple Jay, cuyos bamboleos me transportaban a tierras encantadas a salvo de la discordia familiar, empapada en alcohol. No es de extrañar que lo primero que hiciera al crecer fuera comprarme un caballo; un caballo gris.

Se llamaba Bluestem, era de un tono gris plata y tenía un noble cuello arqueado, ojos castaños cálidos, y un hocico tan suave como los pétalos de las flores. Entre él y yo existía un vínculo único y muy especial. Él era mi maestro resuelto y generoso, pues toleraba con paciencia mis errores y mi falta de seguridad en mí misma. Me enseñó a confiar en mí, y en su ternura sentí la gracia misma de Dios.

A pesar de que durante la juventud aprendí a temer a los individuos de mi propia especie, confiaba instintivamente y sin reservas en los animales. Mis forzadas relaciones con la gente me impedían distinguir lo que ocurría en mi cabeza, o sea en mi realidad interior, de lo que pasaba fuera, en el mundo «real». Así que con frecuencia negaba mis propios sentimientos y los sustituía por una incómoda pantomima de lo que creía que debía sentir y hacer.

Pero el autosacrificio tiene un precio. Hacia los 27 años de edad ya estaba agotada y tomaba atajos químicos para resolver mi creciente ansiedad. Bluestem lo sabía. Decidí mudarme de la casa de mi infancia en Iowa a California, y entonces me di cuenta de que no podía llevarme a Bluestem conmigo. Temía no ser capaz de mantenernos económicamente a los dos, así que tomé la desgarradora decisión de vendérselo a una amiga. He tardado años en reconciliarme con semejante elección y sus consecuencias.

Llevaba ya tres años en California cuando una noche me desperté de pronto de un sueño profundo. Me incorporé de un salto en la cama, inmersa en el más absoluto terror, convencida de que Bluestem se estaba muriendo. Era una sensación horrible e innegable; sentía un vacío profundo y frío en el pecho. Yo no sabía qué había ocurrido, ni había visto imágenes de sucesos en mi mente; solo aquella horripilante sensación. Traté de ignorarla como a una vulgar pesadilla, pero no conseguí olvidarla. Incapaz de dormir, di vueltas y más vueltas hasta que aparecieron las primeras luces de la mañana que, por poco frecuente que fuera, aquel día recibí agradecida de poder levantarme para ir a trabajar.

A lo largo de la mañana mi preocupación fue en progresivo aumento hasta convertirse en una obsesión. Me dije a mí misma que era una tontería; que incluso aunque le hubiera ocurrido algo a Bluestem, yo ya no podía hacer nada. Además, él ya no era mío. Ninguno de estos razonamientos o pensamientos positivos logró calmar mi alma, así que al final intenté llamar por teléfono a la nueva mamá de Bluestem. Su línea estaba desconectada. Resuelta, traté de ponerme en contacto con otras personas conocidas de las dos. Estaba cada vez más frenética, de modo que llamé a todos mis contactos hasta que al final logré dar con una amiga mutua que tenía su caballo en el mismo establo. Jamás olvidaré lo primero que me dijo:

«¡Ay, Dios mío!, tú has tenido que oír algo. ¿Cómo te has enterado?»

Mi estómago dio un vuelco. Ella me confirmó mi sueño y me dijo que hacía exactamente diez minutos que acababan de sacrificar a Bluestem. Me contó que había recibido un disparo la noche anterior, mientras pacía en el pasto que compartía con otros caballos. Alguien le había disparado por detrás, tras lo cual lo había dejado allí, para morir. Lo habían encontrado a la mañana siguiente, pero para entonces era imposible salvarlo y por eso lo habían sacrificado.

Bluestem murió durante el fin de semana del Día Internacional de los Trabajadores de 1994, y yo entonces sentí que iba a volverme loca. La angustia por haberlo vendido; la culpabilidad por no haber podido evitar su muerte cuando claramente él me estaba llamando; el enfado ante aquel despiadado disparo; y el hecho de que hubiera sufrido tanto, me resultaban insoportables. No quería vivir en un mundo en el que podían ocurrir semejantes cosas. Y además haberlo sentido y presentido a pesar de la distancia, del tiempo y del cambio producido en nuestra relación, no era sino una prueba innegable de la insistente continuidad de nuestra conexión, que yo no podía explicar pero a la cual había fallado.

Me mudé a vivir a un rancho de caballos en Wilton (California), como estudiante en prácticas. Hacía todas las tareas sin cobrar a cambio del alojamiento, la comida y el entrenamiento tanto para mí como para mis caballos. En Wilton casi todo eran yeguas de cría y potros; la mayoría del tiempo vivían de forma ininterrumpida en medio del prado. Llevábamos a las yeguas a los establos solo dos veces al año: una para dejarlas embarazadas, y la otra para parir. Durante el resto del tiempo los animales andaban sueltos, por su cuenta. A diferencia de los establos dedicados a la crianza de caballos de carreras, en aquel rancho fui yo la que se introdujo en el mundo de los caballos, no al revés. Las yeguas saben exactamente quién eres y de qué eres capaz, y no hacía falta cuidarlas; eran ellas las que me cuidaban a mí. Es un honor ser aceptada en su manada, y además, al hacerlo, me salvaron la vida.

Bluestem y todas aquellas yeguas permanecieron conmigo de alguna forma cuando me marché de Wilton. Hoy en día mi conexión espiritual con los animales es algo que nutro; ya no lo oculto, ni me medico. Hago honor a mis sentimientos, y actúo en consecuencia. Me he convertido en una abogada de los caballos más que en una simple «propietaria», y me dedico en la medida de lo posible a cuidar, rescatar y rehabilitar a todas aquellas criaturas que necesitan ayuda.

Mi experiencia es un testimonio del poder curativo de la relación entre los espíritus animales y humanos. Esa transformadora conexión me ha proporcionado la más pura felicidad, el dolor más desgarrador, una redención decisiva... y ahora también, además, el trabajo de mi vida.

Mensajes de los insectos

A diferencia de los pájaros, lobos y caballos, que tienen cierto aire majestuoso, nuestros amigos inferiores, los insectos,

nos proporcionan una historia divertida en su papel de portadores de señales que nos muestra cómo la comunicación con
ellos no solo es posible, sino además increíblemente efectiva. A
finales de otoño me mudé al apartamento de mi mejor amiga,
Beth, en un edificio victoriano sin ascensor. Todavía tenía los
suelos viejos de madera y el revestimiento antiguo en las paredes, y allí donde ambos convergían se habían formado agujeros
tras años de deformación de la madera. Aunque el apartamento se había limpiado a fondo antes de entrar a vivir, aquellas
rajas entre el suelo y el rodapié constituían el hogar perfecto
para las pelusas. Dicho esto, lo cierto es que andábamos muy
vigilantes con el tema de la limpieza, sobre todo porque yo soy
bastante aprensiva con los bichos.

Recuerdo muy bien el día en el que llegó la hora de la verdad. Yo llevaba ya cinco años trabajando a tiempo completo
como intuitiva, pero seguía queriendo dedicarme a otra cosa.
Una mañana me desperté muy preocupada, pensando que era
incapaz de soportar el estrés que me producía tanta lectura.
Tenía un conflicto profesional justo en el momento culmen de
mi carrera como psíquica y mi debacle musical. Además me
enfrentaba al diagnóstico de cáncer cerebral de mi madre, así
que lo estaba pasando mal a nivel emocional. Soñaba todo el
tiempo que me encontraba justo en medio de una de estas
catástrofes: un tsunami, un huracán, una explosión volcánica,
una fuerte marejada, o la caída de un meteorito. Me despertaba
siempre aterrorizada, porque no sabía cómo sobrevivir a mi
propia vida: ¿podía hacerlo?, ¿era capaz de manejarla?

Pasaba mucho tiempo ante la mesa de la cocina, donde hacía
las lecturas, y un día noté una actividad inusual a lo largo de los
rodapiés. Gizmo, mi perro maltés, perseguía lo que yo creía que
era una pelusa, pero resultó ser una criatura viva con montones
de pies... y de amigos. ¡Puaj! ¡Teníamos cucarachas!

Vale, se supone que soy una chica muy espiritual y considerada, pero dejadme que os diga que si hubiera tenido un

lanzallamas, me las habría cargado a todas. Yo jamás había vivido con uno de esos bichos en ninguna de mis otras casas, así que grité y chillé llamando a mi amiga Beth. Echamos juntas un vistazo, y comprobamos que había cucarachas por todas partes. Yo creía que me iba a dar un ataque al corazón; estaba descompuesta. Y entonces caí en la cuenta. Me estaban transmitiendo un mensaje oracular. Su propia naturaleza no era sino un indicativo de que no solamente sobreviviría, sino que además llegaría a alcanzar su misma indestructible energía; se trataba de un mensaje poderoso.

¡Genial! ¡Vale, ya lo capto! Y ahora, por favor, ¿queréis largaros? Tener cucarachas en casa, incluso aunque fuera para entregarme un mensaje de esperanza, diciendo algo así como «aguanta, chavala», no era mi ideal de hogar. Mi amiga Beth, por otra parte, era una mujer bella, amable y dulce, incapaz de matar a una mosca (literalmente hablando). Si alguna vez se encontraba a una criatura necesitada, la cogía en brazos y se la llevaba a casa sin vacilar. Yo la admiraba por ello. Dicho esto, quedaba claro que matar cucarachas no era una opción. Ya os lo imaginaréis.

Así que ahora es cuando la historia se pone interesante. Yo había leído muchos libros sobre el animismo o perspectiva espiritual del mundo. En concreto me dejaba perpleja la idea de que, según este punto de vista, todas las cosas del universo tienen su propia alma o espíritu, pero luego además está el alma de cada especie; una especie de «superalma», a cargo del cuidado de todas ellas. Por ejemplo, el «águila» como símbolo sagrado procede del espíritu de todas las águilas y de lo que ellas representan en el mundo a nivel espiritual; y si queremos recurrir a su poder simbólico, tenemos que comunicarnos con el superalma de toda la especie.

Basándome en esto, adopté el tono de una confidente y convencí a Beth de que debíamos mantener una breve charla con la «superalma» de las cucarachas. Nos echamos unas buenas risas el otro día, al acordarnos de esto, cuando la llamé para pedirle permiso para hacer pública esta historia. Beth añadió que yo le había presentado la idea como si hablara con la superalma de todas las criaturas a diario, y que por eso ella se había figurado que sabía perfectamente qué estaba haciendo. Lo cierto era que yo jamás había hecho nada semejante, pero sencillamente ansiaba con todas las células de mi cuerpo que funcionara. Porque en realidad solo sentía un tremendo ¡puaaaj!

Beth y yo rezamos y meditamos concentradas en la superalma del «universo de las cucarachas», y le rogamos amablemente que se marchara a otra parte. Yo le expliqué que su presencia me producía ansiedad, y que aunque estaba tremendamente agradecida por el hecho de que hubieran venido a traerme su espíritu indestructible, me encontraba ya mucho mejor. «Vale, capto el mensaje; tomad estas miguitas, coméoslas, por favor, colocaos en fila india y en marcha».

Al día siguiente en la cocina no quedaba ni rastro del ejército de cucarachas. No encontramos ni una. Las dos estábamos atónitas ante la rapidez con la que habían respondido. ¡Era increíble! En realidad no sé por qué me sorprendió tanto, teniendo en cuenta que yo creo en estas cosas. Sin embargo, jamás dejará de maravillarme lo fácil que fue deshacerse de ellas.

Beth y yo no volvimos a tener problemas con las cucarachas, pero no obstante sí hubo un efecto colateral, consecuencia de nuestra fantástica experiencia de comunicación entre especies. Días más tarde oímos que la vecina de al lado tenía la casa infestada. ¡No nos atrevimos a confesarle cómo era que nuestros amiguitos habían ido a parar allí!

SEGUNDA PARTE

El diálogo Divino

CAPÍTULO 5

Bienvenido al club del Único Dios

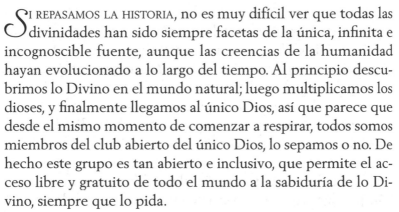

SI REPASAMOS LA HISTORIA, no es muy difícil ver que todas las divinidades han sido siempre facetas de la única, infinita e incognoscible fuente, aunque las creencias de la humanidad hayan evolucionado a lo largo del tiempo. Al principio descubrimos lo Divino en el mundo natural; luego multiplicamos los dioses, y finalmente llegamos al único Dios, así que parece que desde el mismo momento de comenzar a respirar, todos somos miembros del club abierto del único Dios, lo sepamos o no. De hecho este grupo es tan abierto e inclusivo, que permite el acceso libre y gratuito de todo el mundo a la sabiduría de lo Divino, siempre que lo pida.

Conforme sigas leyendo, profundizarás en qué significa ser un verdadero miembro de este club del Dios-único, y cómo disfrutar de las ventajas de la entrada libre. Una de ellas, a la cual voy a referirme en este libro, es la forma en que podemos dialogar con lo Divino a través de los oráculos interactivos; las señales y presagios que aparecen en las sincronicidades, en otras personas, y en la Naturaleza. Todo ello nos habla por medio de coincidencias significativas y de respuestas a nuestras oraciones por la vía del acto sagrado de la adivinación.

Los mensajes del Espíritu son para todo el mundo. El desafío consiste en comprometerse a hacer ese trabajo interior al que nos invitan estos momentos tan transformadores. La vida mística; la vida espiritual auténticamente activa, no es una experiencia fácil. Requiere coraje y fortaleza para mantener y nutrir el lazo entre nuestro yo mortal y nuestra consciencia inmortal a través de una relación activa con Dios.

Es muy fácil olvidarse de quiénes somos y de por qué estamos aquí. No es ningún secreto que el mundo es un lugar peligroso, que a veces destruye almas. Antes o después todos nos damos cuenta de que la fe no es solo una idea filosófica, sino que hay que ponerla en marcha. Tenemos que *ser* fe, no pensar en la fe. Pero permitidme que me explique.

Somos seres espirituales y aprendemos a través de la experiencia humana. El propósito de los mensajes del Espíritu es destacar esto; constituirse en la luz mística que ilumina nuestros caminos. Y sin embargo es importante saber que Él no va a hacer el trabajo por nosotros, ni va a darnos las respuestas definitivas de todo. En realidad solo nos señala cuál es la pregunta correcta a formular. Nos guía hacia la autoconciencia y la contemplación, de manera que nos sintamos más plenamente realizados como auténticos seres vivos. Los mensajes del Espíritu pueden ser advertencias, además de proporcionarnos claridad e inspiración; pueden incluso mostrarnos detalles del futuro. Y por esta razón pueden llegar a convertirse en parte esencial de nuestra experiencia de conexión con todo, como parte del Dios-único.

Los mensajes del Espíritu son también una entrada importante al mundo simbólico de otro tipo de saber. Sostienen el puente que resplandece entre la realidad material y el misterio del gran ser invisible. A pesar de sus limitaciones inherentes... los oráculos, presagios y signos son entradas mágicas que nos permiten atisbar la Luz. Y esperemos que ver la Luz nos sirva para despertar y mantenernos conscientes de nuestra cita ineludible con nuestro destino y propósito, o al menos para enterarnos de que nuestra presencia en esta vida sí tiene importancia dentro del gran plan cósmico.

Así que antes de profundizar más en la exploración del mundo simbólico, y ya que todas estas ideas quizá te suenen nuevas, me gustaría definir algunos de los conceptos y términos que utilizo. (He usado muchas de estas palabras e ideas a lo largo de la primera parte de este libro, donde el contexto les confiere su significado; pero ahora, al comenzar a examinar tu propia vida, es importante dejarlos claramente definidos).

El Espíritu del cielo (y de todas partes)

Utilizo el término *Espíritu* para representar la esencia de aquello con lo que entablamos el diálogo Divino o la práctica sagrada de la adivinación. Esto implica toda la sabiduría y el potencial íntegros del Dios único o fuente, que se hace cognoscible en el mundo manifiesto y en nuestra experiencia personal. El Espíritu es el espejo Divino vivo en el cual podemos explorarnos a nosotros mismos, ver de dónde venimos, en qué nos hemos convertido, y adónde se dirige nuestro camino.

Hay muchas palabras muy diversas que se podrían utilizar en lugar de la de *Espíritu*, pero depende de tu propio sistema de creencias: la presencia Yo Soy, lo sagrado, el amor, la luz, la mente, Brahma, nirvana, consciencia cósmica, el gran invisible, todo lo que es, sabiduría superior infinita o matriz Divina; o quizá prefieras los nombres de la ciencia, tales como el campo, el campo cuántico, el orden submanifiesto del ser o la mente de la naturaleza. O si quieres también puedes utilizar mi término personal favorito, acuñado por el científico y escritor Gary Schwartz: G.O.D., siglas correspondientes a inteligencia Guía-Organizadora-Diseñadora. No son más que unos pocos ejemplos, pero todas estas palabras son intercambiables.

Yo elegí la de *Espíritu* por su cualidad mística, poética y fluida. Prefiero el lenguaje de la espiritualidad y del misticismo porque siento que capta la experiencia humana como una expresión del alma de una forma evocadora y significativa. Veo el mundo tal y como yo creo que está hecho para ser visto: como algo profundo, complejo, y lleno de pasión y de sentido. Hace muchos años oí a alguien decir que «el todo está hasta en las partes más pequeñas», y me he agarrado a esta poética idea porque expresa de una forma muy simple a qué me estoy refiriendo.

También me gusta la palabra *Espíritu* porque deriva de la raíz latina *spirare*, que significa «aliento» o «respirar». En el diccionario se define como el «principio vital o fuerza animada en el interior de los seres vivos». Así que imaginaos que Dios ha infundido la vida en el universo y ha dejado una alta inteligencia Divina en todo él. Este aliento de Dios, llamado Espíritu, es lo que anima el mundo material y penetra íntegro todo el gran Invisible que nos rodea.

Esta fuerza inteligente, que está directamente relacionada con el misterio de Dios, se convierte en la sabiduría eterna a la que todos podemos acceder. Todos nosotros somos capaces de internarnos en el Espíritu, porque estamos creados y animados por él. Él nos mantiene conectados con toda la vida; nos muestra los detalles de nuestros contratos personales e individualizados, en los que se entrecruzan el libre albedrío y el destino.

Pero para ser conscientes de nuestra conexión Divina con toda la vida a través de la mediación del Espíritu, debemos despertar nuestras conciencias y abrir nuestros corazones y nuestra capacidad de compasión. Y una de las formas en que entramos en esta conversación sagrada es a través de los oráculos.

Mensajes oraculares y mensajeros oraculares

La palabra *oráculo* proviene de la latina *oraculum*, cuya raíz es *orare* que, a su vez, significa «hablar» o «rezar». Hoy en día el diccionario define *oráculo* como «mensaje Divino». Los oráculos pueden adoptar una de estas tres formas, o todas ellas al mismo tiempo:

1. Una persona, a la que me referiré como *mensajero oracular.*
2. El mensaje mismo, al que me referiré como *mensaje oracular.*
3. Un objeto sagrado o herramienta utilizada para interpretar los mensajes del Espíritu de forma interactiva, al cual me referiré como *herramienta oracular* o *adivinatoria.*

Todas estas son formas de entablar un diálogo con lo Divino. Se requiere orar y meditar antes de comenzar la conversación.

CONVERSAR CON LO DIVINO

La palabra *adivinación* se refiere al acto de contactar con el alma del mundo, que es el lugar donde reside también en Espíritu la más alta sabiduría infinita del todo. Significa sencillamente hablar con lo Divino, pedirle consejo y esperar la respuesta.

Esta conversación se mantiene por medio de herramientas especiales (de las que hablaré con mayor profundidad en la tercera parte de este libro), que son las sustancias u objetos a través de los cuales invitamos al Espíritu a hablar y a mandarnos mensajes. Utilizar estas herramientas para dialogar con el infinito y pedirle guía, confirmación, visión, solaz, esperanza y claridad, además del poder para cooperar en la creación de un mundo mejor y encontrar nuestro auténtico camino, es un acto sagrado. Se trata de clarificar las circunstancias del momento presente con el objeto de actuar correctamente, e incluso a veces de alcanzar a ver el futuro... si el Espíritu quiere mostrárnoslo.

Le pedimos al Espíritu que se nos revele a sí mismo en forma de espejo; de esta manera nos vemos a nosotros mismos reflejados tal y como existimos en el «eterno ahora», en el que pasado, presente y futuro son todo uno.

La adivinación consiste siempre en tender un puente entre los mundos material y espiritual con el objeto de pasar de la oscuridad hacia la luz. Al utilizar las herramientas de adivinación tanto para buscar el consejo del mensajero oracular como otros signos o presagios, estamos reconociendo y entablando una relación con el mundo entero, que tiene su propia alma colectiva; estamos reconociendo el *anima mundi*, el alma del mundo, como el dominio auténtico en el que vivimos.

El libro *Listening to the Oracle* [Sin traducción al español] de la doctora Dianne Skafte, que es uno de los trabajos más exhaustivos y reflexivos sobre esta materia, tiene un capítulo titulado «Devolver la adivinación a lo Divino», que señala el lugar que debe ocupar este arte. El pensamiento antiguo apoya y da forma al potencial de nuestra práctica moderna, y la autora nos recuerda que la palabra *adivinación* procede de la voz latina *divus*, que significa «deidad». «Por lo tanto adivinar algo es descubrir la intención o la configuración de lo sagrado en relación con esa materia».

La adivinación es el acto de entablar un diálogo fuera de los mecanismos y constructos del intelecto y de los cinco sentidos para tratar de alcanzar *otro conocimiento* y acceder a la sabiduría más allá del propio yo. Se trata de salir fuera de la consciencia habitual para conectarse con lo Divino. Permitimos que la fuente, la llamemos como la llamemos, se dé a conocer a través del mundo manifiesto. Esta práctica implica al sexto sentido, que es (en parte) la capacidad de acceder a una conciencia más alta llamada *consciencia oracular*.

CONSCIENCIA ORACULAR

La consciencia oracular es inherente a todo ser vivo sobre la Tierra; es una consciencia pura y vigilante, siempre capaz de ver más allá de la realidad local. De esta forma trasciende los confines del tiempo y del espacio y nos permite observar los mecanismos de toda posibilidad potencial en el continuo espacio-tiempo de pasado-presente-futuro. Se trata de esa parte de nosotros mismos que puede ver nuestra propia experiencia desde un ventajoso punto de vista superior, no local. Esto significa que nuestra consciencia o mente superior es capaz de ver un panorama más amplio que el que captan nuestros sentidos, o el que calibra nuestra mente intelectual presente de forma «normal». Los presagios y señales se interpretan y experimentan a través de esta consciencia que hay en el interior de cada uno de nosotros.

Toda la humanidad conoce el mundo desde tres perspectivas diferentes; una vez comprendas esto, te resultará mucho más fácil entender hacia dónde apunta exactamente la consciencia oracular.

Realidad sensible

Si miramos a través de nuestros ojos físicos y de nuestros cinco sentidos, observamos lo que existe en el dominio material de la «realidad». Estoy escribiendo esto sentada en una silla que se apoya sobre lo que percibo como suelo sólido y plano, con mi perra Beanie embutida en un hueco a mi lado. Sé que entre la pared y yo hay unos 4,5 metros, y que es alta y sólida también. Huelo el café y oigo el ruido que hacen las teclas del ordenador al escribir. Esta es mi realidad local; «local» porque implica un lugar en el espacio y en el tiempo. ¿Por qué no iba yo a pensar que esto es la suma total de todo lo que existe?

Muchas personas de hecho aceptan que la realidad física men-
surable que percibimos es lo único «real». ¿Por qué no creer
que la Tierra es plana y la silla es sólida?

Mente/Realidad mental

Pues bien; no creemos que la Tierra es plana porque observamos el mundo también a través de la mente. La ciencia ha
demostrado ahora que es redonda y que todo es energía en
movimiento; nada es sólido, ni estable en absoluto. La ciencia
es el producto de los procesos de pensamiento matemático de
ese observador intelectual y analítico de nuestro interior. La
razón por la que sabemos que el mundo no es plano es por esta
capacidad mental de observar y analizar la «realidad». Nuestros
sentidos nos dicen lo contrario porque a través de ellos solo es
posible este tipo particular de observación.

En el discurso de clausura de la conferencia de Hay House
I Can Do It!, Deepak Chopra dijo que la ciencia ha concluido
que la naturaleza esencial del mundo material; es decir, la materia del universo, es de hecho «no-material». Así pues, ¿la realidad material es lo que creemos, o es solo el producto de nuestra percepción? Solo vemos y observamos una diminuta
porción de lo que es real.

Tanto los «ojos» físicos como los mentales observan la realidad local. Es una realidad que está localizada: «Tengo un libro
en las manos». La mente puede concebir una realidad no local
porque piensa. Y sin embargo, ¿dónde *están* nuestros pensamientos? ¿Dónde se almacenan? ¿Acaso tenemos un casillero
gigante en alguna parte, señalizado como «pensamientos, recuerdos, ideas»? Si abriésemos un cráneo, ¿sería alguien capaz
de leer la historia de los pensamientos que hay dentro? Aquello
que pensamos no existe en ninguna localización conocida, y sin
embargo sabemos que pensamos en el ahora.

Seguid conmigo la argumentación. Ahora es cuando se pone interesante porque tú y yo, aquí y ahora, y tanto en la realidad local como en la no local, estamos manteniendo esta conversación en nuestras mentes. Yo la mantengo contigo en «mi ahora»; tú la mantienes conmigo en «tu ahora». Nuestras consciencias están conectadas, a pesar de estar en diferentes momentos del espacio y del tiempo. Nuestros «ahoras» no suceden al mismo tiempo, ¿verdad? Yo he dejado una huella de mi realidad local y de mi consciencia temporal para que tú te conectes con ella en cualquier otro momento; cuando leas este libro. Y soy consciente de que tú *serás* consciente de mis palabras.

Tú ahora eres consciente de mí. ¿Dónde y cuándo estamos compartiendo esta consciencia? No hay ninguna localización en el espacio ni en el tiempo, excepto en el momento en el que de hecho estás teniendo esta experiencia. No hay ningún sitio físico para esta consciencia. Y sin embargo eres consciente y estás centrado en el ahora, leyendo lo que yo he escrito... ¡Eh, hola!

Alma/Realidad de la consciencia

Hay una consciencia detrás de tu mente pensante, que es el dominio *no local* del Espíritu. Se trata de tu alma, que es inmortal, infinita y eterna, y que no puede ser reducida ni confinada dentro de la diminuta caja que es tu «yo» temporal. En otras palabras: como en primer lugar eres una entidad espiritual, eres un ser no local situado «transitoriamente de forma local», tal y como lo expresa Deepak Chopra. El alma está detrás de la persona, que solo está aquí temporalmente en el gran esquema de las cosas.

Y sin embargo durante el transcurso del tiempo en que estás en la Tierra, es posible ver a través de los ojos del alma y observar tu propia vida y todo su potencial desde otro punto de vista; el problema es que tú solo captas atisbos, porque tu propósito es experimentar el mundo como ser humano en un universo material a pesar de que todo sea una ilusión.

La ilusión misma resulta emocionante, porque conforme permites que tu consciencia se expanda e incluya esos atisbos entrevistos a través de la consciencia oracular, puedes experimentar muchas más facetas de la «realidad» de las que has vivido jamás. Cada nueva capa o estrato que descubres colapsa tu desesperada necesidad de control y definición; te libera para disfrutar de la auténtica naturaleza de la incertidumbre. Una vez seas consciente de la consciencia que hay detrás de tus pensamientos, todo lo que consideras como la realidad se altera para incluir otras percepciones. Se trata del dominio de lo místico y de los milagros, y de todos los caminos que llevan a la luz.

Así que todo el concepto de la consciencia oracular implica que el Espíritu se manifiesta a través de la realidad sensorial/pensada. Esto nos proporciona una prueba de que el Espíritu existe de verdad siempre y en todas partes. Contamos en nuestro interior con la habilidad de vernos a nosotros mismos en el espejo del Espíritu. Es nuestra intuición la que inicia o prende el oráculo interior.

Quizá contemples las nubes o eches las cartas oráculo para ver los símbolos que se aplican a tu vida o para recibir una señal o presagio, ya sea por medio de la sincronicidad o directamente, contestando a una pregunta. En cualquier caso, en toda situación la consciencia oracular es la consciencia más grande que permite comenzar el diálogo con lo Divino y recibir las respuestas.

Pero antes de que empieces a hacerlo, permíteme una advertencia en relación con las posibles formas erróneas de utilizar esta exploración de los oráculos, presagios y signos.

EL ABUSO DEL ORÁCULO

¿Por qué es importante mantenerse vigilante? Cualquier método de contactar con la luz conlleva inevitablemente una sombra. Dicha sombra no tiene nada que ver con ese tal «ya sabes quién» que vive «ahí abajo», como lo conocen algunos. Eso sería como decir que «el diablo me ha obligado a hacer esto», lo cual no es sino una gran excusa para no hacernos responsables de nuestros propios fallos inherentes y de nuestras inclinaciones más oscuras. Sin embargo el deseo de saber cómo van a salir las cosas puede convertirse en una obsesión traicionera, tras lo cual es fácil perder de vista la experiencia más importante: el ahora.

Los seres humanos somos singulares por el hecho de que somos los únicos seres vivos de este planeta que quieren saber qué les depara el futuro y al mismo tiempo controlarlo. Mi perro no se queda mirándome y preguntándose si tendrá suficientes huesitos Milk-Bone durante el próximo par de años, o si su patito sonoro de goma de color amarillo seguirá intacto la semana que viene. No permanece jamás mirando por la ventana, preguntándose si yo seré capaz de pagar la hipoteca de la casa. Ni se acerca a mí moviendo la cola, preocupado por si el año que viene tendré o no demasiados viajes de trabajo. El punto fundamental aquí es que otros seres sensibles existen por completo en el ahora, y que sus vidas no tienen menos valor que las nuestras, aunque sí quizá disfruten de mucha más libertad.

Nosotros somos criaturas intelectuales capaces de hacer elecciones, dotadas con el don de conocer nuestra mortalidad, y cargadas con el miedo existencial a la muerte que permanece en nuestras psiques desde el mismo momento en que lo reconocemos. Atrapados en esa burbuja señalada como «yo», nos pasamos la vida tratando de asegurarnos de que estamos a salvo, bien alimentados, de que nos quieren y de que conseguimos todo lo que deseamos y necesitamos. No queremos sufrir, pero sí obtener todo lo que podamos conseguir.

No hay nada de malo en todo esto, y conectar con el Espíritu solo servirá para destacar y expandir nuestra experiencia personal y colectiva. Es cuando nos volvemos locos y necesitamos saberlo todo por adelantado, o cuando buscamos señales en el mundo a costa de nuestra elección y decisión racionales, cuando el diálogo pierde su naturaleza Divina y se convierte en una fuerza destructiva en la sombra. Por eso tenemos que empoderar ese punto en el que entablamos la consciencia oracular, ese «otro saber» inherente que está en nuestro interior y que nos conecta con el Espíritu. Pero nosotros mismos nos desempoderamos cuando hacemos un mal uso del oráculo, en el sentido de abusar en exceso de él.

Yo lo sé por experiencia. Al final desarrollé la política de permitir que mis clientes accedan a un servicio máximo de dos visitas al año, porque me encontré con que mucha gente se hace adicta a acudir a un psíquico. Mi propia capacidad de ver para ellos se diluía, dado que estaba leyendo signos de obsesión en lugar de tratar con alguien con el relativo desapego esencial a una lectura. Estos individuos sufren la compulsiva necesidad de conocer un resultado concreto; sobre todo de saber si es el que ellos quieren. Y dado que el mensajero oracular y la persona que interroga forman siempre un equipo, las lecturas pierden su potencial valor espiritual y su impacto.

Por ejemplo, digamos que Jane quiere saber si su novio alcohólico y casado abandonará a su mujer por ella. Acude a nueve intuitivos o psíquicos diferentes con el deseo de oír que sí, que cualquier día lo hará. Jane no está interesada en escuchar a un oráculo que le diga que ese patrón de obsesión por un hombre casado le está haciendo daño, y que siente la desastrosa necesidad de dirigir su atracción hacia alcohólicos no rehabilitados para poder sentir que vive una vida saludable. No quiere oír decir que solo hallará la felicidad cuando se rinda y pregunte cómo curarse. Y desde luego no quiere saber que ha entregado su más alto poder y todo su cuerpo, mente y alma, a esta situación. Naturalmente que no le gusta que le digan que se ha desconectado a nivel espiritual. Se gastará una fortuna de oráculo en oráculo, esperando oír lo que quiere escuchar que, sin embargo, es poco probable.

De hecho es posible que los mismos mensajeros oraculares vean ese resultado deseado, que además será erróneo, si no son lo suficientemente astutos como para reconocer esa energía o ver cómo los usa el Espíritu. Tanto el mensajero oracular como quien recibe el mensaje formarán parte de una curiosa danza involuntaria y destructiva. Yo lo sé porque lo he visto desde ambos lados de la barrera. Me he visto humillada de esta forma al insistir en un futuro abierto para mí cuando no era ese mi destino. Y este es un recordatorio de que es el Espíritu el que está al mando, no yo.

En realidad aquí se produce un fenómeno interesante. Los oráculos, presagios y signos son simplemente espejos de lo que ya existe; por eso tu energía se refleja en ellos. Así que si estás obsesionado o te has vuelto loco, obtendrás signos de locura y de obsesión para permanecer así hasta llegar al fondo. En este caso los oráculos funcionan como catalizadores, forzándote a seguir por el mismo camino cuesta abajo hasta que ya no puedas bajar más. Es la forma más difícil de aprender, pero mientras no te sepas la lección estás destinado a repetir esos patrones.

En este caso los oráculos adoptan la postura del embustero, pues reflejan tu profunda negación de la verdad. Es entonces cuando parecen desempoderar implacablemente y sin piedad ambos lados del diálogo. De hecho, cuando estos oráculos parecen falsos, solo reflejan la sombra que tú te niegas a reconocer. Esta es una de las razones por las que yo abogo por acercarnos a este diálogo con sinceridad y desapego, si no queremos caer en el lodazal del falso sentido del control y de la necesidad del ego.

Y lo mismo ocurre cuando utilizamos las herramientas de adivinación con demasiada frecuencia, echándonos las cartas,

haciendo oscilar el péndulo, sumando números o malinterpre-
tando las señales compulsivamente debido a nuestro apego
emocional. Porque esto va en contra de la voz intuitiva de
nuestra propia consciencia oracular, y la dependencia puede
resultar devastadora. Puedes perderte y perder de vista la verdad en medio de las tinieblas de tu motivación.

Y como el deseo solo crea más deseo, es necesario ser cau-
tos y permitir que un impulso más alto dirija nuestra curiosidad, en lugar del simple e insistente anhelo de saber si se cum-
plirán nuestros deseos. La buena noticia es que es muy fácil
detectar el abuso del oráculo, y una vez entra en acción con
suerte nos ayudará a saber cómo evitarlo la próxima vez. Desde las sombras de los oráculos solo nos hace señas un poder
falso, y de esa experiencia no sale nada bueno mientras no nos
fuerce a una autoevaluación. Solo entonces el abuso del oráculo nos lleva a la sobriedad espiritual.

Otro punto importante a considerar es que quizá, a veces,
no estamos destinados a saber algo por adelantado. Puede que
se nos aliente a aprender algo a través de una experiencia
desagradable; es la forma en que funcionan en ocasiones las
cosas. El destino debe desenvolverse a su ritmo. Todos nosotros
participamos en «historias» en las que la ceguera temporal puede ser importante para nuestra madurez.

La frase «Si esa es Tu voluntad» debería figurar al final de
toda oración y al comienzo de toda adivinación; antes de pedir
una señal, de visitar a un mensajero oracular o de utilizar el
oráculo para conectar con el Espíritu o pedir la guía. Tenemos
que recordar que puede que nos enfrentemos a acertijos y preguntas en lugar de recibir respuestas directas, porque se supone
que nosotros tenemos que hacer cierto trabajo por nuestra
cuenta. El Espíritu decide qué es lo que tenemos que saber y
qué no, y cuál es nuestro mayor bien. A veces preguntamos
sobre una situación en particular y no obstante recibimos la
guía acerca de otro asunto, que es más importante.

Una vez establecido el contacto consciente, es el Espíritu quien decide exactamente de qué va a versar la conversación. Una buena pregunta es: ¿Qué necesito saber hoy para colaborar en mi auténtico servicio? Esto te permite iluminar y examinar aspectos pertinentes de tu vida.

PREDICCIONES, POTENCIAL, Y EL PODER DEL AHORA

Es cierto que a veces es posible ver el futuro, pero no hay ninguna garantía de que lo que vas a ver sea realmente lo que ocurra. Semejante visión sería un don paradójico, porque nuestra relación con el futuro es activa, no pasiva. Si ves algo positivo, entonces la pregunta es: ¿Qué acción es la correcta para ayudarme a mantenerme en este curso y así lograrlo? O cuando se te revele algo difícil y que supone un reto, también puedes preguntar: ¿Y qué puedo hacer yo para evitarlo, si *es que eso es posible?*

Con mayor frecuencia el mensaje oracular o predicción habla sobre el potencial o las probabilidades de una situación determinada, sobre todo si una elección puede alterar los diversos elementos. Ningún oráculo puede ser coherente y ofrecernos al mismo tiempo un acceso absoluto al futuro. Es en el «ahora» donde tenemos nuestro mayor potencial de progreso; y al comprender el pasado, vemos cómo comenzaron nuestros patrones. La forma en que nos percibimos a nosotros mismos y la claridad de nuestras intenciones alteran el resultado de los acontecimientos futuros. Los oráculos, presagios y signos resultan mucho más poderosos cuando los utilizamos para iluminar el presente, porque todos los acontecimientos deben fluir desde el punto en el que se produce nuestra transformación.

Es en el poderoso ahora, con sus profundos cambios y su autorrevelación o descubrimiento, donde puede alterarse el curso de los acontecimientos. Esto ocurre conforme te haces consciente y despiertas. Si centras tu atención en la pregunta sobre cómo ser más auténtico y próspero, o cómo curar tus heridas interiores, contarás automáticamente con la gran oportunidad de vislumbrar una experiencia más rica y pacífica, que a su vez influirá en todo lo que te ocurra en el futuro.

Cuando preguntas por el futuro y este se te ofrece para que puedas verlo, considéralo simplemente como un mensaje de aliento para que continúes dando los pasos necesarios para llegar hasta allí. El aliento es bueno, pero nada te garantiza qué va a ocurrir en la realidad. Además ver el futuro no transforma el momento en el que estás viviendo ahora; a pesar de la visión, sigues teniendo que vivir cada segundo hasta llegar a él. Y quedarse mirando el destino con anhelo tampoco contribuirá a que llegues más temprano.

Así que mira bien por dónde pisas cuando pidas que se te revele el futuro, porque puede que no sea eso lo que necesites saber; quizá incluso sea contraproducente. Da un paso adelante con el corazón en paz, con reverencia, humildad y claridad de intenciones, sabiendo que estás pidiendo con un propósito más alto en mente.

La historia que cuento a continuación muestra cómo un mensaje oracular ilumina el ahora, y cómo mi clienta insistía en no querer oírlo.

Una lección de una carta oracular repetida

Yo antes trabajaba para una organización sin ánimo de lucro que en aquel entonces atravesaba serios problemas de identidad. Como consecuencia, los empleados comenzamos a vivir en un ambiente de negatividad en el que se nos maltrataba. La gente sentía ese gran peso nada más entrar en la oficina. Yo creía que con el tiempo todo se arreglaría, así que opté por quedarme. No quería que mis compañeros más vulnerables sufrieran, y estaba convencida de que así sería si yo me mar-

chaba y no daba la cara por ellos. Para mí aquella lección resultó difícil de aprender, pero me fue imposible evitarla.

Entonces, por pura casualidad, comencé a utilizar las cartas oráculo para hacerme una lectura a mí misma por lo menos una vez por noche a lo largo de un período de alrededor de tres meses. Buscaba respuestas a propósito de este problema, tanto para mí como para mis compañeros. ¿Qué debía hacer?, ¿cómo podía arreglar la situación?, ¿por qué era todo tan terrible?, ¿cuándo mejoraría? Había una carta que no hacía más que salir y salir; aparecía en todas mis lecturas. Siempre me hacía llorar, aunque en aquel entonces no sabía por qué. Me sentía muy frustrada cada vez que volvía a verla. Una noche incluso la saqué de la baraja antes de comenzar la lectura. Se trata de la carta en la que aparece una figura femenina abrazándose a sí misma.

Volviendo la vista atrás, ahora comprendo exactamente por qué salía siempre esa carta. Yo estaba convencida de que la respuesta de esa situación tóxica consistía en ayudar a los demás, pero la carta me guiaba con claridad a cuidar únicamente de mí misma.

Sé que recibí las respuestas a todas mis preguntas, pero eso no quiere decir que yo las escuchara. Me desequilibré sobremanera, y el Espíritu me pidió que hiciera honor a mis propias necesidades, que incluían abandonar ese empleo. Yo no era responsable de las personas que decidían quedarse, y tampoco les estaba haciendo ningún bien al permanecer atada a semejante ambiente tan negativo. Hasta el día de hoy, sigo recordando esa experiencia con sorpresa (por haberme quedado tanto tiempo allí), y gratitud por la importante lección que aprendí. Honrarse uno mismo es honrar a todos los demás. Hoy en día sí presto una atención especial cuando una carta aparece repetida una y otra vez. Y raramente he vuelto a sacar aquella que tanto me persiguió.

PUEDE QUE LOS SIGNOS NO SIGNIFIQUEN LO QUE TÚ CREES

Conocer el futuro en sí mismo, despojado de su relación con los acontecimientos que lo preceden, puede resultar en realidad confuso. Yo creo que el Espíritu nos arroja a veces pistas falsas para obligarnos a hacer equilibrios y enseñarnos una lección. U otras veces lo que parece profundo es superficial, y al final acabamos diciendo: «Pero, ¿cómo?». Debemos tener cuidado cuando conectamos con el Espíritu para no leer demasiados mensajes en las cosas, ni percibir solo lo que queremos ver. En un momento dado puede parecer que un signo significa una cosa, pero es posible que después se nos revele su auténtico sentido. Esto es especialmente cierto cuando es lo Divino lo que contacta espontáneamente con nosotros. Pero una cosa es segura: el Espíritu se comunica con nosotros en todo momento. Y eso ya es una profunda señal en sí misma.

Recuerda, conforme leas este libro, que cuanto más dialogues con el Espíritu y más mensajes recibas, permaneciendo cada día más despierta y alerta, más fácil te será comprender que la clave para actuar es la consideración y el amor. *En el Espíritu estamos en casa; en el Espíritu somos uno.*

Así que, ¿cómo evitamos toda superstición en los oráculos, presagios y signos? Sigue leyendo y lo exploraremos un poco más.

CAPÍTULO 6

Lenguaje, etiquetas y limitaciones

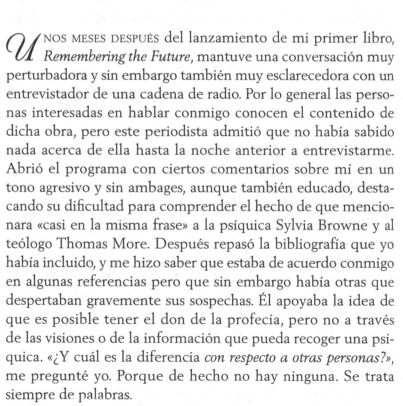

*U*NOS MESES DESPUÉS del lanzamiento de mi primer libro, *Remembering the Future*, mantuve una conversación muy perturbadora y sin embargo también muy esclarecedora con un entrevistador de una cadena de radio. Por lo general las personas interesadas en hablar conmigo conocen el contenido de dicha obra, pero este periodista admitió que no había sabido nada acerca de ella hasta la noche anterior a entrevistarme. Abrió el programa con ciertos comentarios sobre mí en un tono agresivo y sin ambages, aunque también educado, destacando su dificultad para comprender el hecho de que mencionara «casi en la misma frase» a la psíquica Sylvia Browne y al teólogo Thomas More. Después repasó la bibliografía que yo había incluido, y me hizo saber que estaba de acuerdo conmigo en algunas referencias pero que sin embargo había otras que despertaban gravemente sus sospechas. Él apoyaba la idea de que es posible tener el don de la profecía, pero no a través de las visiones o de la información que pueda recoger una psíquica. «¿Y cuál es la diferencia *con respecto a otras personas?*», me pregunté yo. Porque de hecho no hay ninguna. Se trata siempre de palabras.

Mi entrevistador quería saber por qué no me llamaba a mí misma profeta, teniendo en cuenta que son los profetas los que reciben las visiones de Dios. Pero en la pregunta iba implícita la idea de que las psíquicas consiguen la información «del tipo que vive ahí abajo». *Vale, ya estamos otra vez con lo del tipejo rojo de los cuernos y el fuego.*

Llegados a este punto miré a mi alrededor a ver si veía cámaras, no fuera a ser que estuviera en uno de los episodios de *La Nueva Era del Punk*. El periodista añadió que su confusión había ido en aumento (al igual que la mía, e inmensamente) debido a que en mi libro yo me identificaba a mí misma como cristiana. ¿Cómo podía ser, quería él saber, cuando yo alentaba a la gente a vaciar sus mentes a través de la meditación? Según su evaluación de las cosas, hacer eso era como invitar al señor malo de los cuernos a aparecer para confundir las mentes de las personas. Yo estaba realmente sorprendida, e incluso al principio pensé que lo decía en broma; sobre todo cuando me preguntó si no me daba miedo que los demonios penetraran dentro de las personas a través de la meditación o de la adivinación. ¡Ostras!

Cierto, yo llamo «duende interior» a nuestro ego herido como metáfora de la forma en que nos saboteamos a nosotros mismos. Pero los demonios vivos y reales, procedentes de «ya sabes dónde», no forman parte en absoluto de mi esquema de pensamiento, ni de mi experiencia.

«¿Demonios como los de la Biblia? ¡Tienes que estar de broma!».

Pero hablaba completamente en serio.

La entrevista me asustó de verdad; fue todo un *shock*, pues no estaba preparada para semejante conversación. No sabía bien cómo responder. Me sentía fascinada y repelida a partes iguales por la firme visión de mi entrevistador de un mundo necesitado de protección frente a los tipos malos con cuernos, ocultos en algún lugar de la comunidad de la Nueva Era, y siempre dispuestos a secuestrar a los creyentes en el momento de la meditación. Y no obstante yo sabía que él era sincero en sus puntos de vista. Tras despedirme respetuosamente y colgar

el teléfono, supe que tenía que estudiar ciertas cosas con serie-
dad. Así que decidí acudir a la historia para descubrir por qué
todo lo paranormal despierta tanto prejuicio y tanta superstición. ¿Dónde y cómo había comenzado? Empecé por investigar la palabra *demonio*, y hete aquí que encontré una información fascinante con respecto al lenguaje utilizado para describir
la adivinación, los oráculos, los presagios y los signos.

DE DAEMON A DEMONIO

Son los que salen victoriosos los que escriben los libros de
historia; jamás los perdedores, las víctimas. Vemos esto con mayor claridad en el transcurso del turbulento y a veces violento
ascenso del monoteísmo, cuando el Dios de Abraham ocupó el
lugar de los muchos dioses de la antigüedad.

Conforme una cultura evolucionaba y se transformaba en
otra, sucedió un fenómeno muy conveniente: las deidades de
la antigua sociedad se convirtieron todas en secuaces del mal.
En otras palabras: los viejos dioses se transformaron en nuevos
demonios. En lugar de intentar entenderlos o considerar la posibilidad de que fueran aspectos diversos del único Dios, resultaba mucho más fácil borrarlos del mapa y comenzar otra vez
por el principio. Al fin y al cabo todo el mundo sabe que «el
nuestro es el camino correcto».

Durante este proceso de ascensión del cristianismo, podemos ver la facilidad con la que fueron apareciendo lo que ellos
llamaban las pruebas que demostraban que el mal había existido en todas partes hasta la llegada del único y auténtico Dios.
Pues bien; ahora ya estamos todos salvados, ¿no es así? Todo lo
ocurrido con anterioridad ha sido declarado sin valor, eliminan-
do de hecho las marcas de los progresos culturales de cualquier
otro grupo social precedente. Y así, lo que un día fue sagrado,
quedó señalado como profano. Y punto.

Tomemos por ejemplo el gnosticismo y los misterios paganos. Se trata de tradiciones espirituales anteriores al cristianismo en las que el objetivo era la *gnosis*. Los gnósticos buscaban
una experiencia personal y directa de lo Divino, en lugar de
basarse simplemente en su opuesto: en tener fe. Se alcanzaba
la revelación mística personal sin la necesidad de un sacerdote
como intermediario entre la persona y lo sagrado.

El *daemon* era el nombre de una de las dos partes de la
naturaleza dualística del ser humano; representaba el yo más
alto o superior. En contraposición, el yo inferior o más bajo se
llamaba *eidolon*. En su libro *Los misterios de Jesús: el origen
oculto de la religión cristiana*, Timothy Freke y Peter Gandy
observan que:

> Los sabios paganos enseñaban que todo ser humano tie-
> ne un yo inferior llamado eidolon y un yo superior, inmor-
> tal, llamado daemon. El eidolon es el yo encarnado mismo;
> el cuerpo físico y la personalidad. El daemon es el Espíritu; el
> auténtico yo, que es la conexión espiritual de cada persona
> con Dios. Los misterios estaban diseñados para ayudar a los
> iniciados a darse cuenta de que el eidolon es un yo falso, y
> de que su auténtica identidad es el daemon inmortal…
>
> Aunque parece como si cada persona tuviera su propio
> daemon o yo superior, los iniciados iluminados descubrían
> que en realidad solo hay un daemon que todos comparti-
> mos: un ser universal que habita en todos los seres. Cada
> alma es una parte de la única Alma de Dios. Conocerse a
> uno mismo es por lo tanto conocer a Dios.
>
> Estas enseñanzas místicas se encuentran tanto en los
> misterios paganos como en el cristianismo gnóstico.

El daemon no era sino otro nombre del alma inmortal. Al
acercarnos al diálogo con lo Divino a través de la adivinación,
es este yo más alto (o daemon) el que entabla la conversación
con la fuente. Según el lenguaje antiguo, utilizamos al daemon

para llegar al Espíritu y alcanzar su iluminación, su reflejo y su revelación.

Y como la realidad del daemon representa al otro mundo, en el que buscamos la esencia de la sabiduría de lo Divino en contraposición al mundo material mortal, es fácil ver cómo acaba esto. El Espíritu fue considerado como una realidad *daemoníaca*; como el alma del mundo del yo superior que trasciende al ego terrenal. Era también el dominio del yo universal que constituye el intermediario colectivo entre los humanos y Dios. Permitía a la inteligencia Divina y a su sabiduría enviarnos mensajes y conversar con nosotros por medio de herramientas de adivinación interactivas, oráculos, signos y presagios (enviados a través del mundo natural).

Así pues, ¿qué fue del daemon pagano y gnóstico? Los conceptos de daemon y de eidolon no servían como sustitutos para la nueva fe. Con el advenimiento del patriarcado y la erradicación sistemática de cualquier teología que permitiera el acceso individual a lo Divino, el daemon acabó por convertirse en demonio; un embustero maligno, que sin duda alejaría a las personas de Dios. Esta transformación tuvo graves consecuencias: aquel ser personal y universal que nos conectaba con el Espíritu como describían los paganos y los gnósticos se convirtió en alguien malo, no de fiar. Todo cambió.

Después de reelaborar los conceptos antiguos, ¿qué tal si retomamos algo de lo que ha quedado, lo hacemos añicos, lo echamos en una cacerola, le añadimos una tacita de miedo, un pellizco de ignorancia y una cucharada grande de superstición? A continuación lo revolvemos todo y contemplamos cómo se transforma en una blasfemia pagana. «Echa el doble de cantidad, y tendrás el cuádruple de problemas»; ¡ya huelo a bruja en la hoguera! El *daemon*, nuestra conexión personal con Dios, se transformó convenientemente en el *demonio* de Satanás.

Ya ves lo poderoso que es el lenguaje. Basta con suprimir una *a* y agregar las letras *io* a una palabra, y acaba por nacer algo por completo diferente; algo que encaja con la nueva forma de conectar con Dios.

También antiguamente, a lo largo de la historia, existía la creencia de que unos destructivos seres malvados, llamados demonios, residían en algún lugar invisible y se pasaban la mayor parte del tiempo creando una gran confusión entre nosotros, pobres víctimas humanas inocentes. Era conveniente creer que los oráculos eran formas de comunicación con estas criaturas, sobre todo si tenías miedo de su poder para revelar cosas que preferías mantener en secreto. Estas creencias se siguen manteniendo hoy en día, aunque ninguna de las personas a las que he preguntado sabe exactamente por qué: «Simplemente lo creo. Además lo pone en algún lugar de la Biblia». Más trabajo de investigación para mí.

Así que de hecho el periodista que me entrevistó había aprendido que la adivinación y el sexto sentido tenían algo que ver con los demonios. ¡Ahora caigo! En realidad no puedo culparlo por sacar a relucir algo que ha aprendido, y no precisamente de forma accidental.

Sin embargo la próxima vez que alguien mencione el tema, le contestaré: «¡Pues claro, por supuesto! Pero se dice *daemon*, querido. No te olvides de la *a.* ¡Ah!, y pásame un ojo de tritón[1]... y unas cuantas alas de murciélago fritas. ¡Mmm... delicioso!».

---

[1] La autora parafrasea los versos de *Macbeth* en dos ocasiones, que traducimos a continuación:

...Double, double toil and trouble
Something wicked this way comes.
Eye of newt and toe of frog...

...El doble, el cuádruple de problemas
Nada bueno puede provenir de aquí.
Ojo de tritón y anca de rana... (N. del T.)

Belleza y Unidad en la diversidad

Dada esta coyuntura me gustaría añadir que valoro el hecho de que cada cual tenga sus propias creencias, y que mi intención es respetarlas. Se trata de un tema que despierta grandes pasiones, pero teniendo en cuenta la naturaleza de este libro merece la pena discutirlo.

Aunque me educaron como cristiana y creo que muchos de sus principios religiosos son muy bellos, siento una profunda reverencia hacia otras muchas tradiciones espirituales sagradas. Siempre me ha fascinado la historia humana del descubrimiento de las diferentes relaciones posibles con la luz. La adivinación y la recepción de la guía Divina por medio de los oráculos, presagios y signos, constituye una forma aceptable de expresión en el seno de muchas religiones, mientras que en otras se considera herético. Por eso todo son problemas cuando alguien empieza diciendo «Tú enséñame tu religión, que yo te enseñaré la mía», o bien «Mi camino es el único correcto», en lugar de identificar al Espíritu que hay en común detrás de todas ellas. Tenemos que recordar que todos necesitamos y pedimos la guía Divina. La cuestión es identificar a esa esencia común; no comparar las diversas formas de exteriorizarla.

Cómo ir perdiendo la verdad con cada traducción y transición

Es importante recordar que todas las religiones y tradiciones espirituales sagradas se desarrollaron como respuesta a nuestra eterna necesidad de comprender la relación que nos une como humanos con el gran misterio, y que todas ellas han evolucionado al mismo tiempo que nosotros; todas toman elementos prestados del pasado y, con frecuencia, sustituyen una tradición anterior con prácticas similares y una versión nueva de los mismos mitos más significativa y relevante para el clima sociopolítico del momento. Pensemos, por ejemplo, en el mito egipcio del dios sol Horus, al que tanto se parece Cristo.

Me gustaría mostrar cómo ciertas verdades se pierden en la transición cultural y por supuesto en la traducción. Hasta el dios Yahveh fue antropormorfizado y extraído de su relativa oscuridad para convertirse en el representante del Dios que hay detrás de todos los dioses (si es que os place). Al sacar a colación todo esto, mi objetivo es ilustrar cómo la práctica sagrada de la adivinación y de la exploración del mundo de los oráculos, presagios y signos, se perdió durante el surgimiento del patriarcado centralizado y monoteísta. Y esto sirve para las tres religiones: judaísmo, cristianismo e islamismo, que proceden del «único Dios».

En su libro *The God Code* [No traducido al español], Gregg Braden nos explica que el código de ADN presente en toda vida basada en el carbono y específico del ser humano deletrea la palabra YHVH de la antigua lengua aramea. Esta palabra significa literalmente «Dios/Eterno dentro tu cuerpo». Si esto es cierto, todos nosotros deberíamos tener acceso al Espíritu; después de todo, es el aliento de Dios el que nos da la vida y está en todas partes. En este contexto reconocemos nuestra experiencia como parte de un vasto sistema en el que todos estamos conectados, en lugar de las divisiones a las que nos animan las creencias religiosas.

Aunque el impulso por mantener una relación con el Espíritu ha permanecido igual desde tiempos inmemoriales, siempre podemos encontrar formas de diferir. Por ejemplo, yo tengo un pequeño problemilla con los conceptos tradicionales de cielo e infierno. En mi opinión, suponen un retroceso con respecto a la idea antigua de que el universo es un sándwich, con los seres humanos en la parte central y más importante; los cielos arriba, adonde van los buenos a tocar el arpa y a ser felices simplemente mirando a Dios; y el infierno abajo, que es donde acaban los tipos malos ardiendo en piras de fuego y escuchando estridente música *heavy metal*. Naturalmente, este era el punto de vista mayormente aceptado cuando se creía que la Tierra era plana. (Aunque eso de la música lo he introducido yo, porque los vídeos de *heavy metal* son un auténtico infierno). Tampoco creo en un demonio al estilo de un tipo rojo con cuernos que vive «ahí abajo», ni me interesan particularmente las fuerzas oscuras y demoníacas.

Y lo mismo siento por ese concepto de Dios como hombre blanco, anciano y malhumorado que vive en el cielo, repartiendo premios y castigos. Yo creo que Dios es luz, vida, amor y la consciencia universal de la fuerza creativa del universo; pero no es necesario que nadie más lo crea. También sé que Dios tiene un rostro femenino que completa la imagen, pero una vez más, esto no es más que otra forma de hablar que me permite experimentar y expresar mi conexión con lo que siempre será un misterio.

Cuando alguien afirma que mi trabajo de intuitiva es obra del diablo y que dedicarse a la adivinación como forma de entablar un diálogo Divino es lo mismo que comunicarse con los demonios, me quedo perpleja. Amar a Dios; pedirle guía para servir y hacer solo buenas obras; ayudar a otros a desarrollar un contacto consciente con lo Divino; alentar a tener fe; respetar toda forma de vida y ayudar a las personas a elegir sabiamente el camino hacia el mayor bien no forman parte de la descripción general de las tareas de los blasfemos secuaces del diablo... al menos desde la última vez que lo comprobé.

Una vez excluido el demonio, investiguemos un poco más las palabras y las etiquetas para ver cómo estas son capaces de provocar tantos problemas hoy en día como hace dos mil años. Tomemos por ejemplo la palabra *adivinación*. Tiende a suscitar toda clase de confusión y supersticiones, llevadas de la mano de ciertas malinterpretaciones religiosas.

Así que echemos un vistazo a la historia para ver qué ocurrió y cómo surgió la contradictoria decisión religiosa de hacer desaparecer las prácticas de la adivinación. Yo creo que merece la pena que nos informemos sobre todos los aspectos de una práctica, en especial cuando cuenta con una historia tan rica.

LOCALIZACIÓN, LOCALIZACIÓN, LOCALIZACIÓN

Si el Espíritu está en todas partes, tanto en el interior como alrededor de todos los seres, entonces el único Dios es inmanente y está en todos nosotros. Esto contradice directamente la idea de que Dios es un hombre blanco sobrenatural que vive arriba, en el cielo. También puede crear dificultades para quienes crean que Dios y los cielos pueden localizarse físicamente arriba, el infierno abajo, y nosotros en medio, esperando a ver a cuál de ambos sitios vamos. Algunas personas consideran blasfemo sugerir que puede ser de otra forma.

Nosotros, los humanos, necesitamos situar las cosas en el tiempo y en el espacio porque todo lo percibimos a través de nuestros cinco sentidos y de nuestras mentes racionales e intelectuales. Es importante entender esto cuando nos aventuramos a explorar los mensajes del Espíritu a través de oráculos, presagios y signos, ya que estos no siempre utilizan estos mismos parámetros temporales y espaciales; sobre todo cuando en una lectura se nos revela el futuro o detalles del pasado.

Para algunas personas los oráculos, la interpretación de los presagios y signos, y el uso de la adivinación como medio para contactar directamente con lo Divino, son pecado. Aunque la idea tradicional de «transgresión contra Dios» consta en el diccionario, uno de los significados de la palabra *pecado* es «estado viciado de la naturaleza humana, en el cual el yo es separado de Dios». Tuve que mirar también la palabra *viciado*, que significa «hecho ineficaz». Por eso me gusta tanto esta definición; porque creo que nuestro mayor error es percibirnos a nosotros mismos como separados de Dios y los unos de los otros, lo cual en esencia nos hace completamente ineficaces en la tarea de co-creación con lo Divino. Y esa, después de todo, es la razón por la que estamos aquí.

Recordad que existimos como chispas individualizadas de lo Divino, de modo que Ello/Él/Ella pueda expresarse a través de nosotros. El único propósito de la adivinación es percibir y conocer lo Divino manifiesto. Si tenemos en cuenta que el Espíritu es la energía inteligente de la fuente de lo Divino, y que la información de la fuente se transmite en el diálogo, entonces la adivinación puede de hecho verse como una forma de rectificar el distanciamiento del «pecado».

El término *manifiesto* resulta muy atractivo, y hoy en día se utiliza con mucha frecuencia con un sentido muy amplio. Procede del término latino *manifestus*, que significa «pillado in fraganti». De manera que nuestra intención es pillar al Espíritu in fraganti en el momento en el que aparece en nuestras vidas, igual que un niño quiere pillar a Santa Claus comiéndose las galletas y bebiéndose la leche delante del árbol de Navidad con los regalos. La diferencia es que nosotros sí podemos llegar a ver al Espíritu si aprendemos a prestar atención a nuestras experiencias intuitivas. Recibimos los mensajes Divinos a través de oráculos, presagios, signos y otras formas, en las que el Espíritu se manifiesta a sí mismo a través de nuestro mundo.

INTERPRETACIONES INCORRECTAS Y MALENTENDIDOS

Permitidme mencionar ahora que ni soy teóloga, ni pretendo ser una experta en textos religiosos. Comencé a investigarlos para descubrir por qué la adivinación, los psíquicos, los astrólogos, los médiums y todos los demás fueron borrados del mapa. Quería descubrir por qué algunas personas siguen creyendo esa tontería de que todo este asunto está bajo la jurisdicción del mal.

Y esto es lo que he descubierto: la adivinación quedó al margen de la ley como forma de diálogo Divino solo de acuerdo con las tres religiones formadas a través del Dios de Abraham; el judaísmo, el cristianismo y el islam. Resulta pertinente y muy interesante destacar el malinterpretado pasaje bíblico favorito de quienes citan la Biblia hoy en día para demostrar que las prácticas adivinatorias son un pecado, de acuerdo con los inquisidores de antaño. En esencia, los autores de esa parte del *Deuteronomio* sostienen que Dios decretó la eliminación de la adivinación junto con toda clase de lecturas de la suerte, canalización, brujería, astrología, videncia, necromancia, hechicería, magia y cualquier otro tipo de prácticas similares, que se atribuían en su mayor parte a las culturas paganas anteriores que también fueron eliminadas por la misma época.

Según muchos estudiosos de la Biblia, el verdadero motivo por el que se eliminaron las prácticas adivinatorias fue que solo se debía consultar con el único Dios, en lugar de la multitud de dioses que a partir de entonces se consideraron falsos ídolos. Recordad que este único y auténtico Dios de Abraham era Yahveh, que surgió como dios de entre los muchos otros a los que se adoraba en la época. El Dios de Abraham (el mismo que está presente en nuestras religiones monoteístas actuales) suplantó a todos los otros en un momento clave de la historia. Al rechazar la adoración del becerro de oro y de otros ídolos y declarar a Yahveh como Dios único y auténtico, todas las otras prácticas sagradas relacionadas con la comunicación con cualquier otra deidad que no fuera Yahveh se consideraron ilegales. Se suponía que a partir de entonces solo había un Dios.

Recordad también que hasta ese momento las tradiciones espirituales de la gente se transmitían de forma oral, no escrita. Cuando se escribieron estas leyes, no eran sino traducciones e interpretaciones de lo que se creía conocer y aceptar pero, ¿cómo podemos cerciorarnos realmente de la autenticidad de su contenido?

Hay otro punto interesante a tener en cuenta: se declaró que el contenido de los rollos que se dice fueron hallados e impuestos (literalmente y al pie de la letra) por la tradición deuteronómica fue dictado a Moisés por el mismo Yahveh. Pero según el libro de Karen Armstrong, *La gran transformación: el mundo en la época de Buda, Sócrates, Confucio y Jeremías. El origen de las tradiciones religiosas*, los estudiosos ahora piensan que esas historias y esas leyes fueron escritas mucho después de que se expresaran oralmente por primera vez.

De un modo u otro, en aquel momento había un texto escrito a propósito de lo que se creía una ley sagrada, y era nuevo para la gente de la época. Y así comenzó la eliminación de las prácticas de adivinación sagradas y la consiguiente y rotunda declaración de sus «raíces demoníacas». Todo empezó como una forma política de centralizar la adoración sobre el Dios Yahveh. Y sin embargo esto era solo el comienzo, porque la adoración de Yahveh no era la religión predominante de entonces.

Otro elemento que parece estar presente en la raíz del prejuicio contra la mayoría de los mensajes del Espíritu es que la adivinación permite el acceso personal a la guía de Dios. Esto amenazaba política y económicamente a la iglesia de Roma, que por fin, mil años después, sancionó esas interpretaciones antiguas y todo el resto del contenido relativo a este tema en lo que se convirtió en la Sagrada Biblia en tiempos del Concilio de Nicea, en el año 325 d. C. Así que fue en ese momento de la historia, con el advenimiento del cristianismo, cuando se eliminó toda práctica directa y personal de diálogo con lo Divino.

Al principio el verdadero propósito de la religión católica romana era mantener la dependencia de la gente de la iglesia y de su estructura de poder, centralizada en la figura del papa y en la jerarquía del clero. Y desde luego la población dependía de esta institución. La iglesia quería las almas y, lo que es más importante aún, el dinero. La gente tenía que pagar por la absolución de los pecados y las bendiciones, y la guía Divina la mantenía exclusivamente el sacerdote. El edicto impuesto y aceptado en contra de la adivinación y de otras prácticas oraculares (entre las que se incluyen los antiguos métodos de curación) se interpretó y se sigue interpretando como una ley moral de tiempos inmemoriales. Pero esto no es exacto, ya que incluso los apóstoles utilizaron la adivinación cuando repartieron los diversos destinos. En mi opinión, se trataba en realidad de una ley política, económica y de poder.

Parece ser que el prejuicio religioso contra las prácticas adivinatorias, los oráculos y la interpretación de los signos y presagios, procedía también de la confusión a propósito de quién debía declarar cuáles eran los mensajes de Dios y cuáles no. Surgieron problemas no solo por el contenido de los mensajes, sino también, y más importante aún, por el Dios del que procedían. Pues bien; solo la última versión de Dios era verdadera. Y lo mismo ocurre hoy en día cuando se trata de algunas opiniones sobre la religión.

De modo que si una práctica procede de otra cultura o de una tradición sagrada que ya ha sido desplazada, por desgracia es considerada falsa o malévola. Tal y como he mencionado, si miramos de cerca muchas organizaciones religiosas descubriremos que todas ellas tienden a plagiarse un poco y a tomar elementos prestados las unas de las otras, conforme van sustituyendo una tradición por otra versión nueva similar. No obstante los antiguos dioses deben considerarse demonios o algo peor: manifestaciones mismas del «tipo-malo-de-ahí-abajo».

Otra justificación de este prejuicio es que solo Dios respalda la experiencia de la profecía a través de los oráculos, presagios, signos y sueños que se han considerado aceptables... o al menos eso es lo que nos han dicho. ¿Pero quién tiene el poder para decidir?

¿No son todos los dioses una manifestación de nuestra necesidad de explicar lo Divino como la inteligencia superior inherente que hay detrás de todo lo que vemos? Puede que los dioses hayan pasado de ser muchos a solo uno, pero el Espíritu; el aliento vivo; la esencia y la sabiduría del auténtico Dios incognoscible permanecen constantes.

La Biblia y la adivinación

Según el Antiguo Testamento, Dios le dice a Abraham, que no tenía hijos, que él será el padre de muchas naciones. ¿Cómo se estableció la comunicación? Está claro que Abraham accede a un conocimiento interior o sentido más alto que reside en esa parte de él que es Divina, ¿y no es ahí donde surge todo conocimiento, y acaso no se trata de un don proveniente del Creador? Jesús se internó en el desierto durante 40 días para rezar y ayunar, y allí lo tienta el «diablo». En India, el *sanniasin* ascético hindú lleva a cabo una práctica similar en la que renuncia al mundo y se explora a sí mismo para enfrentarse a su «sombra» individual. Hay numerosas similitudes a lo largo de las tradiciones sagradas de muchas culturas.

Así que al final, ¿no estamos diciendo todos lo mismo? Lo único que cambia es la perspectiva, que lo distorsiona todo. No habría Biblia sin la presencia del oráculo y de la consciencia oracular, porque sin ellos nadie sería capaz de interpretar el extraño lenguaje de Dios. Resultaría incomprensible, a menos que dejemos de lado las ideas que nos estorban y penetremos en el mundo de los símbolos y señales.

La Biblia misma (al igual que la mayoría de las tradiciones religiosas sagradas, tanto orales como escritas), se basa esencialmente en visiones proféticas, sueños e interpretaciones de las señales de Dios. De hecho en ella hay cientos de casos que apoyan e incluso incitan a la práctica de la adivinación y de la profecía, tanto en el Antiguo Testamento como en el Nuevo.

Hay cientos de pruebas evidentes de que figuras muy importantes de la historia religiosa que seguían al Dios único de Abraham utilizaron la adivinación para obtener la guía Divina. Moisés consultaba al Espíritu con la ayuda de una herramienta que Dios le reveló; tuvo una visión que lo llevó a crear el Urim y el Tumim. Este instrumento es conocido como la más alta herramienta de adivinación de la Biblia, y los judíos la consultaban y consideraban sagrada (esto se describe en el Éxodo).

En el Antiguo Testamento la palabra *oráculo* se utiliza para referirse al lugar más sagrado del templo en todas las ocasiones excepto en una. Esta excepción pertenece al libro de Samuel, en el cual oráculo significa «la palabra de Dios». Los hombres preguntaban al «oráculo de Dios» por medio del Urim y el Tumim, que llevaba puesto el sumo sacerdote sobre el pecho, encima del efod o túnica. En el Nuevo Testamento ese mismo término, *oráculo*, se utiliza solo en plural y siempre para referirse a la palabra de Dios. A las Escrituras se las llama *oráculo vivo* debido a su poder de transformación.

La adivinación como medio para conectar con lo Divino queda patente a lo largo de toda la Biblia, en la que se menciona en incontables historias y hasta se incita a ella. He aquí algunos ejemplos de lo que dice el texto sagrado sobre los oráculos y la recepción de mensajes del Espíritu:

> 1 **Corintios, 14, 3**: *Pero el que profetiza habla a los hombres para edificación, exhortación y consolación.*
>
> 1 **Corintios, 14, 29, 31-33**: *Asimismo, los profetas hablen dos o tres, y los demás juzguen... Porque podéis profetizar todos uno por uno, para que todos aprendan, y todos sean exhortados. Y los espíritus de los profetas están sujetos a los profetas; pues Dios no es Dios de confusión, sino de paz.*
>
> 1 **Corintios, 14, 36-38**: *¿Acaso ha salido de vosotros la palabra de Dios, o solo a vosotros ha llegado? Si alguno se cree*

profeta, o espiritual, reconozca que lo que os escribo son man-
damientos del Señor. Mas el que ignora, que ignore.
Joel 2, 28-30: *Y después de esto derramaré mi Espíritu*
sobre toda carne, y profetizarán vuestros hijos y vuestras hijas;
vuestros ancianos soñarán sueños, y vuestros jóvenes verán
visiones. Y también sobre los siervos y sobre las siervas derra-
maré mi Espíritu en aquellos días. Y daré prodigios en el cielo
y en la tierra...

[Citas tomadas de la versión de la Biblia
Reina Valera, 1960]

Tenemos otro ejemplo en Ezequiel, que se entrenó para ser
sacerdote y a quien Dios llamó para ser profeta; recibió visiones vivas y mensajes poderosos. Dios utiliza a gente a través de
la cual pueda trabajar. No hay ningún club exclusivo al que
solo pertenezca una élite, que pueda ponerse en contacto con
lo Divino y recibir mensajes. ¿Es que acaso no vamos a recibir
una respuesta si preguntamos cuál es el bien mayor, o cuál es
la voluntad de Dios? Los mensajes del Espíritu son para todo
aquel que busque la guía por el camino del bien, sin importar
su afiliación religiosa.

LOS HILOS DE ORO MÁS COMUNES
DEL TAPIZ ESPIRITUAL HUMANO

Vivimos tiempos turbulentos, y dondequiera que vayamos
se respira miedo; ¿pero no ha sido siempre así? La única diferencia es que ahora tenemos más formas de destruirnos los
unos a los otros y al planeta, y además el terror se anuncia por
la televisión. Esta es nuestra experiencia global hoy en día; no
se trata de una noticia local. Mientras los seres humanos sigan
poblando el planeta y portándose mal, no habrá paz. ¡Pero eso
puede cambiar!

La humanidad parece haberse dividido debido a las creencias religiosas y a la ética, pero existe un hilo conductor unificador de belleza, a pesar de todas nuestras diferencias basadas en los principios metafísicos o en el color de la piel, para el cual algunos reclaman el estatus de «elegido por Dios». Es imposible convencer a todos los seres humanos para que crean en una única versión de Dios, y sin embargo este fortísimo hilo dorado está presente en todos los textos sagrados.

Con el objeto de lograr las metas que todos anhelamos; paz, refugio, comida, seguridad, una comunidad y amor, podemos aunar nuestros esfuerzos en la regla de oro. Este hilo que se ha tejido en el mismo corazón de toda auténtica persecución espiritual nos recuerda la idea más poderosa de todas: que al fin y al cabo lo importante no son los dogmas en los que creemos, sino cómo nos comportamos los unos con los otros y con el resto de seres sensibles. A esta regla de oro se la llama también la ley de la amabilidad y la consideración. Esta es la intención que subyace tras nuestro diálogo con lo Divino, cuando interpretamos oráculos, presagios y señales, con la intención de encontrar la guía. Y es también el fundamento de la afirmación «por el más alto bien de todos», que es nuestro objetivo cuando le pedimos al Espíritu un signo que nos señale la siguiente acción correcta a llevar a cabo. Tenemos que ser considerados, y necesitamos tener fe en Dios.

> «...Así que, todas las cosas que queráis que los hombres hagan con vosotros, así también haced vosotros con ellos...».
> *Evangelio según San Mateo*, 7, 12 (texto de la Biblia cristiana). [Ídem versión: Reina Valera, 1960, en todas las citas de este capítulo].

> «...pues todo lo que el hombre sembrare, eso también segará...».
> *Epístola a los gálatas*, 6, 7 (texto de la Biblia cristiana).

«Trata a los demás como te gustaría que te trataran. Aquello que no te guste para ti no se lo ofrezcas a los otros».

Abdullah Ansari, tomado de un texto
islámico sufí.

«No inflijas a los demás aquello que te daña a ti».

Udanavarga, texto budista.

«Aquello que os resulta odioso, no se lo hagáis a vuestro prójimo».

Rabbi Hillel, tomado del *Talmud*.

«No inflijas a los demás aquello que no querrías que ellos te infligieran».

Analectas, texto de Confucio.

«He aquí toda tu obligación: no hacer a los demás aquello que, si te lo hicieran a ti, te produciría dolor».

Mahabharata, texto hindú.

«Los hombres deben tratar a todas las criaturas como les gustaría ser tratados».

Sutrakritanga, texto jainista.

El Espíritu no reconoce diferencias entre nosotros. Todos somos iguales en el Espíritu; y cuando vivimos en comunidad con él, somos uno. Incluso aunque nuestras creencias sean diferentes y nuestros puntos de vista fundamentales sobre Dios y sobre cómo servirle sean contradictorios, aún así es en este punto donde podemos aunar nuestros esfuerzos, y es así como lograremos hallar nuestros sagrados lugares en la danza de la vida. Este concepto de la unidad en la diversidad puede ser un poderoso motivo de unión para todos nosotros.

Una vez oí una leyenda, atribuida según creo a la tribu de los hopi, que nos proporciona una visión de esta idea. Imagínate que del corazón de todas las religiones que han existido en el mundo partiera un hilo de oro que llegara hasta Dios. Puede que esos hilos por sí solos sean bellos, pero ninguno de ellos es lo suficientemente fuerte como para soportar el peso de todos nosotros. Por sí solos estos hilos son finos y débiles, porque están separados.

Pero ahora imagínate que tejes todos esos hilos juntos con delicadeza y respeto para formar una cuerda. Dicha cuerda es increíblemente fuerte, y cada hilo o cabo está exactamente donde debe estar. Esto le confiere la fuerza que necesita para soportar el peso de todas las personas. Con esta cuerda toda la humanidad puede alcanzar a Dios. Todos podemos escalar y encontrar nuestro más alto propósito en la vida. Todos nosotros, sin importar el color de nuestra piel, raza o credo, podemos alcanzar lo Divino.

Los oráculos, presagios y señales son recordatorios de que el Espíritu nos está escuchando, observando y proyectando para siempre nuestro ascenso hacia lo más alto dentro de nosotros mismos. Nos está ayudando a curar todas esas cosas ocultas en las partes más oscuras de nuestras sombras. La regla de oro es el hilo común que se convierte en la cuerda. Así es como tenemos que comportarnos para que los mensajes del Espíritu nos transformen, y restauren aquello que se ha perdido en el mundo.

La intención lo es todo

Aquí el punto más importante no es que todos nos pongamos de acuerdo en que una determinada religión es la que establece el diálogo personal con lo Divino; la clave reside en el misterio espiritual más profundo en el que todos nos vemos inmersos, sea cual sea nuestro credo. Por eso es el momento de definir por medio de un consenso común cuál es la intención moderna de la adivinación, en lugar de discutir acerca de su historia.

Todos los oráculos son neutrales hasta que los utilizamos para transmitir un mensaje. La señora Kelly era solo mi niñera hasta que vio visiones bailando para mí encima de las cartas. Cuando la sacerdotisa del oráculo de Delfos se ponía a comer y no se sentaba sobre la banqueta para hablar con el rey de Esparta, no era más que una mujer con una bonita toga y espinacas entre los dientes. Un mensaje oracular escrito en un trozo de papel para Sue no significará nada para Mary, y si nadie lo lee... bueno, entonces no significa nada en absoluto para nadie.

Las herramientas de adivinación u oráculos interactivos también son neutrales. Abarcan desde los objetos más sencillos, como los péndulos, hasta los elementos de los sistemas más complicados como las monedas y las varillas de milenrama del *I Ching* o *Libro de las Mutaciones*, o las cartas del tarot. Sus lenguajes derivan del movimiento de las estrellas y de los números de la sagrada geometría; los encontramos en los posos del café o en las hojas del té. Y aunque están diseñados para propósitos sagrados, estos objetos o sistemas carecen de poder mientras no los utilice alguien de forma intencionada. Sin esa intención, los posos del café del fondo de la taza simplemente están destinados al lavaplatos.

He aquí un ejemplo sencillo. Un teléfono encima de una mesa es un aparato de comunicación fabricado por los humanos. Es completamente neutral hasta que alguien lo descuelga. Porque si llamas a tu madre para decirle que la quieres, entonces se convierte en un puente maravilloso entre ella y tú. Se activa cuando tú lo descuelgas y marcas un número, y entonces lo que tú expresas le da su sentido. Si lo utilizas para trabajar, por ejemplo, se convierte en un instrumento de productividad. Y puede verse de una forma positiva cuando tu intención al usarlo es positiva.

Pero ese mismo teléfono puede descolgarse y usarse para planear un robo. O puedes llamar a personas para insultarlas y decirles algo deshonesto. Si la intención es hacerle daño a alguien, entonces la herramienta de comunicación es un puente de negatividad.

Un cuchillo sobre la encimera de la cocina es simplemente una pieza afilada de metal con un mango de madera. Puede utilizarse para cortar verduras o para matar a alguien. El cuchillo en sí mismo fue creado como herramienta para cortar, pero solo se le concede el poder activo cuando se usa con una intención.

Una estrella en el firmamento simplemente brilla o parpadea de una forma muy bella en medio de la noche, hasta que conoces su significado astrológico en relación con un acontecimiento o con una persona. Un animal en el bosque no parece sino otra criatura más, hasta que su presencia es reconocida en el contexto más alto que representa el mensaje sincrónico del Espíritu.

Así que cuando utilizamos las herramientas interactivas de adivinación y mantenemos un diálogo con lo sagrado, nuestra intención debe ser siempre hacia la más alta verdad. Buscamos el conocimiento para sostener la vida y para mostrarnos co-creativos con lo Divino. Se trata siempre de la luz, jamás de la oscuridad; aunque la luz puede, de hecho, iluminar una sombra. En ese caso los elementos más oscuros pueden adelantarse para ser depurados, curados y liberados.

De esta forma es posible explorar sin miedo, en la confianza de que con una intención y una fe correctas podemos alcanzar la guía del Espíritu y de Todo Lo Que Es, y recibirla con gracia y humildad. Los mensajes del Espíritu proceden de la luz, y esos son los únicos que nos interesan en este libro.

Así que sigue leyendo y explorando.

CAPÍTULO 7

La cledonismancia
más común

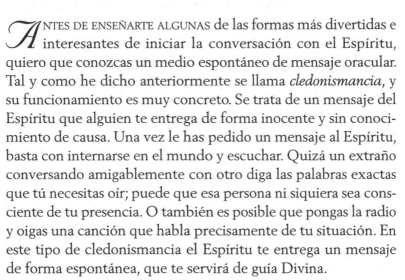

NTES DE ENSEÑARTE ALGUNAS de las formas más divertidas e interesantes de iniciar la conversación con el Espíritu, quiero que conozcas un medio espontáneo de mensaje oracular. Tal y como he dicho anteriormente se llama *cledonismancia*, y su funcionamiento es muy concreto. Se trata de un mensaje del Espíritu que alguien te entrega de forma inocente y sin conocimiento de causa. Una vez le has pedido un mensaje al Espíritu, basta con internarse en el mundo y escuchar. Quizá un extraño conversando amigablemente con otro diga las palabras exactas que tú necesitas oír; puede que esa persona ni siquiera sea consciente de tu presencia. O también es posible que pongas la radio y oigas una canción que habla precisamente de tu situación. En este tipo de cledonismancia el Espíritu te entrega un mensaje de forma espontánea, que te servirá de guía Divina.

De hecho en la antigua Roma era una costumbre aceptada rezarle a los dioses para pedirles una respuesta a un problema concreto, y después salir al mundo a escuchar las conversaciones de la gente para hallarla; era una de las formas aceptadas en las que se esperaba que el Espíritu entregara los mensajes.

Este fenómeno comenzó a ocurrirme a mí con regularidad durante mi primer *tour* con Hay House, en el que tenía que hacer lecturas públicas y en vivo delante de una gran audiencia.

Invariablemente, después de cada encuentro, se acercaba a mí más de una persona; todos querían hacerme saber que estaban seguros de haber recibido *ellos* también un mensaje mientras yo le hablaba a un determinado individuo del público. Algunos de ellos estaban absolutamente convencidos e insistían en darme detalles; otros se sentían confusos pero esperanzados, porque lo que habían sentido y experimentado les resultaba muy convincente a nivel personal.

Digamos, por ejemplo, que conecto con el padre fallecido de Mary, John, que en vida conducía un camión azul oscuro con una abolladura en el lateral derecho. Imaginemos que John falleció en un accidente en barco, y que el nombre de su segunda mujer es Joan. ¿Podría estar yo también transmitiéndole inconscientemente un mensaje a otra mujer del público, Joan, cuya madre se llame Mary y cuyo padre, John, muerto en un accidente de barco, conducía un camión azul oscuro con una abolladura? No cabe duda alguna de que Joan creería que así es. Es más: ¿podría estar yo diciéndole a Joan, además de a Mary, que aquel padre que en vida tuvo un comportamiento abusivo quiere ahora su perdón, y hacer las paces? Ambas mujeres estarían igualmente convencidas del carácter personal y significativo del mensaje para ellas.

Los oyentes de mi programa semanal de radio también me mandan *e-mails* y cartas en los que me agradecen mi servicio como mensajera; y eso a pesar de que estuviera hablando para otro oyente en particular. Me convierto para ellos en el conducto por el que les llega el consejo íntimo, y quieren compartir conmigo su asombro.

Como he tenido esta experiencia una y otra vez, con el tiempo comenzó a intrigarme. Volviendo la vista atrás me doy cuenta de que yo también he sido el recipiente de momentos sincrónicos similares a este, pues he escuchado las palabras que otras personas no me dirigían a mí y que, sin embargo, tuvieron un impacto espiritual profundo y significativo en mí.

En los comienzos de mi etapa de recuperación del alcoholismo y la adicción a las drogas, hace ya más de 20 años, asistía a encuentros de grupo con otras personas que también trataban de curarse. Les escuchaba cuando compartían sus experiencias personales. Muy a menudo parecía como si me dirigieran sus palabras a mí, lo cual ciertamente no era el caso. Me identificaba con tanta intensidad con lo que oía, que era como si estuvieran hablando de mí y solo para mí, a pesar de que había otras 50 personas más en la sala.

Cuando asistía a estos encuentros, a veces desanimada y confusa acerca de mi vida, oía justo los mensajes que necesitaba oír; era como si Dios me estuviera hablando directamente a mí y solo a mí a través de las inocentes bocas de los demás. Estoy convencida de que estas experiencias salvaron mi vida. Y como este fenómeno siguió produciéndose, he llegado a pensar que el Espíritu nos utiliza a todos como conductos para enviar mensajes de curación. Yo sabía intuitivamente que esto es así, aunque si trato de analizarlo en exceso a un nivel intelectual tengo que reconocer que entro en un conflicto.

Todos estos son ejemplos de cledonismancia, que es un arte que funciona hoy en día exactamente igual que ayer para los romanos, o incluso igual que hace miles de años para los griegos.

Hace poco oí una historia muy interesante a propósito de la madre de una clienta, Mary Rose, de Georgia, que ilustra bellamente este fenómeno. Mary Rose obtuvo un mensaje por cledonismancia en la frutería. Un día le tocó dar una cena para su grupo de la iglesia. Había planeado servir su famoso plato de pollo con salsa de cacahuetes, así que fue a la frutería a por los ingredientes de la receta. Ted, el nuevo pastor viudo de la iglesia, recibía mucha atención por parte de las mujeres solteras de la congregación, y Mary Rose estaba decidida a aportarle su toque personal a la situación. Su pollo con salsa de cacahuetes sería sin lugar a dudas el mejor plato que ese hombre habría comido en una buena temporada.

Mary Rose serpenteó por los puestos, nerviosa y emocionada por la exquisita salsa que eclipsaría el plato de cerdo a la barbacoa de Marvelle, cuya cena había constituido todo un éxito la semana anterior. No obstante justo cuando iba a coger la bolsa de cacahuetes, se dio cuenta de que su sentido del oído se amplificaba; esto ocurrió en el momento exacto en el que dos mujeres pasaban caminando despacio por su lado, hablando de las alergias a los alimentos.

Escuchó con claridad a una de ellas decir que su pobre hijo Ted había estado al borde de la muerte debido a una reacción alérgica severa a los cacahuetes, además de explayarse sobre el susto que se había llevado toda la familia. No tuvieron noticia de que Ted había desarrollado semejante alergia hasta que cumplió los diez años. Mary Rose tuvo la fuerte sensación de que debía eliminar los cacahuetes de la receta, y al mismo tiempo sintió una reacción gástrica igual de fuerte que la hizo pensar que aquello era una clara advertencia. Así que decidió hacer simplemente pollo asado.

Aquella noche Ted, el pastor, elogió su cocina y añadió que su plato preferido era sin duda el pollo asado tal y como lo había hecho ella. Instantes después una de las mujeres le ofreció un cuenco de frutos secos garrapiñados que había elaborado ella misma. Él declinó el ofrecimiento, diciendo: «No, a menos que quieras ver morir a un pastor aquí mismo. No he vuelto a comer cacahuetes desde que tenía diez años. Casi me muero, comiéndome una chocolatina con cacahuetes cuando era pequeño».

Mary Rose se sintió desfallecer, así que les contó muy emocionada toda la historia de cómo había recibido espontáneamente un mensaje del Espíritu a través de dos desconocidas en la frutería. ¡Se trataba de un mensaje enviado por cledonismancia! (Y menos mal que lo recibió; el pastor le propuso matrimonio un par de años más tarde).

Este tipo de mensajes del Espíritu depende únicamente de nuestra receptividad intuitiva y de nuestra voluntad para escuchar.

Mary Rose no podía saber que Ted era alérgico a los cacahuetes; incluso después de haber oído aquella conversación, seguía sin saber intelectual o racionalmente que él tenía alergia. Lo que *sí* ocurrió fue que sus sentidos se amplificaron de una forma notablemente diferente. Aunque no tenía ninguna prueba evidente de que su plato de pollo pudiera resultar fatal, su conocimiento intuitivo era fuerte. Había aprendido a confiar en sus corazonadas, así que las escuchaba. En opinión de Mary Rose y dada su experiencia personal, aquella conversación tenía un propósito Divino. Aunque aquellas dos mujeres de la frutería no fueran conscientes de nada, fueron utilizadas como oráculo en beneficio de Mary Rose y, por supuesto, del pastor.

La forma más común de comunicación Divina son los oráculos espontáneos, entregados por personas inocentes y que no sospechan nada. Se producen todo el tiempo y nos traen mensajes a todos, pero a pesar de esto dependen de la claridad de nuestra capacidad para la recepción intuitiva o, al menos, de nuestra capacidad para prestar atención. Por desgracia, es tan frecuente ignorar los mensajes de la cledonismancia por considerarlos simples coincidencias, como negarlos creyendo que son irracionales y extraños.

En una ocasión oí la triste historia de Janet: una mujer de California que planeaba hacer un viaje al lago Tahoe con su caravana nueva. Estaba tan emocionada con la idea de marcharse, que habló de ello durante semanas. Tenía pensado ir a recoger a su novio, Don, a su casa, a primera hora de la mañana; pidió permiso para ausentarse del trabajo el día anterior y hacer las maletas.

Pero cuanto más se preparaba para el viaje, más ansiosa se sentía. Tenía la fuerte sensación de que no debía marcharse, de modo que llamó a su hermana pequeña para contárselo. Mientras lo comentaban, Janet escuchó de pronto la música de fondo que oía su hermana, y entonces le preguntó de qué canción se trataba. Se titulaba «No te vayas, por favor».

Janet se sorprendió e incluso se echó a reír ante tan extraña coincidencia, pero al final decidió hacer caso omiso. No obstante no podía deshacerse de la corazonada, y se fue a la cama inquieta y confusa. A la mañana siguiente, mientras se lavaba la cara, continuó sintiendo dicha extraña sensación que la alertaba de que no debía marcharse, pero para entonces ya había decidido que se trataba de una tontería, así que cargó los bultos en el coche.

Recogió a Don tal y como tenía planeado. Él le contó que no había dormido bien, pero que a pesar de todo quería conducir. Encendieron la radio y entonces escucharon la canción: «Jesús, toma tú el volante». Cambiaron de emisora en busca de información a propósito del tráfico... y una vez más oyeron la misma canción: «Jesús, toma tú el volante». Los dos percibieron la sincronicidad del acontecimiento.

Llovía, así que Don condujo con mucho cuidado. Al girar en una curva un tráiler perdió el control, golpeó a la caravana y la empujó por encima de la valla quitamiedos hacia un barranco. Todos los implicados en el accidente acabaron en el hospital con heridas graves. La caravana nueva de Janet se consideró siniestro total, y Don perdió para siempre la visión de un ojo.

Sin embargo tanta precaución les resultó útil, porque Don por lo general era un conductor temerario y con frecuencia excedía el límite de velocidad. Él y Janet están convencidos de que el mensaje repetido de la canción los obligó a permanecer más atentos a todo lo que los rodeaba, y de que eso les salvó la vida. Siempre es mucho más fácil entenderlo todo con posterioridad, una vez sucedido; no obstante Janet reconoció el mensaje transmitido por medio de la cledonismancia en la primera canción que oyó cuando llamó por teléfono a su hermana. La frase «No te vayas, por favor» no podía estar más clara; era un toque de atención.

EL FUNCIONAMIENTO DE LA CLEDONISMANCIA

Ya sea que dirijas tus preguntas a Dios o solo a un aspecto de ese Dios, como hacían en la antigua Roma, el Espíritu contestará a todas tus dudas con la verdad. Aunque en principio la adivinación por cledonismancia puede hacerse a través de oráculos interactivos, no tenemos forma de saber cómo va a llegarnos la respuesta hasta el momento de recibirla. Se trata de un mensaje enviado de forma espontánea, y en este caso lo único que podemos hacer es mostrarnos receptivos a la manera en la que el Espíritu elige mandárnoslo.

No podemos hacer una pregunta y a continuación ir a la frutería y elegir a dos mujeres cualesquiera para entregarnos la respuesta; puede que el Espíritu decida contestarnos dos semanas más tarde, mientras vemos la televisión u oímos la radio. Recibiremos el mensaje; pero el Espíritu decide cómo, cuándo, y por supuesto el contenido.

Mi amiga Kathy quiere contarnos la historia de cómo acabó encontrando su anillo de bodas con un carísimo diamante que había perdido por casa. La noche en que se dio cuenta de que le faltaba el anillo me llamó por teléfono muy nerviosa, y yo le dije que rezara para obtener una señal y que se mantuviera alerta por si sentía una amplificación de los sentidos durante las horas siguientes. Le conté también que era posible que recibiera el mensaje a través de una persona inocente por la radio, la televisión, o incluso en un centro comercial. Ella consideró ridículo todo esto, así que resopló y colgó.

Tras poner la casa patas arriba sin encontrar el anillo, Kathy rezó a regañadientes para pedir una señal... y entonces se deprimió y se enfadó conmigo de verdad, porque no era capaz de ver señal alguna de forma inmediata. Incluso llamó por teléfono a una amiga común para quejarse de mí: «¡Esto de rezar no sirve para nada! ¡No sé por qué escucho estas ideas tan tontas de la Nueva Era! Mi anillo de bodas es un objeto material; alguien me lo ha robado, no puede ser otra cosa. Quizá haya sido la asistenta».

Bla, bla, bla. De manera que las respuestas por cledonismancia no se presentan en el instante exacto en el que las pedimos. ¿Cómo?, ¿que es culpa mía que rezara y no ocurriera nada? Le dije que tuviera paciencia, y luego decidí no volver a hablar con ella durante una temporada.

Seis semanas más tarde recibí una dulce y feliz llamada telefónica de Kathy, mi amiga, que era tan escéptica. Resultó que cuando llevaba unos diez minutos viendo una serie de televisión, a la protagonista se le cae el anillo de bodas por el desagüe del lavabo. Para solucionarlo, esta llama de inmediato al fontanero (y a partir de entonces es él quien interpreta el rol de salvador).

Lo insólito del caso, a juicio de Kathy, fue que el llamativo papel pintado del servicio de la serie televisiva era exacto al que ella misma había retirado de su baño al remodelar la casa. Ese baño era el único lugar en el que no se había molestado en buscar la sortija, así que se dirigió allí intuitivamente, examinó el desagüe, y creyó ver un brillo. El fontanero extrajo el anillo un par de horas más tarde, pero Kathy no se enamoró de él (de lo cual se alegró mucho su maridito). Yo, sin embargo, sí le pude repetir eso de: «Te lo dije». ¡Y una vez más aparece la respuesta a través de la cledonismancia más común y corriente!

Recuerdo que apenas unas semanas después de conocernos, mi marido Marc y yo estábamos en el cine esperando a que nos dieran las palomitas cuando alcé la vista hacia él y sentí la fuerte sensación de que iba a ser mi marido. Él me miró a los ojos y me llamó «adolescente caprichosa», como si se tratara de un cumplido. Yo me enfadé tanto por su burla (aunque tuviera razón), que me marché al servicio a tranquilizarme. Me dije a mí misma: ¡Olvídalo! *Pero no me gustan ese tipo de bromas.*

Entonces oí a una mujer decirle a la que estaba en el cubículo de al lado: «Seguro que te casas con ese hombre. Lo sé».

A lo cual la amiga contestó: «Ya lo sé, pero la idea tiene que salir de él».

Jamás olvidaré aquella noche. Por supuesto que yo me casaría con Marc algún día. Y naturalmente tenía que ser idea de él. Gracias a Dios soy una chica cangrejo-cáncer tenaz. La paciencia es una de nuestras virtudes astrológicas, de la que hacemos gala cuando de verdad queremos algo. Así que esperé a que se le ocurriera la idea *a él*. Marc me propuso matrimonio una noche de rodillas, en una góndola, en Venecia. Con el tiempo he descubierto que me encantan sus ideas.

El Espíritu se presenta siempre de forma espontánea cuando nos envía un mensaje por medio de la cledonismancia. Este tipo de señales las recibimos todos constantemente, pero la mayoría de la gente ni siquiera se da cuenta. Es la única forma de oráculo interactivo en el que el receptor debe mantenerse por completo pasivo. Sintonizar con los mensajes que te envía el Espíritu a lo largo de tu vida a través de la cledonismancia es divertido y resulta de verdad sorprendente, una vez aprendes a captarlos.

Así que, ¿cómo los reconoces cuando se producen? Cuando recibes un mensaje por medio de la cledonismancia, es como si el Espíritu supiera con exactitud qué te preocupa y cómo resolverlo. Por supuesto, el Espíritu conoce a la perfección todo lo que pasa por tu cabeza, porque todos nosotros formamos parte de él. Lo repetiré una y otra vez, porque es la clave para comprender de verdad cómo es posible la conversación con lo Divino.

Recordad que el Espíritu es nuestro componente primordial como seres humanos y el elemento principal de todo el universo. Todos nosotros estamos aquí como manifestación individual de él. Así que, en realidad, el Espíritu se habla a sí mismo cuando nos envía un mensaje. Nuestras almas; nuestro yo; nuestra consciencia superior; o como queráis llamarlo, están enchufadas a la sabiduría del Espíritu. Y nuestra tarea consiste en sintonizar y escuchar, porque él está siempre hablando consigo mismo. Hay un diálogo Divino en marcha todo el tiempo; solo tenemos que prestarle atención y participar.

He aquí otro ejemplo. Un día, de pronto, Maggie se puso a pensar en una persona a la que hacía mucho tiempo que no veía. Había perdido el contacto con su antigua amiga Loretta un par de años atrás, así que le resultó raro pasarse tres días seguidos pensando en ella. Al tercer día, cuando iba caminando por la calle, vio encenderse repentinamente un letrero luminoso en el que se leía el nombre de Loretta, e instantes después oyó a alguien a su espalda gritar: «¡Maggie!». Por supuesto, fue otra mujer la que contestó. Pero entonces oyó otra voz gritar: «¡Llámame!».

Maggie sintió de inmediato el fuerte impulso de llamar por teléfono a Loretta. La llamó aquella misma noche, y descubrió que su amiga también había estado pensando en reanudar el contacto con ella. La madre de Loretta acababa de fallecer en las mismas circunstancias que la madre de Maggie. Loretta sentía que solo ella podía comprender lo que estaba atravesando.

Puede que los lectores crean que se trata de simples coincidencias, pero está claro que esas señales solo tenían sentido para Maggie. Su novio Bill, que estaba con ella cuando recibió los mensajes, no sintió absolutamente ningún impacto. Y es que de hecho no iban dirigidos a él. Bill ni siquiera se acordó del incidente hasta que Maggie se lo describió e insistió en que se trataba de una experiencia guiada por el Espíritu. Él no oyó ninguna voz gritar «¡Llámame!», por mucho que Maggie la escuchara con toda claridad. Ella vio la señal, la oyó, y se sintió compelida a responder porque intuitivamente sentía que el mensaje era algo muy real y personal. El nombre del letrero luminoso resultaba más que evidente; era brillante, saltaba a la vista. Y el sonido de la voz, insistiendo en ese «¡Llámame!», flotaba alto y nítido en el aire, muy por encima del ruido del tráfico. Era como si todo lo demás callara para que ella pudiera oír a través de su *otro conocimiento*. De modo que, una vez más, el mensaje se entregó a través de la cledonismancia, y obtuvo un resultado significativo y profundamente transformador.

MOMENTOS DE SINCRONICIDAD

Cuando me preparaba para escribir este libro recé para pedir una señal que me mostrara a quién incluir, y entonces el nombre de Kathy Ryndak no dejó de surgir. Yo la había conocido hacía muchos años, y me acordaba de que nada más verla algo en ella me había impactado. Su rostro brillaba con una chispa de luz dorada y borrosa, que yo había aprendido a reconocer como una señal de que el Espíritu está presente. Ella tiene cierto aire de bondad e integridad serenas, y una verdadera aura de compasión. A mí me encanta charlar con ella cada vez que nos encontramos, por poco tiempo que sea.

Kathy y su compañero Gord son dos de los maestros de mayor reputación e influencia de la comunidad de la Nueva Era de Toronto. Su escuela, la Transformational Arts College, atrae a personas de todo el mundo. Allí se estudia en profundidad metafísica, psicoterapia espiritual, música para la salud y métodos de curación alternativos. Han transformado muchas vidas en los 20 años que llevan realizando esta tarea, y no me cabe duda de que seguirán haciéndolo.

El nombre de Kathy no dejaba de surgir una y otra vez... tantas, que al final tuve que ponerme en contacto con ella para preguntarle si le gustaría contribuir a esta obra. A lo largo por lo menos de dos días seis personas mencionaron el nombre de su escuela, y en cada café en el que entraba me encontraba con un viejo ejemplar de una revista en el que aparecían brillantes artículos escritos por ella y por su pareja. Aquello eran ya anuncios publicitarios más que simples señales.

Así que aquí está la historia de Kathy Ryndak, escrita con sus propias palabras:

La primera vez que vi a Gord Riddell, mi socio en la Transformational Arts College, supe que ambos nos embarcaríamos en un profundo viaje espiritual que transformaría mi vida y las de miles de estudiantes. Sentí una fuerte resonancia de nuestras energías, y tuve un profundo conocimiento interior que me señaló que estábamos destinados a trabajar y co-crear juntos.

A mí las señalas y los símbolos tienden a llegarme a través de las personas, los sucesos, de mi perro Chakra y de momentos de sincronicidad. Cuando Gord y yo estábamos formando nuestra sociedad espiritual, yo vivía en la esquina de las calles Marlee y Ridelle, en Toronto. Y sí, era la voz Divina la que me hablaba anónimamente, alzando ambos pulgares.

Un día de verano, mientras descansaba recostada sobre un roble y le contaba mi visión de la escuela (con nombre y todo) a un amigo mío, dicho roble comenzó a sacudirse y a dejar caer bellotas sobre nuestras cabezas. Yo me eché a reír sorprendida porque jamás había visto nada igual, y me pregunté qué clase de señal del universo era esa que me dirigían. En el misticismo celta el roble representa el fuego interior, la fuerza, la nobleza espiritual y el traspaso del «umbral» que da lugar al cambio.

La bellota es símbolo del enorme potencial de las cosas pequeñas. Y esa es desde luego la historia de la escuela. Comenzamos con muy poco, pero hemos crecido significativamente a lo largo de los años, abrazando el arte de la alquimia y de la transformación a través de los campos emergentes de la espiritualidad, la psicoterapia y la salud holística.

Siempre le he rogado al universo que me muestre sus señales, sobre todo cuando me cuesta trabajo tomar una decisión o se me presentan obstáculos. «Muéstrame una señal, yo supe-

rior, enséñame el camino», suelo rogar para pedir la guía Divina. Cuando inauguramos la escuela promocionamos a muchos oradores, pero ninguno se centró lo suficiente en desarrollar nuestro material. Un día, hablando con Gord acerca de por qué no nos manifestábamos más, yo planteé la pregunta: «¿Crees tú que deberíamos concentrarnos más en nuestro propio trabajo?». De pronto un soplo de aire abrió la ventana de la oficina, como si se tratara de la respuesta a mi pregunta. Y desde luego se nos abrieron las ventanas de muchas oportunidades cuando transformamos nuestro foco de atención para centrarnos en crear material original, ya que más o menos estábamos alineados con nuestro más alto propósito.

Yo he aprendido que el universo siempre nos proporcionará una señal cuando le hagamos una pregunta; a menudo se trata de algo sutil, más que de un trueno. Nuestro desafío, por tanto, consiste en escucharlo y llevar a cabo las perspicaces acciones pertinentes.

CAPÍTULO 8
E. T. llama a casa

$\mathcal{U}$NA DE MIS PELÍCULAS FAVORITAS de todos los tiempos es *E.T., el extraterrestre*, de Steven Spielberg, en la que un diminuto alienígena perdido se hace amigo de un niño. La frase de la película «E.T., teléfono, mi casa» siempre me ha recordado a los oráculos. Igual que el extraterrestre «llama a casa», nosotros, los terrícolas que caminamos sobre la tierra, también necesitamos ponernos en contacto con nuestros auténticos orígenes. Y en nuestro caso, nuestra casa es el Espíritu. E igual que E.T. tuvo que inventarse un artilugio para «llamar por teléfono», nosotros también tuvimos que hacerlo; inventamos muchos. El impulso de «llamar» y de encontrar el «hogar» es lo que subyace detrás de nuestra pregunta por la guía en el diálogo Divino.

¡Hay tantos tipos de oráculos, presagios y señales, y tan poco espacio para hablar de ellos! Una cosa es segura: la evolución de la humanidad desgraciadamente nos ha insensibilizado al extraordinario mundo del Espíritu, del que todos formamos parte. Y hemos perdido buena parte de los conocimientos sobre cómo dialogar con lo Divino.

Volviendo la vista miles de años atrás, podemos imaginarnos que somos capaces de fisgar en nuestro primitivo y simple pasado, pero se trata de una perspectiva arrogante y sin sentido. Puede que estemos muy avanzados tecnológicamente; quizá sea cierto que vivimos en medio de grandes comodidades, artilugios y toda clase de amenidades, pero a lo largo de nuestro progreso hemos perdido de vista la auténtica verdad de que formamos parte de un mundo con alma. En primer lugar somos Espíritu, y solo después somos humanos (o animales, peces, árboles e incluso rocas).

Hay una razón por la cual llamamos madre tierra al planeta. Parece que hemos olvidado que el planeta está vivo, y que nuestra relación con él debe ser la misma que mantenemos con el resto de los seres vivos; hasta nuestro ADN humano está compuesto por los mismos cuatro elementos de la vida que encontramos en todas partes, en nuestro mundo: carbono, oxígeno, hidrógeno y nitrógeno.

Todos nosotros formamos parte de una única energía inteligente, viva y Divina, que se individualiza en diversas formas de vida como los miembros de una familia. Todos tenemos un propósito, y aunque parecemos seres separados, se trata solo de una ilusión que nos aleja de la verdad. Tenemos que recordar que nuestros antepasados sabían que el Espíritu, el aliento de Dios, está en nuestro interior y en todas partes a nuestro alrededor, y está esperando para guiarnos. Solo nos falta despertar.

Tenemos mucho que aprender de las creencias y de los métodos de diálogo espiritual de nuestros hermanos y hermanas del pasado. Desde los comienzos de la historia escrita, los seres humanos hemos desarrollado nuestra fe y nuestras creencias a partir de la observación. Y al volver la vista miles de años atrás, nos encontramos con la prueba de que nuestros ancestros creían que el Espíritu vivía en la Naturaleza. El rico mundo natural, al que se percibía como poseedor de un inmenso poder invisible, seguía reglas estrictas. La humanidad halló lo sagrado en dichos elementos, y vio el poder manifiesto del Espíritu en todas partes.

Además experimentó el Espíritu con «otro conocimiento», que venía acompañado, aunque separado, de nuestras mentes analíticas. Eran siempre conscientes del poder de lo invisible, y tuvieron que confiar en la intuición más que en el intelecto para sobrevivir. Y como este ejercicio intuitivo constante desarrolló la receptividad de la gente, utilizaban la consciencia oracular de forma continua.

Yo creo que nuestros ancestros accedían con facilidad a realidades de otra dimensión que se perdieron conforme evolucionamos y nos convertimos en una especie civilizada, pensante y analítica, con la mente puesta en los avances tecnológicos. Las gentes antiguas encontraron modos de expresar su participación activa en el diálogo Divino con las primeras herramientas de adivinación. Ellos creían en los mensajes que enviaban y recibían, porque veían y obtenían una prueba que sabían reconocer.

Sus observaciones del cielo son un ejemplo interesante de desarrollo de un lenguaje para el diálogo Divino. Naturalmente, este fue el nacimiento de la astrología en sus primeras formas. Una vez tuve una charla muy intrigante con mi querido amigo Robert Ohotto, astrólogo intuitivo y escritor también de Hay House. Él me dijo que «Al alzar la vista hacia los cielos para adivinar la voluntad de los dioses, podemos rastrear los orígenes de la astrología moderna hasta la cultura babilónica».

Los babilonios ocuparon Mesopotamia desde el año 2000 antes de Cristo hasta el siglo I de nuestra era en lo que hoy en día se conoce como Irak. Ellos creían poder comunicarse con sus dioses a través de los movimientos de los planetas y de las estrellas por el cielo.

Es por medio de estos movimientos celestiales como comenzaron a interpretar los *presagios* o advertencias que les proporcionaban los dioses acerca de lo que *podía* ocurrir, y acerca de qué podían hacer para permanecer en armonía con los designios universales. En esencia, nuestros ancestros creían que los dioses les escribían mensajes en el cielo para ayudarlos a mejorar sus vidas.

La adivinación comenzó en el momento en el que la gente empezó a estudiar la comunicación simbólica procedente del mundo del Espíritu. El dicho «así en el cielo como en la tierra» cobra mucho más sentido si pensamos en esta relación Divina. Los mitos y leyendas que alimentaron el hambre colectiva de comprensión espiritual fueron historias reales, en pleno desarrollo, que comenzaron cuando la humanidad se planteó por primera vez el misterio de Dios... que todavía hoy seguimos sopesando.

La adivinación era la forma en que nosotros, los «terrícolas», «llamábamos a casa» para pedir la guía. Marcábamos el número de los dioses y de las diosas del cielo; llamábamos a nuestra diosa madre entre las rocas y las cuevas; y la buscábamos en los remansos de agua, en el soplo del viento, y en el crepitar del fuego.

Arrojábamos huesos, tirábamos piedras con un alfabeto sagrado tallado en una de sus caras, y visitábamos a las sacerdotisas clarividentes para obtener los mensajes. Creamos sofisticados sistemas de simbología para conectar con el alma del mundo. Hablamos con los animales y los observamos en busca de señales, y le pedimos consejo a un montón de dioses hasta que al final decidimos distanciarnos de la familia celestial y llamar solo a nuestro gran papá, el Padre Celestial. (La diosa madre quedó atrás, a medio camino). El patriarcado y el silenciamiento de lo Divino femenino tiraron por tierra todo recuerdo del pasado. Y entonces el acto mismo de marcar el número del Espíritu se convirtió en algo separado de su naturaleza sagrada; se empapó de superstición y de suspicacia, y se lo condenó por herético o malévolo.

No importa qué utilizáramos para comunicarnos, o con quién creyéramos que estábamos hablando; aquí el punto interesante radica en que alguien que nos ama y quiere hablar con nosotros contesta al oráculo-teléfono Divino. Cualquiera hubiera creído que, dados nuestros sofisticados progresos, estas antiguas formas de comunicación deberían haberse quedado obsoletas y haber dejado de funcionar. Y teniendo en cuenta las energías renovadas del fundamentalismo, quizá creamos que a propósito de este tema lo mejor es callar. Pero de eso, nada.

El Espíritu contesta hoy a todas las preguntas exactamente igual que hacía entonces. Él se acuerda de todos nuestros métodos, y además nuestras preguntas fundamentales siguen siendo las mismas, por mucho que nuestras dificultades hayan cambiado a lo largo del tiempo. En el Espíritu está la memoria colectiva de toda la humanidad, igual que en un enorme banco de datos vivo, invisible y consciente. Es imposible que nada se le olvide. Marca el número de teléfono Divino, porque desde luego acabarán contestando. Y recuerda que sus respuestas consisten en imágenes proyectadas de nosotros mismos; solo hay que saber cómo mirar. Es nuestra alma la que tiene la visión y la capacidad de percibir una realidad mucho más profunda.

MARCA EL NÚMERO DEL MÓVIL DIVINO

Todavía hoy existen algunos sistemas antiguos de adivinación y tradiciones oraculares. Los más complicados son ricos en simbología extraída de costumbres espirituales antiguas, que datan de hace miles de años. Tendría que escribir un libro acerca de cada uno de ellos para poder hacerles justicia, pero aquí me conformaré con una sencilla introducción y con el reconocimiento de su presencia continua en el ámbito adivinatorio actual.

• La **astrología** sigue hoy viva y conserva su relevancia, aunque en general estamos expuestos a su forma más diluida, a través del arte de los horóscopos de las revistas, que son más simples entretenimientos que verdaderas expresiones de un propósito auténtico.

• El **tarot** es un sistema oracular de adivinación de alrededor del siglo XV. Nadie se ha puesto de acuerdo sobre sus auténticos orígenes, y han circulado muchos mitos acerca de si su creación no sería más bien de hace miles de años, en lugar de unos cientos. Conclusión: es de hace mucho tiempo. Este sistema utiliza una baraja de 78 cartas con símbolos complejos, algunos de los cuales datan de hace miles de años y proceden de ciertas tradiciones sagradas misteriosas antiguas, provenientes tanto de Egipto como de la cábala y de otras culturas.

El tarot es complicado, pero si te interesan las cartas te animo a que pruebes a ver si tu intuición te guía hacia las respuestas que sugieren cada una de sus figuras y símbolos. Encontrarás los significados en los libros, pero yo creo que la única forma de familiarizarnos con su lenguaje simbólico y hacerlo nuestro consiste en utilizarlo. (No obstante lo cual, si te comprometes a estudiarlo en profundidad, encontrarás una conexión mucho más profunda con lo Divino). Debido a su intrincada imaginería, es posible que padezcamos cierta tendencia a imponerle determinadas nociones mentales en particular; es decir, resulta fácil malinterpretar las cartas de acuerdo con lo que queremos ver en lugar de lo que realmente dicen. Sin embargo siempre transmiten un mensaje de esperanza, y pueden ser un espejo extraordinariamente exacto de tu vida y de la dirección en la que se encamina.

En cualquier caso, se supone que sea cual sea el sistema de adivinación que utilicemos, siempre seremos guiados por el Espíritu hacia la carta, la piedra o la varilla que debemos elegir, y después esos signos escogidos se interpretarán para formar el mensaje. El tarot, incluso en su forma más básica, puede servirnos también como un medio muy exacto para reflejar nuestro camino. Yo por ejemplo utilizo este sistema para confirmar el hilo argumental de las historias que veo a través de la clarividencia.

Estas cartas sirven como umbral para reflexionar en profundidad sobre nuestro propio viaje, y pueden proporcionarnos detalles perdidos dentro de la perspectiva más amplia de la visión intuitiva. Se han escrito libros enteros a propósito del tarot; si te interesa aprender más, las escritoras Rachel Pollack y Mary Greer son dos de las muchas personas que dedican parte de su vida al estudio y la enseñanza de este rico y complejo sistema de adivinación.

• *El libro de las mutaciones* (o *I Ching*). Puede decirse que es el sistema de adivinación chino más antiguo y venerado. Tiene miles de años, pero sigue en circulación y cuenta con muchas traducciones modernas. Se trata de intuiciones interpretativas que se obtienen al arrojar monedas o varillas y comparar el resultado con los 64 hexagramas del libro, de modo que las interpretamos de acuerdo con el desarrollo cambiante de un significado adivinatorio que evoluciona y se transforma en otro. Una vez más, me resulta imposible aquí hacer otra cosa que mencionar este sistema. Yo he estudiado el *I Ching* durante años, y todavía sigo sin captarlo por completo. Si te interesa, prepárate para pasar un buen rato intentando comprenderlo. Te sorprenderá.

• Las **antiguas runas nórdicas** adquirieron de nuevo popularidad hace unos 20 años gracias al escritor Ralph Blum. Este sistema oracular se vale de unas piedras en las que se talla un alfabeto simbólico; se arrojan al aire y así obtenemos una información muy exacta acerca de nuestra vida.

A mí me encantan las runas; las utilizo cuando quiero aclararme de verdad acerca de una situación. No siempre me gusta lo que dicen, pero jamás se han equivocado al reflejar el lugar en el que me encuentro y la dirección en la que camino. De hecho, lo que más me gusta de ellas es que mi mente es incapaz de mezclar los significados con el objeto de llegar a donde yo quiero.

Si te interesa saber más acerca de este sistema de adivinación, hay miles de libros e información disponible en Internet. Una de las mejores fuentes metafísicas *online* es la página web www.crystalinks.com. Es un portal maravilloso para llevar a cabo un estudio algo más profundo de los oráculos, presagios, señales y otros temas similares.

• La **numerología sagrada** se está poniendo otra vez de moda, y por eso hablaré de ella con más detalle más adelante.

• La **cábala** es una antigua y misteriosa escuela judía con sus propias tradiciones oraculares y adivinatorias, que actualmente ha alcanzado la celebridad gracias a su nueva chica insignia, Madonna.

• La visita al oráculo de Delfos, una tradición venerada que perduró alrededor de 1400 años en la antigua civilización griega, se ha metamorfoseado en nuestra cultura de hoy en día en las profesiones de **psíquico, médium** e **intuitivo**. Estos mensajeros oraculares modernos cuentan con sus propios programas de éxito en la radio y la televisión, además de dar seminarios y conferencias incluso a bordo de cruceros de lujo, en los que se venden todos los pasajes. Yo he tenido la fortuna de ser incluida entre estos oradores.

• **Comunicadores con los animales**, que te proporcionan una consulta telefónica para tu mascota enferma.

Ya contemples estos sistemas con fe o con escepticismo, lo cierto es que los oráculos y la interpretación de presagios y señales siguen hoy en día muy vivos.

LA MARCACIÓN NUMÉRICA ADIVINATORIA DEL PASADO

Para distraernos un rato, he creído que quizá te apetezca conocer otro par de formas más a través de las cuales la humanidad se ha puesto en contacto con lo Divino. Algunos ejemplos de prácticas adivinatorias son saludados con frecuencia con expresiones onomatopéyicas tales como *guau* o *puaj*, y otras con un asentimiento reverente de la cabeza ante el recuerdo o la ansiada posibilidad. Estoy convencida de que no te costará identificar cuál es cuál.

La práctica de la lectura de las vísceras de un animal sacrificado se descartó muy pronto, gracias a Dios. Sin embargo, la lectura de las señales en los hígados se prolongó con mucha aceptación en Grecia, Roma, Babilonia y otras culturas antiguas (y ambas prácticas cuentan con un fuerte ingrediente *puaj*). Esta lectura de los hígados de los animales continuó como método clandestino hasta mediados del siglo XVI (o algo más, quizá) en países católicos tales como España, Italia y Francia. Conviene destacar el término *clandestino*; pocas personas salían entonces del armario de la «adivinación por el hígado», aunque numerosos estudios históricos atestiguan la presencia de esta costumbre.

No es de extrañar que la adivinación adquiriera entonces mala fama. ¿A quién se le ocurre pensar que una persona está hablando con Dios cuando se queda mirando el hígado de una vaca, en busca de señales espirituales de orientación? *Tengo un hígado; ¿miramos a ver si el Espíritu nos envía un mensaje?* Me imagino que, si pudiera, el hígado le habría contestado: «Esquiva a los inquisidores y piensa en otra forma de marcación numérica adivinatoria. ¡Tu programa se ha quedado obsoleto!».

Sí sabemos que la intención y la cualidad sagrada de esta práctica se corrompió, y que finalmente este sistema adivinatorio fue eliminado por completo, tal y como debía ser. Quizá la Biblia se refiriera a él cuando habla de la adivinación: es lo que ocurre cuando lo sagrado y lo Divino se apartan del diálogo. De cualquier manera se trata de algo que hoy en día no tiene relevancia, de lo cual me alegro personalmente.

POR QUÉ LA ADIVINACIÓN, LOS ORÁCULOS, PRESAGIOS
Y SEÑALES SIGUEN TENIENDO TANTA FUERZA HOY EN DÍA

La fascinación moderna por los mundos espiritual, sobrenatural y otros, se refleja en una de nuestras formas de arte más comunes: el cine y la televisión de los últimos 40 años, aproximadamente. Estos medios nos muestran en qué temas pensamos, ya que son precisamente los que elegimos para entretenernos. *Embrujada* (1964), *Mi bella genio*, *El fantasma y la señora Muir*, *Médium*, *Entre fantasmas*, *Embrujadas* (1998), *Ángel*, *Tocados por un ángel* y *Supernatural* son solo algunos de los ejemplos más populares de la forma en que hemos seguido conectados con la potencial «otredad» de la vida y con el Espíritu.

El éxito insuperable de libros tales como *El código Da Vinci* o la serie de *Harry Potter* atestiguan la necesidad del mundo moderno de historias y mitos nuevos debido a nuestro cuestionamiento de los antiguos. C. S. Lewis y J. R. R. Tolkien nos han hecho creer en Narnia y en la Tierra Media, y han mantenido vivo en nuestros corazones el asombro ante la belleza de los mitos cristianos y sus continuas batallas entre la luz y la oscuridad. Obras como *Las nieblas de Ávalon*, de Marion Zimmer Bradley, nos invitan a que volvamos al pasado a buscar el tesoro espiritual olvidado de lo Divino femenino. Porque acordaos de que hay una Diosa para Dios, o al menos la había. Y yo diría que ya es hora de traerla de vuelta.

Tenemos que ser conscientes de que hay magia en el mundo. Saber, y no solo esperar, que un día el bien derrotará al mal. Todos nosotros queremos tener nuestra «bola de cristal», semejante a la que contenía la profecía de Harry Potter; todos ansiamos que algo nos hable así. Nos encantaría saber que los unicornios siguen vagando por el bosque. ¡Qué maravilla ser escogido por un animal de compañía como Hedwig, el búho, eligió a Harry! Todos deseamos firmar un contrato a cambio de nuestra alma, como el que pactan los *daemons* (o porciones visibles del espíritu humano, que aparecen con el aspecto de animales) y sus contrapartidas humanas en la película *La Brújula dorada*, de Philip Pullman.

Incluso dentro del género romántico ha habido un aumento de los éxitos de ventas de novelas con argumentos paranormales. En ellas la heroína no solo le reza a un ángel para que la guíe, sino que además se enamora de él en cuanto aparece. Y sí, los ángeles llegan incluso a desprenderse de sus alas para casarse con ellas, pero solo después de deshacerse también de los malos. En muchas de estas nuevas novelas tan populares los caracteres tienen conocimientos de antiguas tradiciones sagradas de adivinación, que utilizan precisamente para superar las dificultades de sus aventuras, además de al servicio de toda la humanidad.

Todos necesitamos estas historias para reflejar simbólicamente el lugar que ocupamos en la relación siempre cambiante entre nuestro yo mortal y el lugar en el que reside nuestra alma inmortal. Sentimos como algo inherente a nosotros mismos esa sensación de que pertenecemos a un Espíritu vivo más grande, que nos conecta con la tierra y con el resto de los seres vivos, por mucho que nuestro mundo quiera mantenernos centrados en el miedo y la separación. En lo más profundo de nuestro interior sabemos que estamos dormidos, y que la tierra helada del invierno aguarda al deshielo de la primavera. Entonces podremos despertar y estar lúcidos y presentes ante la belleza de la experiencia del alma.

Así que sea cual sea la forma en la que creemos un ambiente propicio para la conexión con el Espíritu y el alma del mundo, ya lo hagamos a través de la fantasiosa ficción o de la profunda investigación filosófica, es señal de que queremos recordar aquello que hemos olvidado; de que algo importante bulle en nuestro interior, por mucho que no sepamos por dónde comenzar a buscar los eslabones perdidos; indica que esta-

mos ansiosos por despertar a nuestra naturaleza Divina con una
conversación sagrada con el Espíritu.

¿Qué puede ayudarnos a conectar con nuestra consciencia
oracular interior y a encontrar las respuestas y la guía correctas? ¿Cómo podemos reconocer los momentos en los que el
Espíritu alinea los acontecimientos, a las personas y sus diversas
experiencias, en la sincronicidad Divina? ¿Qué es aquello procedente del mundo natural que sigue hablándonos e invitándo-
nos a ver cada vez con mayor claridad y con una visión cada día
más vívida? Incluso aunque no recibamos una grandísima y
profunda revelación mística, quizá podamos sencillamente
averiguar que habría sido mejor abandonar la idea de hacer ese
viaje; o que en interés de toda la familia, sería mejor enviar a
los chicos a otro colegio. Es en estos detalles insignificantes de
la vida mundana en los que interpretamos nuestro destino arquetípico personal más relevante. Ten en cuenta que estos momentos aparentemente insignificantes y sin importancia son las
cosas que le preocupan al Espíritu.

CÓMO PREPARARNOS PARA UTILIZAR LOS ORÁCULOS INTERACTIVOS
EN LA ADIVINACIÓN DE LA VOLUNTAD DEL ESPÍRITU

La calidad de nuestro diálogo con el Espíritu comienza por
la calidad de nuestras intenciones. Pide la guía Divina de una
forma reverente y respetuosa. Cuando decidas utilizar un oráculo interactivo o una herramienta de adivinación, prepárate teniendo en cuenta que estás recurriendo a lo sagrado, y no a un
«tragaperras sobrenatural», equipado para contarte todo lo que
quieras saber. Se supone que tienes que pedir una perspectiva
más alta de las cosas; y al hacerlo así, sin duda encontrarás tu
conexión con esos lugares sagrados de tu interior. Debes permanecer consciente y, nada más entrar en el diálogo, aceptar
que es posible que no te lleve a las respuestas, sino a preguntas

más profundas todavía. Puede que parte del contrato de tu alma consista en descubrir las soluciones por ti mismo. No vamos a hacer preguntas al estilo de «Eh, Espíritu, ¿qué va a pasar?, ¿cuándo me toca la lotería?». Dicho esto, estoy segura de que muchas personas han visitado oráculos, pedido señales o rezado a Dios con la intención de garantizar el cumplimiento de sus deseos y de obtener respuestas. Pero en este punto hay que tener precaución: pagamos un precio si preguntamos sin tener un propósito más alto en mente. Es fácil quedar atrapado en el deseo de conocer el futuro con el objeto de tener una ventaja en la vida o de imponerse sobre los demás, pero puede que no sea en nuestro propio beneficio.

Hay momentos, sin embargo, en los que el Espíritu nos revela el futuro de manera que podamos hacer algo para prevenir una tragedia o arrojar luz sobre una decisión importante, con un amplio impacto. Cuando se nos revelan los acontecimientos futuros es porque estamos destinados a verlos, y se trata de momentos en los que somos auténticamente bendecidos. (Y no obstante, solo nos damos cuenta de hasta qué punto hemos sido bendecidos cuando esos acontecimientos, de hecho, se producen).

Los mensajes del Espíritu pueden llegar de formas extrañas. En concreto recuerdo una visita a Los Ángeles durante la cual estuve toda la semana encontrándome con personas convencidas de que mi perspectiva de su futuro había sido de hecho muy detallada y exacta. Algunos me preguntaron cómo había podido ver cosas que ellos mismos descartaron por imposible cuando yo se las mencioné, años antes. Yo estaba sopesando la misma pregunta, porque solo dispongo de mis propias teorías. La cuestión permaneció sin resolver en mi mente y se convirtió en el ruido de fondo continuo de todos mis pensamientos. ¿Cómo es posible ver el futuro? Debí de hacerme esa pregunta cien veces al día durante toda la semana. Y el asunto comenzaba a fastidiarme, porque era incapaz de pasar página.

Así fue cómo me respondió el Espíritu. Yo me alojaba en Le Montrose Suite Hotel de West Hollywood, mi hotel favorito de Los Ángeles. Tuve un par de incidentes extraños con la televisión de mi habitación, porque el Espíritu se lo estaba pasando en grande reconfigurando la programación para mí. En el primer caso, encendí la televisión y vi un programa sobre los círculos de las cosechas mientras esperaba la visita de mi amiga Cecil. El descubrimiento me dejó fascinada y estuve viéndolo hasta las 5:45, hora en que llamaron a la puerta.

Saludé a Cecil y enseguida comencé a hablarle con mucho nerviosismo del documental; le dije que podíamos pedir la cena y verlo juntas mientras tanto. Entramos en la habitación... ¡y hete aquí que en la pantalla salía el concurso Jeopardy! Pensé que había cambiado accidentalmente de canal, así que fuimos pasando de uno a otro. Pero no encontramos ningún programa parecido. A lo largo de la cena nos preguntamos qué habría pasado con dicho documental, pero dimos por supuesto que sería un error de la programación del hotel.

De hecho se suponía que ese programa no iba a emitirse hasta dos horas más tarde; eso fue lo que descubrí cuando volví a encender la televisión y tuve una experiencia de *déjà vu*. Cecil se marchó a su casa y comprobó la programación en la guía televisiva, y entonces me llamó para decirme que era imposible que hubiera visto el documental mientras la esperaba, porque no lo habían emitido en ninguna cadena hasta las 8:30 de la tarde; mucho después de que ella llegara a casa. Así que soltó una carcajada deliciosa y me llamó «rarita», pero con cariño.

¿Y cuál era el mensaje? No, el hotel no dispone de una habitación temática especial llamada *En los límites de la realidad*, que me asignen cada vez que me alojo allí. Nada de lo que pudiera descifrar a nivel personal acerca de este incidente tenía el menor sentido en absoluto, a excepción de la idea de que el Espíritu se estuviera burlando de mí.

Más extraña aún fue la segunda experiencia que tuve durante ese mismo viaje, cuando me fui a dormir viendo *Los Soprano*... o eso creía yo. En ese momento yo todavía no era una aficionada a dicha serie y solo la veía de vez en cuando, así que no estaba familiarizada con el argumento.

Volví a Canadá y entonces, más o menos un mes después, mi marido y yo salimos a cenar con nuestros amigos Gerry y Pam, ambos ávidos consumidores de dramas televisivos. Hablando acerca de este asunto, yo mencioné que había visto el episodio en el que Carmela está en la cocina charlando con Tony acerca del oso del jardín trasero. Me acordaba de que la pareja estaba separada. Pam me miró y dijo: «Pero si el argumento no es así».

¿Será posible que los americanos vean los episodios de *Los Soprano* antes que los canadienses? Discutimos acerca de que era una vergüenza que nosotros no viéramos las series de la HBO al mismo tiempo que nuestros vecinos del Sur. Y luego nos olvidamos del asunto hasta que al año siguiente llegó la nueva temporada de *Los Soprano*, junto con el episodio que era imposible que yo hubiera visto porque entonces ni siquiera lo habían rodado. Los cuatro habíamos sido testigos de la conversación en la que yo descubría la trama sin ni siquiera advertirlo. Por supuesto, a partir de entonces, me convertí en una gran fan de la serie.

¿Acaso quería el Espíritu que me aficionara a la serie *Los Soprano*? No lo creo. Sí pienso que la experiencia del espacio-tiempo sencillamente a veces nos resulta un tanto extraña a aquellos de nosotros que nos pasamos gran parte de las horas de vigilia explorando los dominios del Espíritu. No tengo ni idea de por qué presencié a hurtadillas el preestreno de una serie que entonces ni siquiera seguía, pero el incidente sí que respondió a mi curiosidad sobre cómo podemos ver el futuro. Me parece que he recibido una respuesta bastante extraña, pero indudablemente directa: el futuro lo vemos por la televisión. ¡Qué risa! (El Espíritu tiene un retorcido sentido del humor).

El punto crucial de todas estas anécdotas consiste en acordarnos de la importancia del discernimiento. Algunos mensajes tienen un significado profundo; otros son solo lo que son, y no quieren decir nada más; y unos terceros... bueno, los terceros son ligeros pero significativos codazos, que nos advierten que definitivamente hay mucho más en el dominio de lo invisible que en el mundo que vemos. Después de todo yo le había preguntado cómo era posible ver el futuro, y el Espíritu me lo mostró en la pantalla de una habitación de hotel. Vale, ya lo capto.

Los aborígenes australianos creen que la verdadera vida es la que transcurre durante las horas de sueño, y que lo que llamamos «realidad» es de hecho una ilusión. Quizá podamos aprender algo acerca de su perspectiva, según la cual los diversos mundos existen los unos al lado de los otros y a veces se superponen. Podemos trasladar esta enseñanza a *Los Soprano* y al documental de los círculos de las cosechas, que en realidad existían en otro lugar pero supusieron para mí ese codazo o impulso en el *lugar* en el que me encontraba. Creo.

Oración

La oración es esencial cuando exploramos los mundos de los oráculos, presagios y señales, porque inicia la conversación. Es la forma en la que le declaramos al Espíritu (o a Dios, a la Diosa, a la presencia Yo Soy o a la consciencia de Cristo) que queremos comprometernos humildemente con la luz para pedirle guía. La oración en primer lugar debe ser una declaración de intenciones; en segundo lugar una demanda de protección frente al peligro; y por último una petición para que se te revele la voluntad Divina. Si quieres preguntarle por algún problema en concreto, nómbralo a ver si el Espíritu te muestra el reflejo de aquello que tú no puedes ver por ti mismo. Acuérdate de que debes acercarte con humildad y sin exigencias a esa conexión con la sabiduría oracular. El Espíritu decidirá de qué forma contestarte, y reflejará dónde estás en cada momento.

Antes de que la gente empezara a utilizar el sistema de adivinación y la baraja de cartas que yo misma he creado, llamado *The Wisdom of Avalon Oracle Cards*, yo animaba a mis clientes a bendecir sus cartas con una invocación a la Diosa que escribí precisamente para este propósito:

> *Querida Diosa: invoco el poder de tu amor y de tu*
> *discernimiento al utilizar estas cartas para guiarme*
> *a lo largo del camino hacia Ávalon, y te pido por mi*
> *alma y por la manifestación de mi auténtico*
> *propósito en la vida para el mayor bien. Muéstrame*
> *solo lo mejor y lo más auténtico para mí y para los*
> *demás. Deja que solo brille la luz. Bendíceme.*

Una oración general al Espíritu para pedirle la guía, sea cual sea el sistema oracular que utilicemos, podría venir a decir algo así como:

> *Espíritu, me presento aquí, humildemente,*
> *para pedirte que me permitas ver mi auténtico*
> *reflejo en tu mensaje para el mayor bien de todos.*
> *Deja que se haga la luz, y muéstrame el sendero*
> *por el que debe transcurrir mi auténtico camino,*
> *si es tu voluntad.*

O también se podría rezar:

> *Invoco las bendiciones, la protección y la guía de la*

eterna presencia Yo Soy. Permite que se haga la luz.
Si es tu voluntad, por favor, muéstrame lo que
necesito saber sobre mi situación para permanecer
fiel a mi camino por el mayor bien de todos.

O quizá también podrías decir:

Me ofrezco a mí mismo por el bien mayor.
Muéstrame tu voluntad. Muéstrame lo que necesito
saber hoy (sobre tal y tal).

También puedes crear una oración con tus propias palabras;
esas que significan algo sagrado para ti, pidiendo siempre el
mayor bien y la guía por parte del Espíritu.

A veces el Espíritu envía mensajes solo para hacerte saber
que está presente y es consciente de ti. Para tu alma esos momentos son como portales que estás conscientemente invitado
a traspasar con el objeto de recordarte la importancia de la vida
espiritual. Cuando nos vemos guiados por la oración y por la
petición de dicha conexión, el portal de la consciencia receptiva de nuestra alma está abierto y el alma del mundo se haya
preparada para la exploración.

MEDITACIÓN

La meditación es algo que recomiendo como medio para
rebajar la tensión y contemplar lo Divino. Además resulta efectiva de formas diversas para despejar los bloqueos que interfie-
ren en la recepción intuitiva que necesitamos para recibir,
aceptar y descifrar los mensajes del Espíritu. Yo misma grabé
un CD de meditación, *Journey Through the Chakras*, específi-
camente con esta intención. Podéis descargaros gratis todos los
vídeos de los ejercicios guiados que acompañan mi primer libro,

Remembering the Future, en mi web www.colettebaronreid.com. Las meditaciones guiadas son buenas sobre todo si tienes problemas de concentración. Da igual qué forma de meditación practiques; zen, meditación trascendental, meditación con conciencia plena o meditación guiada; te animo a desarrollar un ritual diario como componente esencial para entablar el diálogo Divino.

Medita también a propósito de cada respuesta que recibas. Al acallar la cháchara de tu mente y aquietar tu deseo de interpretar algo de modo que te encaje, lograrás descubrir la auténtica naturaleza del mensaje oracular, presagio, señal o circunstancia particular de la que se trate. La contemplación de la señal te mostrará su significado más profundo en el contexto de tu vida.

Y ahora vamos a ver cómo iniciamos la conversación con el Espíritu. Estoy convencida de que tiene muchas cosas que contarte.

TERCERA PARTE

La caja de herramientas divina de los oráculos interactivos

CAPÍTULO 9

Descubrir el mapa
de tu vida

*D*ADO QUE LE PEDIMOS AL Espíritu la guía y los conocimientos necesarios en nuestro camino con la intención de conocer el resultado final de algunas de nuestras decisiones, es preciso tener en cuenta unos cuantos puntos importantes: para empezar, que en cada vida hay un conjunto de lecciones o temas a interpretar como telón de fondo de nuestro viaje. Hemos venido aquí a aprender, y todos somos diferentes.

Imagínate que antes de nacer eliges firmar un contrato con tu alma para experimentar ciertos aspectos de la forma humana de ser durante una vida humana. En cuanto te encarnas, te olvidas de tu alma. Te pasas la vida aprendiendo a recordar quién eres en realidad; primero espíritu, y en segundo lugar humano. Al nacer te ofrecen un mapa multidimensional con capas de terreno que se entrecruzan por distintos puntos. Cuando miras el mapa, te imaginas que ves una X y un letrero que dice «Estás aquí».

Y ahora supongamos que parte de tu viaje está ya planeado antes de llegar aquí, y que tu camino está marcado en rojo a lo largo de un grupo concreto de senderos. Este mapa de la ruta que supuestamente debes seguir muestra el terreno físico y otros aspectos del paisaje. Ves montañas, ríos, pantanos; o a lo mejor tu sendero marcha a lo largo del océano, o se interna en cuevas. El asunto es que tú ves el camino que estás destinado a seguir con todos los posibles rodeos colaterales. La parte imprevisible es qué sendero vas a elegir.

Ves las intersecciones en las que supuestamente vas a conocer a individuos concretos o a tener experiencias que son clave para el contrato de tu alma. Ciertos sucesos de tu destino serán inevitables. Yo creo que algunas cosas ocurrirán de acuerdo con el destino, y ciertos temas vitales se interpretarán sin duda también. Una carta astrológica detallada podría mostrarnos los temas relacionados con tu contrato, conforme vas evolucionando en tu viaje.

Por supuesto, no hay ningún mapa «real»; solo tendencias especulativas e influencias que podemos conocer con antelación para ayudarnos en nuestra maduración personal. Ciertas experiencias vitales deben suceder porque son compromisos, y *sucederán*... por mucho que trates de evitarlo. Estas experiencias a las que nos vemos destinados son cruciales; es como si estuvieran codificadas con un «timbre especial de alarma».

Tu destino aparece conforme respondes y reaccionas a los desafíos y oportunidades que te ofrece el destino. Es como si el Espíritu hubiera programado un buen montón de mensajes que vas a recibir a lo largo del camino de tu vida. También hay momentos en los que se abre la ventana de la oportunidad, de manera que puedes decidir hacer un cambio y optar por otro sendero. Estas ventanas no se mantienen abiertas mucho tiempo, pero sí que existen.

Cómo utilizar el mapa

La adivinación puede funcionar como un medio para rastrear aquellos puntos de intersección de manera que puedas crear activamente las condiciones para una vida más ventajosa.

El Espíritu te ofrece siempre pistas y señales, conforme rastreas el camino. Solo tienes que saber cómo leer esos signos.

Hay otra forma de interpretar este mapa sagrado. Piensa en la posibilidad de que otras realidades y dimensiones se superpongan unas con otras y corran paralelas a esta. Por lo que yo sé, se ha producido un «consenso de emergencia aceptado por todos» en la comunidad científica contemporánea a propósito de la existencia de «multi-versos»: dimensiones paralelas y correlacionadas de la realidad, que existen simultáneamente a esta. Ya no vemos el universo como una única expansión; ahora más bien lo entendemos como algo mucho más vasto y complejo de lo que creíamos.

En su libro *The Isaiah Effect*, Gregg Braden, que decididamente constituye una de mis más grandes influencias, menciona el trabajo de Hugh Everett III, físico pionero de la Universidad de Princeton y el primero en nombrar este fenómeno, adelantándose a su tiempo. «Everett llegó incluso a poner un nombre a estos momentos en los que se puede cambiar el curso de los acontecimientos. Llamó a estas ventanas de la oportunidad «puntos de elección»», nos cuenta Braden. «El punto de elección es como un puente que te permite emprender otro camino y cambiar así de trayectoria para experimentar los resultados de un nuevo sendero».

Así que entonces, ¿podemos nosotros ejercer cierta influencia sobre estos puntos de elección, o sencillamente se nos presentan como instantes predestinados y previamente planeados? Lo cierto es que, de hecho, nosotros mismos podemos crear las condiciones para atraer esos puntos de elección a través de nuestro poder espiritual inherente; mediante nuestras intenciones, pensamientos, creencias y emociones. Y entonces, al haber tomado parte en su creación de forma consciente, nos experimentamos a nosotros mismos en una realidad diferente.

La ciencia ha encontrado ecos de esto mismo que yo ahora trato de ilustrar con la idea del mapa. A lo largo de la vía más

visible y evidente hay otros recorridos que encontramos a través
de las puertas mágicas de la consciencia. Estos otros senderos se
hallan mediante el alineamiento de condiciones creadas por
nuestros propios pensamientos, sentimientos y emociones. Hay
muchos puntos a lo largo del camino capaces de abrir nuevas
vías, de manera que podamos elegir otras rutas y oportunidades.
Cuando le pedimos iluminación al Espíritu, los oráculos y el
lenguaje simbólico de los presagios y señales también pueden
servir como catalizadores que nos permitan comprender cómo
participar en el proceso e iniciar cambios hacia una experiencia
más alta y en la que afirmemos con más énfasis el valor de la vida.

No creamos ni experimentamos la vida en el vacío. ¡Se me
ocurren tantas personas que el destino ha querido que apare-
cieran en mi vida! Y siempre me producen exactamente la misma sensación; es como si nada más posar la vista en ellos, el
tiempo se congelara y entonces yo tomara una fotografía que
recuerdo para siempre. El contínuum espacio-tiempo parece
ralentizarse temporalmente, y todos mis sentidos se agudizan
y adquieren conciencia de que esa persona es, o será, importante en mi vida en algún sentido.

LAS INTERSECCIONES DIVINAS Y EL DESTINO: LLEVAR UN DIARIO

Lleva un diario en el que registres los momentos en los que
el destino parece surgir de pronto en tu vida, y esos puntos en
los que es posible un cambio radical. Es una forma estupenda
de aprender a prestar atención y de estar en guardia para cuando se produzcan ese mismo tipo de momentos en el futuro. Los
detalles de tu contrato se van haciendo visibles conforme
aprendes las lecciones que el destino te va planteando. Co-
mienzas a comprender qué ocurrió en esos puntos de elección
en los que puede que te desviaras o no, y cómo esas experiencias han influido a lo largo de todo tu viaje hasta la fecha.

Yo llevo 40 años escribiendo un diario con bastante regularidad, y puedo rastrear esos momentos del destino en los que mi vida se cruzaba con la de otros. También conozco los puntos exactos en los que se me concedió un instante en el tiempo para cambiar de curso, dar un salto, u optar por seguir otro sendero. Se trata de grandes lecciones muy importantes que me han ayudado a deshacerme de ilusiones ahora fácilmente visibles. El propio contrato personal de mi alma quedó claro a lo largo del tiempo, conforme yo observaba mi experiencia.

Llevar tu propio diario en el que registres el destino y las intersecciones Divinas te ayudará a centrarte en cómo el Espíritu te envía a personas o sucesos para ayudarte a aprender. También puedes adquirir una perspectiva clara cuando el tiempo se aquieta, y te es posible elegir otra realidad. Algunas cosas no serán muy agradables; otras aparecerán como dones o regalos.

Utiliza el diario para examinar estas preguntas y afirmaciones:

1. Comenzando a partir de la infancia, ¿te acuerdas de qué personas parecían destinadas a entrar en tu vida?
2. Describe tus sensaciones la primera vez que los viste.
3. ¿Cómo te ayudó cada una de esas personas a ser consciente de tu auténtica naturaleza?
4. Describe las lecciones que has aprendido a través de las personas que han entrado en tu vida.
5. ¿Qué mensajes crees que te enviaba el Espíritu para ayudarte a crecer?
6. Desde la infancia hasta el presente, describe los patrones de comportamiento a los que te ha empujado el destino.
7. Repite este mismo ejercicio, pero describiendo el destino a través de acontecimientos concretos.
8. ¿Cómo suele llamarte la atención el Espíritu?
9. ¿Cómo influye el destino hoy en tu camino?

10. Haz una lista de todas las veces que sabes que has experimentado un punto de elección en tu vida.
11. ¿Qué hiciste?, ¿qué opción elegiste?, ¿cómo cambió o no cambió tu vida al ser consciente de la oportunidad de alterar por completo su curso?

Este ejercicio te ayudará a comprender la clase de preguntas y el tipo de guía que más necesitas en tu viaje. Cuanto mejor comprendas tu camino, más profunda será tu relación con el Espíritu. Llegarás a saber qué preguntas hacer cuando participes en la conversación.

Siempre puedes esperar algún tipo de respuesta en el diálogo con lo Divino. ¿Por qué, entonces, no hablar de algo importante? En lugar de inquirir: «¿Será este mi novio?», sabrás que es mejor preguntar: «¿Qué lecciones tengo que aprender a través de esta relación potencial?». Puede que te conteste que, de hecho, no necesitas esa potencial lección porque ya te la sabes. O quizá te diga que la lección es sobre las relaciones armoniosas y el amor, y sobre cómo equilibrar la balanza de poder entre dos personas. Este acercamiento impide además respuestas del tipo sí/no, y te ayuda mientras vas haciéndote con los oráculos interactivos que explicaré en las páginas siguientes.

CAPÍTULO 10

Camarero, hay un mensaje en mi sopa

E L ARTE DE LA LECTURA de las imágenes y símbolos en los posos del café, tal y como mi padre lo solía practicar, es una tradición antigua de Oriente Medio estrechamente relacionada con la lectura de las hojas del té, que en realidad tuvo sus comienzos en China. La verdad es que hay pruebas de que este tipo de técnicas de adivinación evolucionaron por separado en culturas antiguas de todo el mundo, incluyendo las de Asia, Grecia y Oriente Medio. ¡Parece que todo el mundo veía cosas en las tazas! El nombre oficial de esta práctica es taseografía o taseomancia.

A lo largo de los últimos cientos de años se fue extendiendo por toda Europa gracias a los nómadas que ofrecían este servicio como medio para conocer el futuro. Bien, así que ahora tenemos algo relacionado con la interpretación del diálogo Divino que consiste en «predecir el futuro», pero los comienzos de este arte fueron sagrados y venían acompañados de rituales de oración y meditación. Su propósito era buscar un conocimiento más profundo de la voluntad de lo Divino, y atisbar en qué lugar estábamos de nuestro camino.

La taseografía puede ser un medio muy exacto para ver el papel que han jugado tus patrones y elecciones en la vida. Es como un mapa de símbolos sagrados codificados, que se despliega alrededor de la taza o jarrita. Nos cuenta historias, pero descifrar el código depende de tu intuición.

Esta es una de las razones por las que tradicionalmente no era quien se bebía el té o el café quien hacía la lectura. Siempre es mejor tener una perspectiva más objetiva, y además sirve para enlazar con el puente entre la consciencia de la persona a la que se le hace la lectura y el intérprete. Es esta colaboración la que inicia la consciencia oracular, y enlaza con la consciencia más grande del Espíritu.

He aquí la historia de una amiga sobre una lectura de unos posos del café que sonaron a alarma.

Hace unos años fui a visitar a mi madre, que ya está mayor, a Europa. Por primera vez me vi forzada a dejar a mis hijos adolescentes solos en casa durante tres semanas, y estaba preocupada. Como medida de precaución, le pedí a mi amiga Nina que les echara un ojo y los ayudara en caso necesario.

Llegué a casa de mi madre un sábado por la tarde, y una amiga suya, Julie, vino de visita. Como era costumbre allí, las tres tomamos una taza de café turco. Al terminar, Julie se ofreció a leerme los posos. Contempló mi taza y me mostró la silueta de una bonita casita pequeñita con una figura femenina de pie a la izquierda y otra masculina a la derecha. Ambas figuras miraban la casa desde fuera. Julie comentó que probablemente serían mi hijo y mi hija y que, según ella, todo parecía marchar bien y en paz. Eso me calmó.

Dos días más tarde, el lunes, Julie volvió y repetimos la lectura. En esa ocasión solo se veían los cimientos y el suelo de la casita en los posos; el techo había desaparecido. Las figuras seguían ahí, pero estaban pálidas y apenas resultaban visibles. Julie dijo que aunque no se veía el tejado, ella sentía que todo seguía tranquilo y que las dos figuras estaban a salvo.

Me inquieté, así que llamé a casa, pero nadie contestó. Entonces llamé a Nina, pero tampoco conseguí contactar con ella. Me pasé más de 24 horas llamando por teléfono. Entonces me entró el pánico, y empecé a llamar a todo el mundo. Por fin un amigo me informó de que la casa de Nina había ardido en llamas apenas unas horas después de que Julie viera las dos figuras por primera vez en los posos. Nina y su marido perdieron la casa, pero tal y como Julie predijo, el desastre no produjo daños físicos. Mis hijos, gracias a Dios, estaban perfectamente.

Como solía decir mi padre, el alma y la mente tienen que ir de la mano para ver todo el panorama. Así que la intuición (la voz del maestro/guardián interior que es tu alma) junto con la capacidad de pensamiento simbólico y de análisis, aplicados a la sustancia física de las tazas, da lugar al milagro de la adivinación. Puedes recibir una información válida, profunda, exacta y muy importante, además de pasártelo bien. Es una forma muy social de pedirle la guía al Espíritu, ya que siempre hacen falta dos o más personas. Es también una vía para experimentar el «mensaje instantáneo» del Espíritu a través de una sustancia natural; en esta ocasión, las hojas del té o los posos del café.

Una vez conoces los símbolos y sus significados (véase la guía del capítulo 17), te sorprenderá lo sencillas y exactas que son las historias que desean hablarte a través de las tazas.

MÁS ALLÁ DE LAS TAZAS DE TÉ O CAFÉ

Puedes utilizar este mismo método para chatear con el Espíritu a través del chocolate caliente a la taza o de cualquier crema vegetal; incluso con las sobras de los cereales del desayuno, siempre que reces para pedir la guía y le pidas al Espíritu que hable contigo.

He aquí la divertida historia del nacimiento de la sopa oráculo. Hacía ocho años que me había topado con la capacidad de la crema de calabacín para servir como conducto de los mensajes del Espíritu. Empecé a perder la vista al cumplir 42 años. Aunque necesitaba gafas, no quise ponérmelas; lo cual, por supuesto, me provocó fuertes dolores de cabeza y me obligaba a cerrar los ojos para ver la letra pequeña. No podía ver con exactitud qué había dentro de la taza sin gafas, ya que los símbolos y las imágenes que crean las hojas del té o los posos del café son diminutos.

Le prometí a una amiga que había venido de visita desde Europa que le leería los posos del café como regalo por su cumpleaños. Pensamos que sería divertido salir primero juntas a cenar y luego, al final de la noche, volver a mi casa para comunicarnos con el Espíritu a través de las tazas. Era otoño, así que en el restaurante servían los platos de las verduras de temporada. Las dos pedimos crema de calabacín, que nos presentaron en dos cuencos grandes blancos. Mientras comíamos, yo vi los evidentes patrones y dibujos que se estaban formando, y comencé a mirar por los bordes del cuenco. Vi claramente la imagen de un cisne seguido de una calabaza y luego un bebé.

El cisne representa simbólicamente la transformación y la clarividencia; la habilidad de utilizar la visión intuitiva para ver más allá del aquí-ahora, además de en lugares profundos y nunca vistos de nuestro interior. Es mi animal tótem personal. La calabaza me saltó encima como un holograma, y claramente pretendía decir que el Espíritu quería hablar conmigo a través del calabacín. Yo interpreté al bebé como algo nuevo que nacía. ¡Así que le dije a mi amiga que iba a utilizar la crema de calabacín para la lectura!

Recé una oración y pedí que me fuera dada la visión para ver y recibir aquello que el Espíritu quisiera revelarme sobre mi amiga. A ella le dije que le diera tres vueltas al cuenco en el sentido de las agujas del reloj, volviera a dejarlo sobre el mismo plato y, a continuación, lo volcara hacia ella boca abajo y lo dejara encima de dicho plato. (El camarero no quedó impresionado por el malabarismo, pero mi amiga estaba a punto de estarlo). Entonces le pedí que me pasara el plato con el cuenco volcado y, tras dejarlo en reposo dos o tres minutos, le di la vuelta al cuenco y procedí a leer las imágenes del cuenco y del plato. Este es exactamente el método que me enseñaron para leer las hojas del té y los posos del café.

Lo mejor de todo es que las imágenes eran grandes, bonitas y fáciles de leer, y no tuve que cerrar los ojos para adivinar los símbolos. Era como si el Espíritu quisiera hacerme saber que había encontrado una versión en forma de crema de calabacín de uno de esos libros de bolsillo con letra grande. Olvídate del té y del café... ¡toma sopa! ¡Y lo mismo las gafas! (aunque ahora que estoy llegando a los 50, tendré que ponérmelas seguro).

No hace falta decir que la sopa oráculo es otro ejemplo más de la forma en que el Espíritu nos recuerda que está en todas partes; allí donde se lo pedimos. Todos los signos y presagios fueron exactos en su descripción de lo que estaba ocurriendo en la vida de mi amiga, y las dos estábamos muy nerviosas por el hecho de que la sopa oráculo funcionara. Sin embargo, ella rechazó con vehemencia mi interpretación. Vi la imagen de una cigüeña y una cuna, lo cual me llevó a preguntarle si estaba intentando quedarse embarazada. Ella me contestó que no, *en absoluto*. De hecho hacía poco que había conocido a un hombre, y acababa de entablar una relación física con él. Eso yo ya lo sabía, porque también vi el potencial de esa relación al desenvolverse.

Así que a excepción del alarmante comentario acerca del embarazo, todo fue bien y las dos nos marchamos a casa. Sin embargo, al día siguiente ella me llamó por teléfono histérica. No había podido quitarse de la cabeza las imágenes del cisne y del bebé, así que en el camino de vuelta al hotel había comprado tres pruebas de embarazo de marcas distintas. Solo pretendía tranquilizarse. Se había hecho las tres pruebas aquella mañana. Y bueno, la sopa no mentía... ¡había un bebé!

Así que, ¿cómo responde el Espíritu a nuestras preguntas a través de los cuencos de sopa, los posos del café o las hojas del té? Responde porque siempre ha estado ahí. El Espíritu está en el interior de todas las cosas, y toda vida puede utilizarse como espejo sagrado para mirarnos y vernos a nosotros mismos desde otra perspectiva a lo largo del discurrir de nuestros viajes. Es posible entablar una relación con la consciencia más alta y acceder al conocimiento en cualquier parte y en cualquier momento.

Otro gran ejemplo de esto mismo fue lo que le ocurrió a una mujer que asistía a uno de mis seminarios en un crucero. Durante el descanso para comer, les había pedido a los asistentes que formaran grupos de entre cuatro y seis personas y le pidieran a su cuenco de crema de guisantes que les mostrara algo válido sobre sus vidas. Comenzamos este proceso ofreciendo una oración, pasando unos instantes en contemplación de lo Divino y, a continuación, pidiendo la guía y la habilidad para ver al Espíritu en la crema de guisantes.

Una mujer se acercó a mí con su cuenco, y yo vi de inmediato un bonsái, que parecía importante. Ella efectivamente estaba obsesionada con las plantas, y esperaba llevarse alguna a casa. Era una señal del Espíritu de que ella había entablado un contacto, aunque mundano, con el espejo sagrado.

Mientras tanto en otra mesa estaba ocurriendo algo sorprendente. Una mujer encantadora llamada Nancy había enviudado hacía poco. Había venido al crucero a olvidar sus penas y a conectar con otros exploradores espirituales de mentalidad parecida. Imagínate su sorpresa cuando le llegó su turno y le pasó su cuenco a las otras cinco mujeres de su mesa; no las conocía de nada, ni ellas sabían tampoco nada de ella. Y sin embargo cada una de esas cinco mujeres, por turno, fue viendo y exclamando exactamente las mismas cosas:

«¡Mira qué caras más felices! Pues yo veo a un hombre con una barba larga y espesa».

«Yo también lo veo, y además parece que es muy alto».

«Sí, veo rostros felices aquí, aquí y aquí. Y hay un hombre sonriendo con una barba larga y espesa».

Nancy estaba perpleja y sobrecogida por el milagro de aquel mensaje; ella sabía que era real. Su marido coleccionaba «caras felices», y era un hombre muy destacado: alto, fuerte, y con una barba muy larga y espesa.

Mi amiga Mary Aver, que vive en Londres aunque es irlandesa, me envió una maravillosa historia sobre cómo otros platos pueden convertirse en oráculos cuando no hay hojas del té ni posos de café. Mary es chamán, y una eficaz y exacta consejera y clarividente que imparte seminarios, escribe libros y se dedica más o menos a lo mismo que yo. Su historia versa sobre los cacahuetes.

En la casa de mi infancia la lectura de las hojas del té era una práctica habitual; mi tía Nora solía interpretarlas cada vez que nos reuníamos en torno a la mesa de la cocina para cenar. En aquellos días el té se hacía con «té de verdad», como decía mi madre para distinguirlo de las actuales bolsitas. Muchos se tomaban las lecturas de la tía Nora con escepticismo, pero para mí era la mujer más sabia que había visto jamás. Una vez me dijo: «Tú sabes cómo manejarte en este mundo». Descubrí que también sabía algo de esta práctica antigua, y escuché y observé a la tía Nora con mucha concentración. Aprendí a leer las hojas del té y los posos del café; era divertidísimo y además muy revelador.

Descubrí también que esta era una forma auténtica de acceder a una información que estaba oculta en nuestras psiques; una herramienta para alcanzar al subconsciente y averiguar qué hay allí.

Un día, no hace mucho, viajaba en tren desde El Cairo hasta Asuán, en el Bajo Egipto, y un caballero egipcio me pidió que le hiciera una lectura. En realidad era nuestro guía turís-

tico, y cuando lo miré a los ojos me di cuenta de que tenía algo que aprender. Pero no tenía ni hojas del té, ni de ninguna otra clase.

Él en cambio sí tenía una bolsa de cacahuetes. La señalé y le pedí que la sujetara con ambas manos mientras pensaba en la pregunta más importante que tuviera en mente. Entonces «arrojó» los cacahuetes sobre la mesa y esperó. Aquel día yo descubrí que podía leer los cacahuetes como si se tratara de hojas del té o granos de café. La información fue de hecho muy útil, y ayudé a aquel hombre a comprender un problema legal que afectaba a toda su familia. Y entonces quedó claro por fin que quizá lo más importante no fueran las hojas del té: es posible hacer una lectura con cualquier cosa con la que esa persona esté conectada.

Me pregunto qué dirá la tía Nora de todo esto, desde el cielo, desde donde nos mira.

Por ti mismo

Entonces, ¿cómo puedes recibir tú los mensajes del Espíritu de esta misma forma? He aquí lo que tienes que hacer:

1. Busca un socio que traduzca e interprete las imágenes. O mejor aún; durante un mes, reuníos un grupo de cuatro a seis amigos una vez a la semana para pasar un rato leyendo y estudiando la guía de los portadores de las señales sagradas del capítulo 17.
2. Consigue un cuenco blanco y colócalo encima de un plato.
3. Utiliza una crema de calabacín o de guisantes, o cualquier otro puré espeso. Esto se puede hacer también con chocolate a la taza caliente en una taza blanca. ¡Funcio-

na incluso con el puré de patatas naturales machacadas y la salsa de carne!

4. Comienza con una oración. Sí, te estoy pidiendo que hagas una cosa completamente pagana: rezarle al Espíritu de la crema (y no está permitido reírse). Dale las gracias a la tierra por las verduras que te alimentan. Y luego visualiza la fuerza vital de las verduras; míralas como a una parte de Gaia y del universo, hecho Espíritu. Bendice la sopa como herramienta sagrada de tu vida y pídele al Espíritu que te revele cualquier mensaje o imagen que tenga para ti.

5. Después de comerte la crema, dale tres vueltas al cuenco en el sentido de las agujas del reloj y, a continuación, vuélcalo hacia ti sobre el plato. Parte del contenido caerá en el plato, pero otra se quedará pegada a los lados del cuenco, formando patrones. Deja el cuenco volcado en reposo unos tres minutos, o incluso hasta que los residuos se sequen.

6. Acuérdate de que este ejercicio es la primera y más importante forma de reconectar con el Espíritu que hay en todas las cosas. Tú estableces tu propia consciencia oracular conforme permites a tu consciencia expandirse y aceptar la vasta conectividad entre las cosas que se ven y las que no.

7. Y ahora la parte divertida: sentaos formando un corro e id pasándoos el cuenco de una determinada persona por turnos. Si sois solo dos, cambiaos el cuenco. Verás los patrones que forman los residuos a lo largo de los laterales del cuenco y en el plato. ¿Qué ves? Permite que tu mente interior se abra y despliegue. Sabrás cuándo ha ocurrido esto porque se encenderá tu intuición y la consciencia oracular comenzará a reconocer símbolos. Cuenta la historia tal y como la ves desarrollarse. Y luego discútela con tu compañero para ver cómo encaja en su vida.

Cuando hay muchas personas, la historia resulta más activa porque todos los participantes concentran sus más altos sentidos para ver qué se refleja en la crema. A veces lo que se muestra son cosas mundanas (como la mujer que quería un bonsái), pero en otras ocasiones se trata de visiones profundas que podemos experimentar cuando el Espíritu nos envía mensajes a través del espejo sagrado de un cuenco bendecido de sopa.

CAPÍTULO 11

Encontrar tu tótem animal

$\mathcal{N}$UESTROS ANCESTROS, QUE VIVÍAN en contacto directo con la tierra y conocían las relaciones entre todos los seres vivos, sabían que cada animal, insecto, reptil, planta y flor tiene sus propiedades que les otorgan poder, y que cada ser vivo es parte integrante del equilibrio de toda la vida. Veían y entendían a cada uno de estos seres como poseedores de un potente Espíritu. Esto no ha cambiado; solo nuestra percepción de este fenómeno se ha alterado. Nosotros creemos y aceptamos que las partes física y espiritual están separadas y no se relacionan. Y esto no es verdad en absoluto.

Como dice Ted Andrews, escritor y místico que trabaja con aves de presa, «Nosotros no podemos separar lo físico de lo espiritual, ni lo visible de lo invisible».

Aunque vivimos en una cultura altamente avanzada a nivel científico y tecnológico, el Espíritu sigue siendo inherente e inmanente a toda vida, lo incluyamos o no en nuestra actual versión o paradigma del mundo. El hecho de que nosotros digamos que las cosas son de una determinada manera no quiere decir que sea así; igual que no vemos el oxígeno que respiramos, pero a pesar de todo está ahí. No es visible, pero todos sabemos que sin él moriríamos. ¿Dónde están nuestros pensamientos? Si no somos capaces de ver dónde se guardan o cómo

se generan, ¿es que no existen? La consciencia está en todas
partes. La ciencia ha demostrado que estamos hechos de la
misma sustancia que las estrellas. ¿No somos entonces estrellas
mirando estrellas?

Si contemplamos el mundo a nuestro alrededor en silencio
y con paciencia y reverencia, veremos cómo la consciencia (o
Espíritu) nos habla a través de todas las formas de vida, utilizando energías arquetípicas propias de cada una de ellas como
lenguaje.

En muchas ocasiones a lo largo de mi vida, desde que era
muy pequeña, un cisne venía a visitarme. Se presentaba tanto
de noche, mientras dormía, como de día. Y también cuando
soñaba despierta. Además he estado profundamente conectada
con el lobo. He soñado que estos animales me guiaban y ayu-
daban a superar mis dificultades. De vez en cuando incluso un
delfín se acercaba para nadar a mi lado, y me facilitaba la respiración cuando me despertaba casi sin aliento.

No conocí el significado de estos animales que aparecían en
mi vida hasta que estudié el chamanismo y las tradiciones espirituales de los nativos americanos. Entonces aprendí que el
cisne es conocido como símbolo de la transformación; del desarrollo de la intuición; y de la capacidad para ver el futuro.
También simboliza la poesía, el misticismo y la canción. Ahora
comprendo que este tótem en particular era y sigue siendo un
poderoso signo para mí. Un tótem no es sino un objeto natural,
un animal, o una forma de vida con la que mantienes una afinidad. El simbolismo arquetípico del cisne me ha seguido desde que nací, y ha inspirado todo lo que he hecho, en especial
ahora.

La clarividente y sanadora natural Christine Agro también
tuvo un encuentro personal y muy de cerca con un tótem
animal.

El mensajero

Yo vivía en una hermosa cabaña hecha de troncos de madera en Adirondacks, y un día me tomé un descanso y me senté a meditar. Mientras permanecía en silencio, no dejaba de oír un sonido como de «batir» de alas. Por fin me levanté a investigar; el ruido me llevó a la entrada. Allí, sobre una repisa con plantas, había un halcón de cola roja. Nada más entrar yo, él voló hacia la ventana y se golpeó las alas contra el cristal en un intento por salir. Le hablé despacio; le dije que lo ayudaría y le pedí que confiara en mí. Alargué las manos lentamente y lo envolví con ellas con suavidad, sujetándole incluso las alas.

Por un momento, mientras sostenía a esta bella criatura con las manos y la miraba profundamente a los ojos, el tiempo se detuvo. Me acerqué a la puerta, que por suerte estaba abierta, y la solté. El halcón no se marchó de inmediato. Cuando por fin alzó el vuelo, soltó un precioso trino a modo de gracias.

Fue un momento mágico. La cola roja del halcón es un mensaje que aparece siempre que comenzamos a movernos hacia el propósito de nuestra alma con más dinamismo. Cuando aquel pájaro apareció en mi vida de esa forma tan delicada y armoniosa, supe que caminaba por el sendero correcto. Poder sujetar al halcón con las manos y sentir su energía fue un poderoso regalo. El halcón de cola roja ha permanecido como recuerdo de mi propio poder y de la conexión con el Espíritu hasta el día de hoy.

Los tótems o espíritus animales son energías espirituales conscientes que nos eligen a nosotros, no al revés. Y del mismo modo que las relaciones vivas entre nosotros y nuestros compañeros animales las eligen ellos, así también el espíritu del animal elige nuestras relaciones espirituales con el tótem.

Los regalos de sabiduría de los siete
portadores de señales sagradas

Hay siete niveles de tótems que se corresponden con los mismos temas vitales de los siete chakras: supervivencia/cuerpo físico, sexualidad/procreación, ego/individuación, comunidad/amor, comunicación/creatividad, intuición/visión y pensamiento/espiritualidad.

1. El **primer tótem animal** se alinea con nuestra identidad física, nuestra salud, nuestro cuerpo en general, con los lugares físicos donde habitamos, y con nuestra experiencia material con el dinero. Este portador de señales sagradas es el guardián de la familia, de los espíritus de los ancestros, de la necesidad de supervivencia y del derecho básico a estar aquí. El elemento que le corresponde es la tierra. Su color es el rojo. El elemento de la sombra (o aspecto negativo) es el miedo.

2. El **segundo tótem animal** se alinea con nuestra identidad emocional, sentimientos, sexualidad, y con nuestra habilidad para expresar las emociones en general. Este portador de señales sagradas es el guardián de nuestras relaciones interpersonales y con los compañeros, de nuestra capacidad para sentir placer, y de nuestro derecho a sentir y desear. Le corresponde el elemento del agua. Su color es el naranja. El elemento de sombra es la culpa.

3. El **tercer tótem animal** se alinea con el ego, el sentido del propósito, la valía personal, la autoestima, y la capacidad de individuación saludable. Este portador de señales sagradas es el guardián de nuestro plexo solar físico, nuestro sentido personal de la identidad, nuestra autodeterminación, autonomía, individualidad, y de cómo nos vemos a nosotros mismos en el mundo. Es el guardián del uso correcto del poder y de la autoridad personal, y

del derecho a ser y a actuar como un individuo. El elemento que le corresponde es el fuego. Su color es el amarillo. El elemento de la sombra es la vergüenza.

4. El **cuarto tótem animal** se alinea con nuestro corazón y con nuestra habilidad para dar y recibir amor y para amarnos a nosotros mismos; con nuestra capacidad empática; nuestro conocimiento de la compasión; y nuestra capacidad para mostrarnos amables y sensibles a las necesidades de los demás. También nos ayuda a mantenernos en equilibrio cuando vivimos en comunidad con otros. Este portador de señales sagradas es el guardián del centro de tu corazón, de tus relaciones amorosas, y de tu capacidad para la devoción, la consideración y el altruismo. Es el guardián de tu derecho básico a amar y ser amado. El elemento que le corresponde es el aire. Su color es el verde. El elemento de la sombra es el dolor.

5. El **quinto tótem animal** se alinea con tu habilidad para comunicarte, con la autoexpresión, la creatividad y la capacidad para decir la verdad en el mundo. Este portador de señales sagradas es el guardián de tu voz y de tu garganta física, de tu capacidad para decir la verdad, y de tu habilidad para pensar simbólicamente. Es el guardián de tu derecho básico a oír la verdad, además de decirla en voz alta. El elemento que le corresponde es el sonido. Su color es el azul. El elemento de sombra es la mentira.

6. El **sexto tótem animal** se alinea con el tercer ojo y con nuestra capacidad para percibir patrones, soñar, visualizar e imaginar. Este portador de señales sagradas es el guardián de la intuición y de todos los dones psíquicos, recuerdos y estados de sueño. Es el guardián de nuestro derecho básico a percibir y ver más allá del mundo físico. El elemento que le corresponde es la luz. Su color es el púrpura. El elemento de la sombra es el espejismo/engaño.

7. El **séptimo tótem animal** se alinea con la coronilla, que es el enlace entre el yo mortal encarnado, el alma y el Espíritu. Se alinea con nuestra capacidad para la reflexión, el análisis, la comprensión desde una perspectiva amplia, y lo más importante: el sentimiento de conexión espiritual. Nos ayuda en la experiencia del alma inmanente y en la revelación mística y trascendente de la Divinidad, del poder más alto, la presencia Yo Soy, la consciencia cósmica, etc. Este portador de la señal sagrada es el guardián de nuestra alma personal, nuestra sabiduría interior, y del camino al Espíritu. Es el guardián de nuestro derecho básico a saber, aprender y expresar nuestra espiritualidad. El elemento de la sombra es el apego/ obsesión.

Hay muchas formas de invitar a nuestros animales tótem a revelársenos. Yo misma he desarrollado un eficaz ejercicio de visión que te mostrará qué animal se ha acercado a ayudarte en los diferentes aspectos de tu vida. Este ejercicio está diseñado para repetirlo tres veces en tres momentos distintos (y que *no* se te ocurra repetirlo las tres veces en el mismo día), porque hay tres formas diferentes de comprender el poder de los portadores de señales y cómo juegan un papel en nuestra vida.

La primera vez te pondrás en contacto con los siete animales tótem que te adoptaron durante tu nacimiento. Invita a los espíritus de los mamíferos, pájaros, insectos o reptiles, que son tus poderes constantes en esta vida. Se trata de tus portadores personales de señales sagradas.

La segunda vez conectarás con los siete ayudantes temporales que trabajan en determinado momento contigo. Estos animales tótem están contigo ahora para ofrecerte su guía, empoderamiento y sabiduría. Pueden ser poderes temporales que han venido a ayudar a tus tótems de nacimiento para apoyarte en tu experiencia actual de la vida. Son los ayudantes de nuestros portadores de señales sagradas.

La tercera vez conectarás con los animales que han venido a ayudarte con tu sombra; con los aspectos negativos de tu yo mortal, que te mantienen separado del Espíritu. Estos animales son tótems importantes para conferirte la fuerza que necesitas para curar tu ego herido. Te ayudarán a enfrentarte a esos miedos y heridas interiores que necesitan curación y que te impiden tener éxito y ser auténtico en la vida. Son los portadores de señales sagradas que te mostrarán tus carencias, y cuáles de sus poderes arquetípicos tienes que invocar para curarte.

Pero antes de empezar, lee una vez la guía de los portadores de las señales sagradas (capítulo 17), y todas las descripciones de las criaturas de la tierra, el aire y el agua, para permitir que tu consciencia despierte e inicie las conexiones con los animales.

CONOCE TUS TÓTEMS

Ya es hora de sentarse a meditar. Puedes utilizar mi CD *Journey Through the Chakras* para invitar a tus animales tótem a revelársete, o bien seguir las instrucciones que siguen a continuación con tu música preferida de meditación. Basta con encontrar un lugar donde te sientas cómodo y puedas permanecer relajado y sin interrupciones durante 30 o 45 minutos. Y lo más importante: ten cerca tu diario para escribir los detalles de tu experiencia.

1. Imagínate que estás en un bonito santuario situado en un valle en medio de un antiguo bosque, y que puedes oír el zumbido del viento entre los árboles. El mar está cerca, y adivinas también el ruido del oleaje lamiendo con suavidad la costa.

2. Ponte cómodo en tu visión. Puede que estés sentado sobre tierra blanda y musgosa, a la sombra de un viejo y sabio árbol; o sobre un asiento de cristal al que se le ha dado la forma de una cómoda silla. Deja que tu imaginación cree el ambiente que te rodea.
3. Visualiza el color rojo girando a tu alrededor, y pídele a tu primer tótem animal que se te revele. Porque aparecerá: saldrá de la luz roja brillante. Deja que tu tótem te elija, y dale las gracias por presentarse con una bendición de amor. Pasa un tiempo sintiendo la conexión entre los dos.
4. Una vez hayas conocido a ese tótem, lleva a cabo exactamente el mismo proceso con los colores naranja, amarillo, verde, azul, violeta y blanco.

Una vez trabajados estos siete colores, tendrás una lista de siete animales. Al repetir el ejercicio en días consecutivos para conocer a tus actuales ayudantes y a los ayudantes de tus sombras, es muy probable que algunos de ellos aparezcan más de una vez. Es muy raro tener 21 tótems diferentes, aunque siempre es posible (¡solo que puede que sea un poco follón!).

Es importante reconocer a los propios portadores de señales sagradas. Ofrécele a cada uno de ellos una oración como muestra de gratitud y de aceptación de sus dones de sabiduría, tras sopesar su presencia en tu vida. Tómate tu tiempo para conocer a tus tótems, estudiarlos, y aprender su significado espiritual: cuanto más sepas, mejor. La guía del capítulo 17 constituye un punto de partida, pero además tus propios animales te revelarán otros dones a través de la meditación. Al final de este libro hay obras de referencia y sugerencias de materiales de lectura.

Una vez tengas identificados tus siete animales tótem de cada categoría, mira a ver cómo se llevan unos con otros. ¿Alguno de ellos amenaza a los demás? Porque si es así, eso muestra qué áreas de tu vida son débiles y necesitan fortalecerse, y cuáles otras pueden resultar demasiado dominantes. Puedes meditar y pedir ayuda a otro tótem animal, o construir un puente o tregua entre los que se muestren más belicosos.

Descubrirás que este proceso es una forma divertida de conocerte a ti mismo, de sanar viejos patrones negativos, y de conectarte con un poder y una profunda sabiduría arquetípica que quizá antes no conocías. Basta con que te acuerdes de mantener la mente abierta y de permitir que los animales te guíen cuando indagues acerca de tu propósito, tu destino, y las elecciones que se te revelarán durante el viaje. El lenguaje de los oráculos, presagios y señales es fluido, y se apoya en el simbolismo y la metáfora. Su territorio es vasto y sin embargo accesible a través del Espíritu, siempre que utilices a la naturaleza para guiarte más profundamente en la belleza y en la luz (tú y todos los demás).

Como decía el famoso antropólogo y sociólogo J. J. Bachofen, «El símbolo hunde sus raíces en las más secretas profundidades del alma; el lenguaje roza la superficie de la comprensión como una suave brisa… Las palabras transforman lo infinito en finito; los símbolos llevan al espíritu más allá del mundo finito para transformarlo en el dominio del ser infinito».

CAPÍTULO 12

¡Es una bañera, es una nube, es un mensaje!

*L*A HISTORIA QUE VOY a contar a continuación comienza en la bañera, tras una intrigante e inspiradora visita de mi querida amiga Kim White. Aparte de ser una de las psíquicas más exactas que conozco (tanto como yo), es una experta en hierbas mágicas. Me dio unos cuantos paquetitos de hierbas para utilizar en la bañera, con 300 tipos distintos de plantas por lo menos, cada cual con sus propiedades curativas específicas. Yo jamás había olido semejantes fragancias naturales tan ricas. Ella tenía una bolsa enorme de esta misma mezcla, y solo sujetarla me hizo sentir como si la naturaleza misma me tocara el alma. Kim me dijo que echara las hierbas en la bañera y que rezara para pedir la guía.

Sabiendo que el Espíritu está presente en toda vida, y que sin lugar a dudas lo estaba en esas hierbas, no me costó ningún trabajo pedir que me enviara la guía por este medio. Removí el agua con las hierbas y pedí una señal acerca del próximo viaje que me tenía preparado el destino. Marc y yo saldríamos en dirección a Las Vegas al fin de semana siguiente, para asistir a la conferencia de Hay House «¡Yo puedo!», y de ahí iríamos a Sedona (Arizona) a decidir si ese lugar era el correcto para pasar ese invierno.

Mis sentidos se abrieron y me conecté con mi consciencia oracular, y entonces empecé a ver aparecer símbolos en la bañera. Vi cómo se formaban cierto número de figuras que bailaban en el agua, y lo interpreté como una imagen positiva de una comunidad. Las hierbas se «sentían» comunicativas.

Kim me había dicho que tomara un baño de hierbas durante tres noches seguidas, y así lo hice. Las mismas figuras danzantes aparecieron en las tres ocasiones; era como si las hierbas tuvieran personalidad propia y quisieran gastarme una broma. A los pocos días de esta experiencia viajamos a Las Vegas, y como siempre en los viajes de Hay House, nos lo pasamos genial.

Al llegar a Sedona tuvimos la suerte de contactar con First Class Charter and Tours, una maravillosa empresa que organiza todo tipo de *tours* y de excursiones experimentales basadas en el espíritu. Nos presentaron a unos cuantos individuos fascinantes, incluyendo entre ellos a un chamán peruano llamado Wachan Bajiyoperak, que vivía en esa zona y celebraba ceremonias sagradas.

Aquel hombre dejó una huella permanente en mí. Se trata de una persona profundamente espiritual, que exuda ese tipo de sabio conocimiento, humildad y simpatía serena, que solo puede proceder de alguien que está seguro de sí mismo de verdad. Cuando nos contó qué significaba su nombre en sentido literal, «ciervo de la luz», yo supe que habíamos conocido a una persona muy especial, ya que él encarnaba su nombre con una energía y un respeto sagrados e innegables; en verdad era un espíritu noble y dulce. Tanto a Marc como a mí nos gustó de inmediato.

Tras una breve oración para establecer nuestras intenciones, los tres nos pusimos en camino nada más salir el sol. Wachan nos llevó en coche a las rocas rojas para participar en una ceremonia chamánica en la que le preguntaríamos al Espíritu de la tierra si éramos bienvenidos allí.

La parte más importante de toda la historia sucedió cuando estábamos en lo alto de un risco de un lugar llamado Airport

Vortex. Siguiendo la guía de Wachan, meditamos y le ofreci-
mos maíz y tabaco a las rocas, y a continuación buscamos un
lugar en el que tumbarnos a contemplar la energía que nos
rodeaba. Mientras ocurría todo esto, yo sentí cómo las energías
enraizadoras de las rocas rojas tiraban de mí hacia dentro. Era
una buena sensación, sobre todo porque como intuitiva me
resulta fácil desconectar de la tierra si no me ando con cuidado.

El cielo estaba de un azul brillante y fresco, como suele
ocurrir en Arizona a las 7 de la mañana en el mes de mayo.
Cerré los ojos y supe que una nube había cruzado por delante
del sol, porque mis párpados se tornaron oscuros. También sentí la lluvia fría, aunque no iba a llover durante las horas siguientes. Entonces abrí los ojos y vi las mismas figuras danzantes que
habían aparecido en la bañera, girando con la mezcla mágica
de hierbas de Kim; solo que en esa ocasión aparecían como una
formación de nubes.

Eran idénticas; parecía como si el Espíritu me estuviera
haciendo un dibujo en el cielo. Incluso el movimiento de las
figuras se efectuaba en la misma dirección, además de disolver-
se del mismo modo. Supe que eran una señal de que ese lugar
sería importante para mí. Cuando ya nos marchábamos, comprendí intuitivamente que teníamos que ofrecerle un regalo de
agua a las rocas rojas; era casi como si esas piedras me dijeran
que tenían sed. Nosotros le preguntamos a la tierra si nos daba
la bienvenida, y esas nubes fueron la respuesta.

SEÑALES DE ARRIBA

Esta historia suena increíble dentro del contexto moderno,
pero en tiempos antiguos habría sido algo muy normal. El método de adivinación consistente en recibir mensajes a través de
las formaciones de nubes tiene un nombre formal: *aeromancia*.
Dicho nombre se refiere también a todo otro fenómeno atmos-

férico, como por ejemplo las tormentas, el viento, los cometas, las estrellas, el arco iris, los anillos alrededor de la luna o cualquier otra fuerza natural que afecte al aspecto del cielo.

El ejemplo más famoso de aeromancia dentro de la mitología cristiana es la aparición de la estrella de Belén, que anunció el nacimiento de Jesús. En el año 1066 después de Cristo, alguien convenció al rey Harold II de que la aparición de una estrella errante en el cielo era un mal presagio para Inglaterra; a Guillermo el Conquistador, por el contrario, le contaron que el cometa que ahora conocemos con el nombre de Halley le garantizaba la victoria. Guillermo el Conquistador ganó la batalla de Hastings; Inglaterra fue derrotada.

Otra referencia más corriente dentro de la aeromancia se produce cuando vemos el arco iris. Todo el mundo sabe que este fenómeno es señal de buena suerte tras las dificultades, ¿no es así? Pues bien, algunos de nosotros incluso creemos que la gente mágica pequeñita esconde sus ollas de oro en uno de los extremos del arco iris. Esta idea proviene de la antigua práctica de la aeromancia, a la que se suma la creencia en ciertos espíritus naturales llamados devas y duendes.

A pesar de todo esto, hay algo más allá de las supersticiones creadas como resultado de las condiciones climáticas. ¿Quién no espera algún tipo de daño como consecuencia de una tormenta terrible?, ¿y acaso semejante comportamiento virulento de la naturaleza no tiene razón de ser?, ¿no será una respuesta a nuestra pésima administración de la Tierra? Muchos de nosotros creemos que las señales que encontramos ahora a nuestro alrededor son el resultado del maltrato del planeta; quizá se trate de una protesta general dirigida a todos los humanos. De un modo u otro, hay una forma de diálogo interactivo, personal e íntimo, que es posible y que enlaza a nuestro insignificante yo con el vasto cielo y a nuestras consciencias con la del Espíritu. Y son las nubes las que contestan mejor a nuestras preguntas.

Así que si quieres cultivar una relación con el Espíritu a través de las nubes como médiums, he aquí un divertido ejercicio para desarrollar este diálogo. Recuerda, sin embargo, que ver las imágenes es fácil; interpretarlas y discernir qué es pertinente o no es ya un trabajo real muy necesario. E igual que con todo lo demás, mejora con la práctica.

Cómo leer las nubes

Ponte cómodo en algún lugar en plena naturaleza (como por ejemplo un parque o una playa), o siéntate junto a una ventana desde la que tengas una buena perspectiva del cielo, sin obstrucciones. Si vives en una ciudad en la que no dispones de ninguno de estos ambientes naturales, el ejercicio también puede hacerse observando el reflejo de las formaciones de las nubes sobre un edificio (preferentemente uno cubierto de cristal). Para permitir que las nubes te hablen, primero tendrás que relajarte aproximadamente durante 30 minutos.

Comienza con una meditación basada en la respiración. Inhala a través de la nariz y exhala por la boca, como si el proceso de respiración trazara un círculo. Basta con que te concentres durante unos pocos minutos, hasta que te sientas relajado.

A continuación piensa en esas áreas de tu vida en las que necesitas guía. Aquello que oigas intuitivamente en primer lugar te indicará el área elegida.

Permítete a ti mismo abrirte como una flor; imagínate que tus cinco sentidos se despliegan y amplifican. Conecta con tu consciencia oracular, permitiendo que tu imaginación se funda con tu intuición. (Esto es evidente, a pesar de ser muy sutil).

Mira las nubes y trata de ver las imágenes que «saltan» a la vista. Escríbelo todo tal y como lo ves, y no te preocupes por la interpretación hasta después de unos minutos de contemplación, durante los cuales dejarás que las formas mismas de las nubes se te revelen.

Antes de terminar, reza una plegaria de agradecimiento a lo Divino por su respuesta, y otra al Espíritu por escuchar.

A continuación toma las imágenes de una en una y consulta la guía de los portadores de señales sagradas del capítulo 17. Esto te procurará un punto de partida para la contemplación. Las interpretaciones tradicionales pueden enriquecerse con cualquier otro simbolismo personal. Descubrirás que las imágenes cuentan una historia. Solo a posteriori serás capaz de confirmar los detalles y de conocer lo exactas que son tus interpretaciones.

Encontrarás respuestas y a veces también más preguntas, lo cual te incitará a buscar un significado más profundo de las cosas. A veces los mensajes del Espíritu serán divertidos, pero en otras ocasiones serán muy profundos.

Además también habrá períodos en los que no lograrás en absoluto hacer esa conexión. Finaliza esas sesiones del mismo modo que el resto, dándole las gracias a lo Divino por escuchar tu petición de una guía. Es probable que estés destinado a recibir además otra señal, que puede presentarse en forma de sueño, por cledonismancia, o por medio de una visión rápida en la que tu voz interior te guía hacia la respuesta; solo que ninguna de estas señales se producirá necesariamente justo en el momento que tú deseas. Nadie puede forzar al Espíritu a responder de acuerdo con la propia conveniencia. La guía aparece siempre que se pide sinceramente, pero solo cuando así lo quiere el Espíritu.

A veces, sin embargo, la señal es directa. He aquí una de mis anécdotas favoritas para ilustrarlo; nos la cuenta la hermana Joanne Morgan de Ontario (Canadá).

Besos cósmicos

Me sentí llamada a hacer algo extraordinario con mi vida,
y busqué una conexión con Algo/Alguien más grande que yo
misma. Esto me llevó a convertirme en monja de la Congrega-
ción Misionera Católica Internacional, lo cual, a su vez, me llevó
de viaje a Perú, Roma y más allá (ahora vivo en Canadá).
Estas experiencias me han marcado de muchas formas, y
han fortalecido mi conexión con el Espíritu. Por ejemplo, cuan-
do fui a visitar a mis Hermanas de Myanmar, pedí ir también
a un monasterio budista a pasar el día con una monja budis-
ta. Fue como volver a casa, pues la energía que sentí me resul-
tó muy familiar. La sincronicidad de este encuentro me llevó a
descubrir años más tarde que Buda es uno de mis Espíritus
guía.
He experimentado en muchas ocasiones la recepción de
mensajes del Espíritu de multitud de formas distintas. En una
ocasión me ocurrió mientras estaba en un retiro en Winnipeg;
a través de la formación de las nubes, el Espíritu escribió en
las extensas praderas del cielo. El último día de retiro, tras
volver a casa después de dar un paseo, alcé la vista hacia el
cielo y allí, justo encima de mi apartamento, había dos enor-
mes X dobles o besos espirituales. Verdaderamente, se trató de
una doble confirmación y bendición del amor Divino.

Hemos comenzado este capítulo en la bañera, así que ter-
minémoslo también allí, con una herramienta oracular relajante muy eficaz.

¿HAY UN ORÁCULO EN MI BAÑERA?

Pensarás que estoy de guasa, ¿verdad? Bueno, pues prué-
balo tú, y verás qué reflejo tan exacto encuentras en tu bañera.

Puedes crear un oráculo de agua y pedir una visión, y el Espíritu te hará una visita mientras estés en la bañera.

Yo siempre gasto bromas acerca de lo *poco* que me gusta hacer ejercicio al aire libre, a pesar de que me encanta estar en plena naturaleza. A mi edad, prefiero no «pedir una visión» cuando salgo fuera sola, como hace mi amiga Denise Linn (escritora y maestra espiritual). En cuanto a la comodidad, mi idea preferida de búsqueda de lo Divino consiste en meterme en la bañera rodeada de velas para meditar sobre las formas que se crean en el agua a mi alrededor. Es una de mis maneras favoritas de conectar con el Espíritu. Se originó a través de la antigua tradición griega de adivinación llamada *hidromancia*, que originalmente era el estudio de las señales reflejadas en el mar o en cualquier otro cuerpo natural de agua; o también el estudio de los patrones de la lluvia, o de las ondas que surgen al arrojar una piedra al agua en calma.

Cómo crear una bañera oráculo

Necesitarás:

1. Cuatro velas; una para cada una de las esquinas de la bañera, que simbólicamente se identifican con los cuatro elementos: agua, aire, tierra y fuego.
2. Una taza de sales Epsom.
3. Cierta cantidad, no grande, de sales de baño, de las que hacen burbujas.
4. Un puñadito de cualquier producto de los etiquetados con el nombre de «leche de baño».

Llena la bañera de agua con todas las sales y aditivos y, a continuación, dale vueltas a la mezcla con la mano. La razón por la que necesitas todos estos ingredientes es porque de esta forma creas una superficie lechosa y espumosa en el agua, en lugar de tener montañas de espuma (un baño repleto de espuma también puede funcionar, pero es un poco más complicado discernir los patrones). También puedes trabajar con aceites, pero tendrás que utilizar algo apropiado para dispersarlos, como las sales Epsom.

Mientras le das vueltas, di tu oración personal al Espíritu y pídele una visión en la que te muestre lo que necesitas saber para continuar tu camino por el mayor bien de todos. Luego enciende las velas; si no te caben alrededor de la bañera, colócalas en el lavabo o en cualquier otro sitio para dar a entender que el ritual ha comenzado. A continuación métete en la bañera.

Una vez dentro de la bañera, dale tres vueltas al agua y observa los patrones que comienzan a formarse en la superficie. Esto te llevará aproximadamente unos 15 minutos. Presta atención a los símbolos, y a qué pueden representar en tu día a día.

Yo he hecho este ejercicio hoy tras volver del quiropráctico. Estaba realmente de mal humor, porque sabía que me quedaba todavía mucho trabajo para este libro, y me sentía abrumada. No había dormido nada y necesitaba meditar, pero solo podía pensar «¡trabaja, trabaja, trabaja!».

Nada más entrar en la bañera, comencé a ver un montón de figuras de nutrias nadando a mi alrededor. ¡Pues claro, por supuesto! Las nutrias me recuerdan que esté siempre alegre, y que no me tome a mí misma tan en serio. Después vi la figura de un gato, dando una voltereta alrededor de lo que parecía un equipo completo de televisión. ¡Sí! Tenía que establecer los límites con alguien que no hacía más que bombardearme con e-mails; yo había estado dejándolo, pero con este mensaje lo supe de inmediato. Luego la espuma formó un árbol gigante: había llegado la hora de enraizarse y de confiar en el proceso natural. Mi meditación para enraizarse (que puedes bajarte gratis desde mi página web) trata precisamente de conectarse a la sabia energía del árbol.

Tras el baño hice un ejercicio de enraizamiento, y me sentí mil veces mejor. El Espíritu quería que me divirtiera un poco después de hacer algo que había estado dejando para más tarde. Solo tenía que acordarme de permanecer enraizada. Todo iría bien. Y, de hecho, todo *va* bien.

CAPÍTULO 13

11:11 Señales y ángeles

*D*ESDE QUE TENGO USO de memoria, los números 11:11 se me aparecen cada vez que necesito confirmación de que voy por el buen camino; para obligarme a prestar atención; o también para ayudarme a estar alerta ante los sucesos y todo lo que me rodea. Siempre he considerado la aparición de este número doble como algo profundamente significativo; como si el Espíritu quisiera hacerse notar en mi vida, y cuidara de mi bienestar.

Yo veía estos números muy a menudo cuando era pequeña, pero solo sentía hacia ellos cierta curiosidad. Sin embargo, hay un incidente que permanece indeleble en mi recuerdo: esos números me enseñaron una lección muy importante cuando tenía cinco años.

Mis padres me prohibieron cruzar la calle sola, así que yo me sentía aislada en la acera errónea; lejos de la tienda de caramelos. Mi «amiguito» Marky se burlaba de mí desde su riquísimo reino repleto de dulces de enfrente, desde donde me hacía señales con sus deliciosas golosinas tras su visita diaria a la tienda. Un día estaba en mi dormitorio, y llamaron a la puerta justo en el instante en el que yo miraba la hora en mi relojito blanco con ángeles. Eran exactamente las 11:11. (Aquel fue uno de los primeros relojes con mecánica de tipo «digital» en el que los números van rodando conforme pasa el tiempo).

Era Marky. Me preguntó en tono conspiratorio si me gustaría que él me comprara caramelos en la tienda, previo pago del recado. Como yo dependía económicamente de mis padres, el trato solo era posible si robaba 25 centavos.

De inmediato decidí que Dios me perdonaría aquel robo porque era para caramelos; una buena causa, sin duda. Al entrar en la habitación de mis padres, me di cuenta de que en su reloj de madera de caoba también ponía las 11:11. La otra cosa extraña que sucedió fue que ese reloj comenzó a dar las campanadas de forma muy leve justo cuando yo me ponía a pensar que robar no era tan buena idea. Sin embargo mi atribulado yo comenzó a salivar, y tomé mi primera mala decisión.

No sé qué ocurrió después, pero mi compinche, moneda en mano, empezó a gritar delante de mi padre que yo había robado 25 centavos. No hace falta decir que me dieron unos azotes y me mandaron a mi cuarto. Entonces me senté y me puse a llorar, sin caramelos y traicionada por mi amigo, y me di cuenta de una cosa muy extraña: el reloj de mi habitación seguía empeñado en que eran las 11:11.

Me acuerdo de este último detalle porque era también la primera vez en mi vida, que yo recuerde, que me sentí avergonzada y traicionada. Hoy en día interpreto esos cuatro números como una advertencia para no desviarme. El reloj del cuarto de mis padres comenzó a sonar justo cuando yo estaba a punto de elegir entre lo correcto y lo incorrecto.

El otro aspecto interesante a resaltar aquí es la forma en que experimenté esos números; era como si me estuvieran pidiendo que los mirara. ¿Pero por qué iba a importarme a mí la posición de las agujas del reloj del dormitorio de mis padres? Yo tenía cinco años y lo que me obsesionaba eran los caramelos. Por eso se produjo en mí un instante inconfundible de consciencia de que existía «otro».

Con frecuencia, a lo largo de la adolescencia, cada vez que me hallaba en estadios relativamente estresantes y angustiosos, yo veía el número 11:11. Ocurría siempre más o menos al mismo tiempo que tenía un sueño profético o una fuerte visión intuitiva. En ocasiones veía simplemente un 11. Aquellos cuatro números aparecían en las etiquetas de la sopa, en los relojes, en los números de las taquillas, y en las fechas de caducidad de los paquetes de galletas. Llegué incluso a ser la undécima persona elegida para el equipo de gimnasia.

Una noche estaba en un bar con una amiga que me preguntó si quería ir a su casa; eran exactamente las 11:11, según el reloj. El número me estaba indicando que la elección correcta era volver a casa; de esa forma estaría protegida. Sin embargo yo me di la vuelta con la copa en la mano y me quedé en el bar hasta que cerraron. Fue entonces cuando acepté que unos chicos desconocidos me llevaran a casa, que fue el motivo de mi violación aquella misma noche.

He relatado esta historia en mi primer libro, *Remembering the Future*, así que no es necesario que vuelva a repetirla entera aquí. No obstante, sí que resulta interesante observar que esa experiencia de violencia constituyó un momento crucial para mí, pues me llevó a un gran despertar de la percepción y de la clarividencia. Además, durante algunos momentos de reflexión, he llegado a creer también que ese 11:11 que vi aquella noche era un mensaje del Espíritu, que pretendía decirme que al final todo se arreglaría.

Visto desde la ventaja de la retrospectiva, yo ahora sé que aquella noche fue el comienzo de una peligrosa y oscura iniciación por el fuego. Y solo puedo creer una cosa: que todo aquello que *era* yo entonces tenía que arder para poder un día alzarme otra vez desde las cenizas como el ave fénix. He llegado a creer que es del sufrimiento de donde parte la invitación a la sabiduría. De no haber experimentado tantas cosas, quizá hoy no sería tan buena intuitiva.

El número 11:11 comenzó a partir de entonces a desvanecerse y volver a aparecer en mi memoria, conforme yo descendía por el camino del escapismo, la adicción y la autonegación. Cortejé inconscientemente las violaciones que al final acepté como mi legado personal, y los siguientes nueve años estuvieron repletos de experiencias límite. Cuando toqué fondo a los 27 años, tratando sin éxito de dejar la bebida y las drogas por mi cuenta, experimenté el momento de rendición más grande de mi vida.

La última mañana de aquella vida anterior comenzó como cualquier otra; salí del sótano donde compraba la droga como siempre, es decir: colgada, confusa y asustada, tras haber dicho y hecho cosas impensables. Odiaba mi persona, mis fallos, mis mentiras y mi vida perdida. Me estaba haciendo daño a mí misma, y las personas que me rodeaban fueron las víctimas vergonzantes de mi estela. Detestaba mi vida, pero no podía pararla. No tenía fuerzas, y me estaba muriendo.

Estaba terriblemente cansada. Aquella mañana en particular grité en mi fuero interno una última vez y a continuación me rendí por completo, diciendo «Ayúdame, Dios mío». Entonces se produjo otro de esos momentos que te alteran la vida.

La historia que voy a relataros ahora no trata sobre esa sensación tan plena de contar con un espíritu guardián todo el tiempo, brillando tras una sutil sombra. Tampoco es a propósito del hecho de que yo supiera que no debía volver allí nunca más (tanto al sótano donde compraba la droga, como a aquel estado de desesperación y autodestrucción); ni de mi sensación de que estaba atravesando cierto tipo de iniciación o prueba mediante el fuego. Volviendo la vista atrás, tengo que confesar que es cierto que todo eso ocurrió, pero mi historia ahora trata sobre el trayecto en taxi.

El taxista se detuvo delante de mi puerta tras permanecer un rato parados debido a las aglomeraciones del tráfico de primera hora de la mañana. Todo era surrealista. Vi el rostro de preocupación de mi madre asomarse entre las cortinas, por la ventana de su dormitorio. Recuerdo que el taxímetro marcaba

12,40 dólares, pero yo tenía exactamente 11:11. El conductor se conformó con ese dinero y dijo «Me parece que esta es tu última parada». Tenía razón: los números 11:11 se convirtieron para mí a partir de entonces en auténticos amigos.

¿COINCIDENCIA? YO CREO QUE NO

Yo no soy la única persona para la que estas cifras tienen un significado especial. A través de mi página web y de mi programa de radio semanal en **HayHouseRadio.com**, pedí que me contaran historias personales en las que apareciera el número 11:11, y recibí cientos de *e-mails*. ¿Cómo es que tanta gente ve estos números repetidos con tanta frecuencia, que es imposible explicarlo como una pura coincidencia?

La experta en numerología Tania Gabrielle me hizo una lectura, y desde entonces es una invitada frecuente en mi programa de radio. Yo me quedé atónita ante la profundidad, la exactitud y el detalle de su extraordinaria visión intuitiva de mi vida. Hablamos acerca del fenómeno 11:11, y ella me dijo que había conocido a muchas personas a las que les había pasado lo mismo.

Tania tiene su propia teoría acerca de lo que esto puede significar. Me contó que cuando las grandes mentes lingüístico-espirituales crearon por primera vez los alfabetos, se creía que cada letra expresaba un conjunto de cualidades o energías básicas. Y cada una de ellas podía ser representada por un número.

Teniendo esto en cuenta, así es como Tania identifica estas cualidades en el alfabeto inglés:

El **número 1** resuena a confianza, inventiva, liderazgo, acción y pensamiento creativo. Al número 1 le corresponden las letras A, J y S.

El **número 2** vibra de cooperación, diplomacia, equilibrio, colaboración, gracia, sensibilidad y paz. Le corresponden las letras B, K y T.

El **número 3** versa sobre la inspiración, la autoexpresión, el talento creativo, el don de la palabra, el don de la visión, los dones artísticos, la profecía y el júbilo. Al número 3 le corresponden las letras C, L y U.

El **número 4** resuena a fundamento sólido, a pragmatismo, determinación, disciplina, organización, y a ser un buen trabajador, amante de la familia. Le corresponden las letras D, M y V.

El **número 5** vibra con el cambio, la aventura, la libertad y la versatilidad, y está repleto de recursos, energía y curiosidad. Al número 5 le corresponden las letras E, N y W.

El **número 6** es humanitario, nutritivo, artístico, doméstico, y además es un maestro. Al número 6 le corresponden las letras F, O y X.

El **número 7** es la vibración del silencio, la espiritualidad, los estudios científicos, el análisis, la observación, la meditación y lo oculto. Las letras del 7 son la G, P y la Y.

El **número 8** resuena a poder, fuerza, abundancia, autoridad, infinito, empresas y equilibrio de energías. Las letras que corresponden al 8 son la H, Q y Z.

El **número 9** describe el amor, la fraternidad, la compasión, la filantropía, los dones artísticos y el liderazgo. Sus letras son la I y la R.

A cada letra se le asigna un número que sencillamente se corresponde con la posición que ocupaba en el alfabeto, y a continuación se suman los dígitos resultantes para obtener de este modo el número raíz. Por ejemplo, la letra L es la número 12; y 1 + 2 = 3, que es el número raíz. Todas las palabras pueden reducirse de esta misma manera.

La excepción a esta fórmula la constituyen los números formados por dos cifras repetidas, que son la categoría especial de los *números maestros:* 11, 22, 33, 44, etc. Y de entre estos, el 11 es extra especial.

El nombre Jesús resuena a 11: J/1, E/5, S/1, U/3 y S/1. La luz también es una vibración del 11. Otras palabras con esta misma vibración del 11 son: *ilustración, maestría, creativo, vibración* y *psíquico*. En la cábala la letra O podía contarse bien como un 6, bien como un 0. Y observando la palabra *God* (Dios), donde la O es 0, *God* también suma 11.

El número 11:11 es un símbolo del camino de la sabiduría del Espíritu, que siempre está abierto a través de esta puerta. Además confirma nuestra conexión eterna con lo Divino, y nos invita a prestar atención a las sincronicidades de nuestra vida. Incluso las difíciles experiencias marcadas para mí con el 11:11 conllevaban profundas lecciones que han servido para ampliar mi consciencia e incluir así una visión más extensa de la vida. Este número doble es la señal doble de lo Divino.

No es de extrañar entonces que este 11:11 salte con tanta frecuencia; nos confirma la presencia constante de Dios. Además este fenómeno es una señal que te indica que vas por el buen camino. En un sentido muy real, cuando ves estos números es porque el Espíritu está hablando directamente contigo. Te está recordando que *cuerpo, mente y espíritu; sois todos uno conmigo.*

Tu DIARIO DEL 11:11 (Y DE OTROS NÚMEROS RECURRENTES)

Lleva un recuento de las veces que ves el número 11, o su doble, el 11:11.

1. Describe lo que hacías cuando lo viste.
2. ¿Cuántas veces en tu vida ha ocurrido algo importante más o menos al mismo tiempo que recibías ese impulso o codacito del Espíritu, a través del número 11:11?

3. ¿Qué tipo de sentimientos intuitivos tenías?
4. ¿Cómo reconoces ahora ya por fin que se trata de un mensaje del Espíritu?
5. ¿Qué significa para ti el hecho de saber que el Espíritu se comunica contigo a través de estos números?
6. ¿Qué otros números recurrentes son corrientes en tu experiencia?
7. ¿Con qué tipo de acontecimientos lo relacionas?
8. ¿Eres capaz de rastrear patrones a través de estos números recurrentes? De ser así, ¿cuáles son, y qué puedes aprender acerca de ti mismo a través de ellos?

He aquí otra historia sincrónica para terminar con la conexión del 11:11. Cuando acabó el período de alquiler de mi Jeep con derecho a compra o *leasing* financiero, yo en realidad prefería ya adquirir un coche híbrido. Me producía mucha frustración, sin embargo, la cantidad de tiempo que había que esperar para que te lo entregaran y lo caros que resultaban en Canadá. Entonces me ofrecieron la oportunidad de alquilar otro coche con derecho a compra durante un período de tiempo muy corto; de esta forma podía esperar hasta que los vehículos amigos del medioambiente se abarataran al año siguiente. Yo no sabía qué hacer, porque en realidad lo que quería era llevarme directamente un híbrido. Pero el que tenían disponible resultaba demasiado caro para mi presupuesto. Así que rogué para pedirle al Espíritu una señal que me ayudara a ver cuál era la acción más apropiada.

Digamos, para abreviar, que el vendedor me mostró entonces un bonito Dodge nuevo con exactamente 11 kilómetros. Los primeros cuatro números de la matrícula eran 11:11. Me lo llevé, por supuesto. Además he olvidado mencionar que mi número personal también es el 11.

Cómo encontrar tus números sagrados personales

Todo el mundo tiene una resonancia especial con algún número. Los números nos muestran los temas específicos que se desarrollarán en nuestra vida, conforme viajamos desde el nacimiento hasta el final. Nos demuestran que nuestra vida tiene un único propósito; nos enseñan qué cosas nos inspirarán; cuáles nos atraerán; qué otras nos fortalecerán; y qué desafíos pueden ser inherentes a nuestra propia alma o personalidad. Puedes descubrir el propósito de tu vida y tu destino a través de los números asignados a la fecha de tu nacimiento y a tu nombre completo.

El número del propósito de tu vida

Es posible conocer el propósito de tu vida, lo que has venido a hacer aquí, sumando los números de la fecha de tu nacimiento. El número del propósito de la vida es el número raíz del total de esa fecha. Así que basta con que los sumes así:

- Digamos que tu fecha de nacimiento es el 16 de octubre de 1957 (16/10/1957).
- Así que sumas: 1+6+1+0+1+9+5+7= 30.
- Extrae el número raíz de 30: 3+0= 3.

Recuerda que el número 3 trata de la inspiración, la autoexpresión, el talento creativo, el don de la palabra, el don de la visión, los dones artísticos, la profecía y el júbilo. Las letras que corresponden al 3 son la C, L y U.

Así que el propósito de tu vida será expresarte al servicio de la humanidad a través de los atributos enumerados más arriba. Puede que descubras que vas a ser escritor, pintor, músico o maestro. O al menos te sentirás completo si te rodeas de aficiones que desarrollen estas cualidades.

El número de tu destino

Para descubrir el número de tu destino y la razón por la que estás aquí ahora mismo, suma los números correspondientes a las letras que forman tu nombre completo.
Utiliza este cuadro para guiarte:

1	2	3	4	5	6	7	8	9
A	B	C	D	E	F	G	H	I
J	K	L	M	N	O	P	Q	R
S	T	U	V	W	X	Y	Z	

- Pongamos por ejemplo el nombre Jan Mary Doe.
- J+A+N+M+A+R+Y+D+O+E; que es igual a: 1+1+5+4+1+9+7+4+6+5+= 43.
- 4+3 = 7.

El número 7 es la vibración del silencio, la espiritualidad, los estudios científicos, el análisis, la observación, la meditación y lo oculto. Le corresponden las letras G, P y la Y.

Así que Jan Mary Doe ha venido aquí a aprender sobre la vida a través de la vibración del 7, que también significa gracia, refinamiento de ideas, filosofía, pensamiento profundo e iluminar aquello que está oculto. Además se trata del número solitario; las personas con esta vibración con frecuencia prefieren estar solas.

Guía de los números del propósito de la vida y del destino

Además de la lista general de Tania, he aquí una explicación más detallada de cómo se relacionan los números con las personas de una forma muy íntima y personal cuando se trata de los números del propósito de la vida y del destino.

Número 1: tu lección es aprender a adquirir resiliencia, independencia y liderazgo. Lograrás ser una persona responsable. No te gusta la autoridad, y siempre te va mejor cuando vas a la cabeza, por decirlo de algún modo. Te muestras brillante en los comienzos de los nuevos proyectos, y tienes la capacidad para alcanzar un gran éxito cuando se te presenta la oportunidad de progresar.

Número 2: tu lección es lograr el éxito a través de la colaboración. Tienes una alta sensibilidad hacia las necesidades de los demás, y eres un sanador compasivo. Aprenderás a través de las relaciones, y enseñarás a los demás con tu ejemplo. Anhelas sentirte en armonía, porque de forma natural eres un pacificador, un mediador y un diplomático.

Número 3: ¡estás aquí para comunicar y crear! Eres una persona optimista por naturaleza, y te encanta extender esta actitud de buen humor hacia los demás. Las limitaciones te hacen infeliz, y necesitas que te estimulen y te permitan ser creativo. Has sido bendecido con las cualidades de la ingenuidad, la imaginación y la visión. Las demás personas disfrutan estando a tu lado. Tu lección es expresarte de todas las formas posibles.

Número 4: eres una persona muy pragmática, y tu lección es experimentar el mundo de una forma ordenada y organizada, además de ayudar a los demás a hacer lo mismo. Tienes paciencia y excelentes destrezas de dirección, y eres una persona leal y comprometida. El éxito te llegará a través del trabajo y de la organización de las demás personas. Eres disciplinado y honesto; una persona de fiar, y la gente te admira por tu sentido de la responsabilidad.

Número 5: eres una persona muy sociable, entusiasta y carismática, además de un ligón. Tu lección es explorar el mundo y aprender de estas experiencias. Para ti es importante viajar porque te ayuda a comprender tu vida al verte expuesto a ambientes y experiencias nuevas. Te encanta la gente, y sueles hacerte notar. Tienes que tener cuidado de no aburrirte, pero podrás hacer cosas diversas a lo largo de tu viaje.

Número 6: explorarás esta vida con una fuerte tendencia hacia los demás en general; hacia el hogar, la familia, las amistades, los hijos, las mascotas. Tu lección consiste en nutrir y experimentar la vida a través del amor y de la relación parental con los demás. Eres un sanador natural, y te sentirás atraído hacia este arte. Te sientes de maravilla rodeado de belleza y comodidad. Tus buenos sentimientos, además de la generosidad de tu espíritu en las relaciones de amistad y de amor, hacen de este mundo un lugar más feliz.

Número 7: tu lección es explorar el mundo desde un punto de vista filosófico y analítico. Tus experiencias son las de la dignidad y el honor. Cuantos más conocimientos tienes, más feliz eres. Te encanta pasar el tiempo a solas, y necesitas el respeto de las personas con las que tratas. Los libros son importantes para ti, y adoras la naturaleza. Tu éxito llegará cuando impartas tus conocimientos a los demás.

Número 8: eres único en la resolución de problemas, y descubrirás que tu lección es explorar el mundo de la manifestación. Se te da muy bien el dinero, y a la hora de transformar una buena idea en un negocio de éxito, eres un gran emprendedor. Has venido aquí a triunfar a través de la ambición, y tu sitio es en la dirección de una gran organización que ejerce poder socioeconómico. Alcanzarás la felicidad cuando aprendas a equilibrar las metas materiales con las espirituales.

Número 9: tu lección es ayudar a elevar la vibración de la comunidad, impartiendo esa sabiduría que alcanzaste en otras vidas previas. Eres una persona apasionada, romántica, idealista, comprensiva y sabia más allá de tu experiencia personal. Además eres una persona humanitaria, y te sientes muy feliz cuando te das a los demás; manifiestas el deseo de apoyar y elevar a otros. Eres empático, y estás en profunda sintonía con cómo piensan los otros. Sabes amar, y es probable que te correspondan.

Números maestros

El número maestro se extrae sumando todos los dígitos hasta que solo queden dos cifras; evitamos realizar la última reducción, que nos da el número raíz. Por ejemplo, el 11 se queda como está: no hacemos la suma 1+1 = 2. Tal y como he mencionado, estos números dobles se llaman números maestros y denotan un propósito especial, que a veces implica una gran responsabilidad para aquellos cuyo número personal sea el 11, el 22, el 33 o el 44. Las experiencias vitales de estas personas tienden a ser extremas, con altibajos y muchas dificultades y retos a la hora de expresarse a sí mismas con la vibración inherente más alta del número maestro.

- Yo nací el 17 de julio de 1958.
- Suma: 1+7+7+1+9+5+8 = 38.
- 3+8 = 11.

¡Otra vez el 11!

Número 11: a este número se lo conoce a veces con el nombre de *maestro psíquico*. En general se refiere a una persona que está aquí para llevar a cabo un propósito espiritual mayor; o a alguien preocupado por la búsqueda teológica o espiritual. Este número muestra la más alta capacidad para la intuición y para todo lo relacionado con lo Invisible. También señala a una persona dedicada de alguna forma a la música (el número raíz de la música también es el 11) y otras metas artísticas. Como intuitiva y artista musical, veo claramente cómo se aplica esto al curso de mi vida.

Número 22: es conocido también como el *maestro constructor*. Las personas que resuenan con este número son altamente sensitivas a su medio físico y emocional. Son unos maestros del detalle, capaces de construir cualquier cosa y de llevar la inspiración de la vibración del 11 al reino material. Por lo general suelen tener mucho éxito en la manifestación de cualquier cosa, y pueden convertirse en benefactores de la sociedad mediante la creación de fundaciones financieras que colaboren para subsanar necesidades concretas como puentes, carreteras, y otras estructuras.

Número 33: este número es conocido como el *maestro generoso*. Estas personas abnegadas, altruistas y humanitarias, encabezarán la consideración y el cuidado de los demás. Los mueve la compasión y la justicia. Además cuentan con la capacidad para desarrollar una sabiduría espiritual profunda, aunque pocos de ellos alcanzan este potencial. El 33 es el número del salvador humanitario, del servicio y de la responsabilidad.

Número 44: también conocido como *maestro sanador*. Este número trata del compromiso con la curación y de la colaboración y ayuda para resolver los problemas de los demás; trata también del liderazgo, de la fuerza de la convicción y de la fuerza interior. Es además un número muy pragmático. Houdini era un 44, y era capaz de resolver los dilemas más sorprendentes y aparentemente sin solución. Este tipo de gente cuenta con múltiples recursos, y es capaz de encontrar formas poco comunes de ayudar a los demás. Edgar Cayce (también un 44), era capaz de diagnosticar, tratar y curar a pacientes mientras se hallaba en trance. Con el número 44 resuenan las palabras *terapeuta* y *ministro*.

Hay otros números maestros, pero estos cuatro son los más comunes para la fecha de nacimiento y los nombres. Por lo general únicamente nos encontraremos números tales como el 55, el 66, el 77, el 88 y el 99 como números raíz de otras palabras.

~≈◈≈~

Siempre resulta de ayuda conocer tus números del propósito de la vida y del destino, porque son puntos de anclaje a lo largo del viaje de tu vida. Están en tu interior y permanecerán contigo de forma constante, independientemente de los cambios y de los progresos de tu vida exterior. Si quieres indagar un poco más acerca de este tema, dirígete a los diversos recursos mencionados en la bibliografía del final de este libro.

De momento presta atención a los patrones de los números que aparecen con regularidad en tu vida. ¡Puede que dentro de esa secuencia haya un mensaje importante del Espíritu para ti!

Es evidente que mucha gente recibe mensajes del Espíritu mediante el impulso de los números. Esto ocurre con frecuencia cuando aparece el 11:11, y el Espíritu nos susurra: «Acuérdate de que el Todo está en la parte... cuerpo, mente y alma. Tú eres uno conmigo».

CAPÍTULO 14

Tú lo llamas galleta de la suerte; yo aleuromancia

*U*NA DE LAS COSAS que siempre espero con impaciencia cuando pido comida china es la galleta de la suerte; supongo que ya conoces ese ritual, nada más terminar de comer, cuando todos nos miramos y nos preguntamos: «¿Qué te ha tocado a ti?», «¿Qué pone en tu galleta?». Y entonces nos echamos a reír por lo ridículo que resulta. Sin embargo, de vez en cuando, la gente recibe un mensaje que dice algo pertinente sobre su vida; o se ve sorprendida por la sincronicidad.

Aunque yo siempre he pensado que las galletas de la suerte son una tontería, sé intuitivamente que tuvieron que significar algo en algún momento de la historia china. Es cierto que a lo largo del tiempo muchas tradiciones sagradas se difuminaron y distorsionaron; otras fueron adoptadas e investidas de una apariencia nueva para acomodarse a los nuevos usuarios. Y supongo que lo mismo pasó con las galletas de la suerte.

El único problema en la exploración de las grandes tradiciones sagradas del diálogo con lo Divino en Asia es que jamás vamos a encontrar los orígenes de la galleta de la suerte en ninguna parte, porque de hecho es una invención americana. No obstante, su auténtico antecesor está en la antigua Grecia.

La *aleuromancia*, que significa «adivinación por la harina» en griego, es el nombre auténtico de esta tradición que consiste en utilizar los diversos tipos de harina con los que se hace el pan como vehículo de los mensajes del Espíritu. ¡Así que, panaderos, permitidme que os muestre cómo crear una de las herramientas oraculares más exactas y emocionantes!

Pero antes voy a contaros una pequeña historia. Al igual que con el oráculo de Delfos, se considera que el poder iluminador que subyace tras esta práctica es el dios Apolo. Los antiguos griegos escribían símbolos sobre trozos de tela o papiros, los enrollaban en una masa de harina que habían amasado nueve veces, y por último la metían en el horno. Una vez cocidas estas bolas de pan, se colocaban en una bandeja y se iban pasando a las diversas personas que habían acudido en grupo a hacer una pregunta a lo Divino. (Muchas experiencias oraculares de los tiempos antiguos eran acontecimientos sociales).

La diferencia entre los mensajes griegos y nuestros mensajes modernos de las galletas, como por ejemplo «Hoy vas a tener suerte», o «Si comes demasiadas galletas se te pondrá el trasero gordo», es evidente. Los antiguos oráculos de la harina estaban llenos de mensajes en los que los símbolos eran sagrados. Además implicaban un ritual y la invocación del dios Apolo. Los mensajes eran de naturaleza filosófica, y podían concernir a diferentes experiencias de la vida; se utilizaban como medios para discernir la voluntad de lo Divino en respuesta a alguna cuestión en particular. En resumen: se trataba de algo un poco más serio que zamparse unos rollitos de huevo y luego romper unas galletas para partirse de la risa.

En los tiempos antiguos se tomaron decisiones importantes basadas en los mensajes recibidos a través de los oráculos de la harina, y se buscaba además la guía en los rastros de masa adheridos al interior del cuenco.

Toda la experiencia, desde el principio hasta el final, suponía la invocación de una consciencia intencional más alta. Hoy en día para ti puede constituir una experiencia divertida e iluminadora, al utilizar este oráculo de la misma forma en que fue diseñado en su origen.

EL TESORO SAGRADO DEL ORÁCULO

Yo he creado mi propia versión del oráculo de la harina, basándome en el movimiento esencial de los 27 arquetipos de la experiencia humana tal y como se desarrollan desde el nacimiento hasta la muerte. (Te contaré más cosas sobre este patrón universal en el capítulo 16). Encontramos estos arquetipos en la mayoría de las enseñanzas de sabiduría, y todos ellos han sido representados en sistemas de adivinación muy complicados, como por ejemplo el tarot. Se trata de una forma divertida de rastrear tus progresos en el trayecto siempre cambiante de tu vida, y además constituyen un don estupendo.

Tendrás que mezclar los ingredientes básicos de una masa de galleta con una cuchara de madera en un cuenco blanco grande. El cuenco blanco significa la pureza del Espíritu, mientras que la cuchara de madera conecta el proceso con el mundo natural. Los ingredientes que deberás utilizar son:

1. Harina, que representa el poder de la tierra para otorgar una forma manifiesta.
2. Azúcar o miel, como símbolo de la dulzura de la vida.
3. Agua, en representación de las fluctuaciones y altibajos de la vida.
4. Fuego (o el horno), que simboliza la actividad y la creación inherente a todas las cosas.
5. Sal para preservar y representar al alma infinita.
6. Mantequilla, para simbolizar la abundancia.
7. Leche en representación de la nutrición.
8. Huevos como símbolo de la base o cimientos del nacimiento.

Puedes utilizar la combinación de estos ingredientes que prefieras, y seguir la receta que más te guste; la idea es comerse las galletas después. Pero tienen que ser sencillas; sin trocitos de chocolate o pasas, ya que estos tropiezos diluirían el poder invocado en el ritual. Asegúrate de hacer la suficiente cantidad de masa como para que te salgan 27 galletas.

(Si no tienes planeado comerte las galletas, prepara una masa básica con 720 ml de harina, 240 ml de azúcar, 120 ml de agua, 120 ml de sal, 115 g de mantequilla derretida, 120 ml de leche y 4 huevos. Mézclalo todo en un cuenco blanco. Con esto tendrás suficiente para dos remesas de tesoros redondos sagrados).

Escribe o recorta los símbolos del patrón universal (véase el capítulo 16) en 27 trocitos pequeños de papel de pergamino (que encontrarás junto con el film de aluminio y el papel de horno en los supermercados). Enrolla estos trozos de papel formando cilindros bien apretados.

Prepara 27 bolas de masa de galleta, aplástalas un poco y coloca un cilindro encima de cada una de ellas. A continuación envuelve el cilindro en la galleta para formar las bolas o tesoros redondos sagrados. Colócalos sobre un papel de cocina (o puede que necesites un par de ellos) y métenlos en el horno siguiendo las instrucciones básicas de tu receta. (Para una masa básica de galleta, mete las bolas a 165 °C durante 40 minutos. Todos los hornos son diferentes, así que quizá tengas que ajustar estas medidas). Una vez frías, puedes utilizarlas como tesoro oracular sagrado.

Dentro de cada una de esas bolas de masa hay una sabiduría sagrada que iluminará tu camino mientras continúes avanzando. Las galletas que hayas elegido representarán tu pasado, tu presente, y el futuro que se desenvuelve en cualquiera de las siete áreas de tu vida. Si utilizas el oráculo tú solo, puedes hacerle una pregunta de cada una de las siete siguientes categorías; pero haz solo una pregunta al día a lo largo de toda una semana. Esto te proporcionará una perspectiva de todos esos aspectos de tu vida tal y como se presentarán a lo largo de todo el mes siguiente.

1. Salud, estado físico.
2. Comunidad, amigos, familia.
3. Trabajo, empleo.
4. Relaciones amorosas, romances.
5. Creatividad, comunicación.
6. Sueños, ideas.
7. Espiritualidad.

Si has elegido experimentar con este oráculo en grupo, entonces cada persona deberá elegir tres tesoros redondos sagrados que representarán sus influencias pasadas, el presente, y el resultado final posible, y por último una cuarta bola más que simbolizará al catalizador que acelerará el crecimiento personal. Tendrás que hacer dos remesas enteras de galletas por cada grupo de cinco personas. Como eso suma en total de 54 bolas, tendrás duplicados del despliegue universal. De esta forma, si recibes el mismo mensaje dos veces, entonces eso significa que esa experiencia en particular se amplificará en todas las áreas de tu vida, e indica una transición a una consciencia más alta a través del portal de las lecciones arquetípicas.

Al igual que con todos los mensajeros oraculares, pídele que te muestre la voluntad del Espíritu para el mayor bien de todas las personas implicadas. Reza también para que te ofrezca la guía y la habilidad para aceptar las respuestas que se te revelen. Y no hagas este tipo de lecturas más de una vez al mes. Puede que te lleve tiempo comprender en su totalidad los sentidos implicados por los símbolos y su relevancia personal para ti, así que escríbelo todo y presta atención a lo que vas aprendiendo.

¡No chupes el cuenco!

Preparar estos oráculos de harina te proporcionará otro mensaje más del Espíritu que interpretar: el que te transmiten los restos de masa pegados a las paredes del cuenco, que vienen a ser como una sopa oráculo. Examina esos símbolos de las paredes antes de irte a la cama. Por ejemplo, una mujer llamada Kate me escribió una historia en la que ella veía con toda claridad la imagen de un perro grande, con unas marcas muy concretas en una de las patas de atrás; además parecía como si el perro estuviera corriendo detrás de una pelota. Un par de meses más tarde, a través de una serie de sincronicidades, Kate adoptó a un perro adulto, mezcla de pastor, que había sido abandonado en la carretera con una pata rota. Lo llamó Booboo. Tras curarse la pata, la actividad favorita de Booboo era correr por toda la casa detrás de una pelota.

Presta atención a tus sueños a lo largo de la semana siguiente, porque el cuenco puede servirte de puente entre lo visible y lo Invisible, y permitirte así recibir los mensajes del Espíritu para tu propio beneficio y el de tus seres queridos. Cuando experimenté esta técnica de adivinación por primera vez, vi cuatro letras con nitidez en las paredes del cuenco: I, Z, G y luego una O. ¡El apodo de mi padre es Zigo! Es frecuente que aparezcan símbolos pertenecientes a personas queridas que han fallecido. No obstante, si no ves nada que puedas reconocer tras examinarlo un rato, quizá el Espíritu de la galleta quiera simplemente recordarte el sabor del dulce... ¡Así que adelante, ya puedes chupar el cuenco!

CAPÍTULO 15

Piedras que hablan

*J*USTO DESPUÉS DE QUE muriera mi padre y antes de marcharme a vivir con mi amiga Beth, pedí una cita para ir a ver a un curandero de Nuevo México. Él estaba en ese momento en la ciudad de México porque había ido allí para dar un curso sobre chamanismo y atender a sus clientes. Para mí, pedir una cita así era algo extraño e impulsivo. Había visto un panfleto de color púrpura fuerte con una descripción de sus clases y curaciones, además de un teléfono, pegado a un poste telefónico en la calle. Yo estaba en un café justo delante, esperando a una amiga, y aquel papel captó mi atención igual que si me estuviera llamando. Me acerqué y, al tocarlo, lo despegué accidentalmente del poste.

Por aquel entonces me hallaba inmersa en un tumulto emocional, y tenía todavía muchos temas sin resolver en mi corazón en relación con mis padres y con mi trabajo como intuitiva. Me sentía terriblemente dolida por la muerte de mi padre, y la tragedia que estaba atravesando toda la familia. En aquel tiempo comenzaba ya a despertarse en mí un fuerte interés por la espiritualidad nativa norteamericana, y cuando leí el cartel de aquel hombre y comprobé sus conocimientos sobre antropología y chamanismo, sentí el impulso de ir a verlo. Supe intuitivamente que estaría a salvo y que me era imprescindible conocerlo, así que llamé y pedí una cita.

Cuando conocí a John Raven, me sorprendió su presencia amable y tranquila y sus ojos penetrantes, de color índigo. Se trataba de un hombre alto y guapo, que llevaba el pelo castaño, entretejido de canas, peinado en una coleta. Era de mentalidad muy joven, pero sus ojos me decían que había visto muchas cosas durante sus 70 años de vida. Tenía cierto aire de místico, y yo tuve la fuerte impresión de que lo conocía de antes aunque, por supuesto, no era así.

Apenas pronunció palabra a modo de presentación; me pidió que me sentara a su lado, en silencio, y comenzó a rezar en otra lengua. Yo de pronto me puse nerviosa e inquieta. Entonces me dijo que me alzara de pie mientras él soplaba humo a mi alrededor y hacía sonar unos cascabeles. Comenzó por mis pies y fue subiendo hasta la cabeza.

Después me volví a sentar, traspuesta tras todo este ajetreo, mientras él se quedaba mirando el humo de la habitación. Fue entonces cuando procedió a contarme todo lo que estaba ocurriendo en mi vida con sumo detalle; cosas que él no podía saber. Era como si yo fuera una puerta atrancada, y alguien hubiera engrasado las bisagras y la hubiera abierto: me sentí abierta y aliviada.

Entonces él alargó una mano y me tendió una piedra pequeña y estriada que había sacado de una bolsita confeccionada con piel de ciervo. Y dijo: «Esta piedra es un miembro de la tribu de la piedra, la más antigua entre nosotros. Este ser vive detrás de lo que tú ves, en la realidad no-ordinaria, y es el Espíritu detrás de todas las cosas. Algunas personas solo ven en ella un objeto inanimado; una roca hecha con material inorgánico, pero aquellos de nosotros que sabemos, los iniciados, vemos la fuente de la sabiduría de la tribu de la piedra, viviendo en su memoria».

Le pregunté de dónde era, y me contó que su linaje procedía de la tribu lakota de los siux. Yo sabía que la frase «todos nuestros parientes» se atribuía a esa visión tribal que los nativos norteamericanos tienen de la conexión universal de todos los mundos: natural, humano y espiritual. Él me estaba enseñando a verlo por mí misma.

John me pidió que cerrara los ojos, abriera la mente y el corazón, rezara a la piedra y le pidiera la guía para mi vida. Le pregunté si eso formaba parte de la curación, y me contestó que en mi caso sí. Me dijo que tenía que desarrollar una perspectiva de la vida más amplia, que incluyera a toda la naturaleza como seres viviendo independientemente de los humanos. Me aseguró que si aceptaba mi destino de ser una vidente, entonces tenía que aprender a ver los signos en todo el mundo, y no solamente en una parte. Dijo de una forma muy simple para mí, que si quería ser auténtica y certera en mi visión y capacidad de ver para otros, tenía que reconocer otras fuentes de sabiduría en el mundo, aparte de las humanas.

Examiné la piedra de cerca y vi las imágenes de una cruz, un oso, y luego un cisne. Vi una casa y lo que me pareció una lápida, seguida del número 6. Me pidió que interpretara su sentido.

Naturalmente, vi de inmediato que la cruz significaba la consciencia de Cristo. Yo era una ávida lectora de Catherine Ponder, y asistía a la iglesia Unity con regularidad. Me encantaba leer la Biblia como forma de alegoría y mito, así que creía que la imagen de la cruz significaba que algo en mí tenía que morir para volver a renacer, y que ya era hora de sacrificar alguna de mis viejas ideas con el objeto de hacer sitio a otras mejores.

Yo sabía que el oso significa el descanso: estaba cansada y necesitaba reorganizar mis ideas y curarme. Además estaba estudiando meditación, y el oso también simboliza eso. John me dijo entonces que el cisne representaba mi habilidad para transformarme y para ver más allá de la realidad. Le pregunté si la lápida se refería a la muerte de mi padre, pero él solo contestó: «Todo en la vida se enciende y se apaga; es la forma de ser de las cosas». Dicho esto, me tendió otra piedra y sonrió. Era la hora de marcharme, y yo tenía muchas cosas en las que pensar.

Vi a John otro par de veces más y tuve con él algunas experiencias increíbles. John me mostró cómo conectar con la realidad no-ordinaria a la que yo ya tenía acceso cuando hacía mis lecturas, pero de una forma por completo diferente. Con él se trataba de un mundo aparte del nuestro, que existía exactamente igual; un mundo poblado por todo tipo de energías espirituales, fascinantes e increíbles, que se presentaron ante mí como expresión viva tras la apariencia ordinaria de las cosas. Vi la vibración viva de un viejo sauce llorón en el parque, de camino a casa; vi al árbol como a una mujer mayor y viuda, en busca de la tierra, como si se tratara de su hijo. Comencé a darme cuenta de que las piedras también tenían recuerdos e historias que contar. ¡Qué gran don me había proporcionado aquel hombre!

La cuarta ocasión en que fui a verlo, llamé primero por teléfono para confirmar la cita. Me respondió una mujer que me dijo que allí no vivía nadie con ese nombre. Comprobé el número y volví a marcar, pero la misma mujer me contestó que ese número era suyo desde hacía cinco años, y que me equivocaba.

Entonces fui al edificio de apartamentos donde había estado con él. Llamé por el interfono. Dio la casualidad de que el encargado de mantenimiento salía en ese momento, y me preguntó a quién buscaba. Le contesté que quería ver a John Raven, de Nuevo México. Se lo describí. El encargado me miró con una suspicacia creciente y evidente agitación.

Le comenté que supuestamente John tenía que impartir un taller ese mismo sábado, en la sala de reuniones del edificio. Me miró con extrañeza, me dijo que jamás se había alojado allí nadie que respondiera a esa descripción, y me aseguró que no había sala de juntas en el edificio. El apartamento al que llamaba estaba vacío y llevaba así más de un mes; desde que un hombre anciano, nativo norteamericano y alcohólico crónico, había fallecido allí.

Eso me dejó por completo aterrada, así que me puse a discutir con el encargado. Me miró asustado y me cerró la puerta en las narices, musitando: «¡Vaya tía más loca y más tonta! Necesito un trago».

De modo que mis experiencias, ¿fueron un sueño, o la realidad? ¿Existió jamás una persona llamada John Raven? Tengo miles de preguntas al respecto, y ninguna respuesta. Si les pregunto a mis amigos, ninguno parece recordar que yo les hablara de él. Yo sabía que se lo había contado a un par de amigos, pero todo el mundo me contestaba que no había sido a él. Y sin embargo las enseñanzas fueron reales, y yo no estaba «pirada».

Así que comencé a estudiar en serio y a aprender todo lo que pude. Descubrí que los métodos de John eran coherentes con lo que yo había averiguado en los libros sobre chamanismo. No obstante toda la situación me seguía resultando muy extraña, y eso me desorientaba. El número seis y la lápida cobraron sentido seis meses más tarde, sin embargo, cuando a mi madre le diagnosticaron un cáncer cerebral terminal y murió poco después. Puede que la experiencia fuera real, o puede que fuera un sueño; o quizá se tratara de dos realidades separadas que se interconectaron, y que yo tenía que cruzar.

Todavía recuerdo los penetrantes ojos y la profunda voz de John Raven, diciéndome: «Las piedras te hablarán si tú quieres escucharlas».

ESCUCHAR A LAS PIEDRAS

Este ejercicio te ayudará a aprender a escuchar cuando te habla el Espíritu de una piedra. En primer lugar, acude a un paraje natural y decídete a encontrar una piedra que contenga un mensaje para ti; debería ser del tamaño de un puño, o un poco más grande. No la fuerces a que se muestre ante ti. La conexión se establece a base de energías sutiles, y por eso te sentirás atraído hacia una de ellas solo si permites que ella «tire» de ti o te «llame». Se trata de una facultad intuitiva, de la sensación o el sentimiento amplificado de que «ahí está, esta tiene que ser». Una vez la piedra te haya elegido, pídele que te revele un mensaje.

Permite a tu mente interior abrirse a tu percepción y pensamiento simbólico o consciencia oracular. Entonces comenzarás a discernir formas de insectos, pájaros, animales, rostros, números, objetos y otras figuras. Una vez tengas una clara indicación de al menos dos de estas formas, invierte tiempo en interpretar su significado y en discernir cómo puedes aplicarlo a tu vida. Después repite el mismo proceso tras darle la vuelta a la piedra. Si es lo suficientemente gruesa, haz esto también con las otras dos caras restantes.

Una vez completes tu conversación con la piedra, dale las gracias con reverencia como si te dirigieras a un hombre viejo y sabio. Si es un día caluroso y no ha llovido, y además llevas una botella de agua, rocíala como si estuviera sedienta antes de volver a dejarla donde estaba.

Cuantas más veces hagas esto, más capaz serás de ver al Espíritu activándose en el mundo natural. Toda la vida es luz; el milagro es inherente a toda vida.

EL ORÁCULO DE LAS PIEDRAS QUE HABLAN

Hay otra forma de utilizar las piedras como herramienta oracular interactiva. Necesitarás piedras de un tamaño máximo de un pulgar, planas por un lado. Tienes que encontrar en total 27 piedras, porque vamos a utilizarlas junto con el patrón universal del capítulo 16. Pinta con laca de uñas la cara plana de cada piedra en color rojo fuerte, azul o negro; para el azul oscuro puedes usar un rotulador permanente; o sencillamente cualquier pintura azul oscuro. Escribe el nombre o el símbolo que tú mismo crees para representar a cada uno de los 27 patrones universales. Si no encuentras ninguna piedra natural con la forma deseada, siempre puedes ir a una tienda de cerámica y elegir piezas de mosaico de cerámica o cristal, o incluso pequeños bloques de madera. Todos estos elementos servirán.

Confecciona o compra una bolsita de seda, algodón o piel, lo suficientemente grande como para contener las piedras y meter toda la mano, de forma que puedas mezclarlas. Para empezar, pide la guía Divina y que se te muestre la voluntad del Espíritu para el mayor bien de todos los implicados. Elige una piedra para representar una perspectiva general o curso de acción; luego elige otras tres para leer las influencias pasadas, el presente, y el posible resultado final. O escoge cinco piedras para hacer una lectura de las influencias pasadas, las circunstancias presentes, los obstáculos, la acción adecuada y el posible resultado final.

Acuérdate siempre de rezar para pedir la guía y de aceptar las respuestas que se te revelen, y no repitas ninguna lectura. Puede que tardes un tiempo en comprender por completo el sentido del mensaje implicado por los símbolos, así que pasa un tiempo meditando la respuesta. Lleva un diario para así prestar atención a lo que vas aprendiendo.

Presta atención también a los aspectos sombríos de los símbolos que aparecen del revés. Los símbolos del revés señalan dificultades, defectos del ego y retos que hay que superar con el fin de satisfacer el oráculo.

CAPÍTULO 16

Los 27 patrones universales

ESTOS PATRONES UNIVERSALES son los movimientos esenciales de los 27 arquetipos e influencias de la experiencia humana que se despliegan desde el nacimiento hasta la muerte. Se trata de imágenes universales. Son las verdades del mundo, recopiladas por el Espíritu desde que la humanidad experimentó la vida por vez primera, y alzados como hitos para todos nosotros en nuestra evolución personal y colectiva.

Toda forma de vida sigue una ruta común: comenzamos nuestro viaje con inocencia, experimentando nuestros destinos y las consecuencias e influencias de nuestra libre voluntad; y todos acabamos encarnando el viaje humano con sabiduría. En cada estadio diferente, nuestras influencias primarias serán ciertas energías y arquetipos universales; y una vez seamos conscientes de ellos, nos empoderarán. Llevados a la consciencia, la luz nos acompañará. Te verás reflejado a ti mismo, y del mismo modo verás tu camino iluminado de una forma mucho más profunda. Estos aspectos te servirán para ayudarte a comprender cómo te influyen las energías, y cómo puedes trabajar con ellas para mejorar tu vida.

EL NIÑO PROTEGIDO

Significado del oráculo: todos comenzamos nuestro viaje como seres espirituales con inocencia, y todos aprendemos a evolucionar a través de nuestras experiencias desde el nacimiento hasta la muerte. Ha llegado el momento de los nuevos comienzos; de confiar en que los milagros son posibles y en que de hecho ocurren. Sobrevivirás al viaje hasta que aprendas tus lecciones. Ahora mismo estás solo en los comienzos, y puedes estar seguro de que ya es hora de descubrir todo lo que podrás aprender a través del riesgo.

Aspectos positivos: inocencia, la capacidad de sobrevivir contra todo pronóstico, la impunidad frente al castigo, optimismo, los nuevos comienzos, y una energía inestable que no cede.

Aspectos sombríos: ser impetuoso, jugar de forma estúpida, soñar despierto y no aceptar compromisos.

Afirmación: con el Espíritu estoy siempre protegida y dirigida por lo Divino. Camino hacia la luz, y confío en el amor de Dios (o de las diosas, o de la consciencia de Cristo, o de cualquier otro término que quieras utilizar).

Influencia planetaria: Urano.

Influencia numérica: 0.

EL CHAMÁN

Significado del oráculo: has aceptado el riesgo y has aprendido muchas cosas. Puedes confiar en tu intelecto, porque te has ganado el primer estadio de la sabiduría; tu pensamiento es claro, y tu voluntad fuerte. Además tú sabes que cuentas con todo lo necesario para hacer magia, y que tu trabajo será recompensado. Cualquier cosa que comiences ahora reflejará tus esfuerzos. Presta atención a todos los aspectos de tu vida relacionados con la comunicación, y sé claro acerca de las palabras, pues pueden tanto curarnos como causarnos dolor. Asegúrate de cuál es tu intención, porque todas tus acciones tendrán éxito.

Aspectos positivos: la habilidad de viajar entre la percepción de lo mundano, el mundo material y el Espíritu; la habilidad de manifestar lo que se ha iniciado; el empoderamiento de la comunicación; el poder de transformar las ideas en realidad; las artes curativas, la medicina, la magia y la visión mística en equilibrio con el intelecto.

Aspectos sombríos: la falta de habilidad para tomar decisiones, el fallo a la hora de terminar lo que se ha iniciado, el autoengaño.

Afirmación: la luz de mi interior crea milagros en mi vida por el mayor bien de todos. Para mí es fácil terminar lo que he comenzado. Yo confío en la inspiración de lo Divino.

Influencia planetaria: Mercurio.

Influencia numérica: 1.

LA SACERDOTISA

Significado del oráculo: la sacerdotisa representa el sexto sentido y la llamada a explorar el dominio del Espíritu; es el aspecto de tu interior que te enlaza con el mundo invisible del Espíritu, y que sabe cómo y cuándo aventurarse por la delgada línea que separa lo material de lo espiritual. La sacerdotisa es un símbolo de lo Divino femenino y de la energía y el poder de una diosa. El objetivo es tu intuición, y por eso es tan importante que escuches a tu voz interior sin apegos de ningún tipo. Tomarás la decisión correcta si confías en tus corazonadas.

Aspectos positivos: visión intuitiva; capacidad para una percepción más alta; don de la profecía; destreza a la hora de discernir entre los sentidos ocultos y más profundos de las experiencias de la vida; mente simbólica (que da lugar a una recepción de los mensajes del Espíritu apenas sin esfuerzo);

comprensión de los altibajos y del fluir eterno de la vida; y la energía de una diosa (los tres rostros de la virgen, la madre fértil y la anciana sabia, siempre unidos).

Aspectos sombríos: represión de lo femenino y rechazo, temor u objeciones a la intuición.

Afirmación: mi luz interior me guía por medio de mi intuición. Los mensajes del Espíritu me llegan sin apenas esfuerzo, y mi sexto sentido me lleva a lo más alto. El alma de mi interior me guía también a lo más alto, y me enseña a escuchar.

Influencia planetaria: Luna.

Influencia numérica: 2.

LA GRAN MADRE

Significado del oráculo: todos tus proyectos creativos están destinados a tener éxito. Te hallas en un período importante de fertilidad y abundancia. El embarazo, tanto en sentido literal como figurado, dará sus frutos, porque ha llegado el momento de la expansión. La vida te nutrirá... solo tienes que permitirte confiar en que así será.

Aspectos positivos: fertilidad, crecimiento sano y sostenido, nacimiento, nutrición, abundancia, riqueza, amor, afectos, sensualidad, embarazo, artes creativas, rica cosecha, la habilidad para alcanzar el éxito, y una buena relación bien definida con tu madre.

Aspectos sombríos: promiscuidad, frigidez, falta de habilidad para expresar las emociones, escasez de consciencia.

Afirmación: el mundo es un lugar rico y abundante, donde hay bienes suficientes para todos. Yo puedo crear mi realidad conjuntamente con el Espíritu. Jamás me falta de nada, y lo que tengo lo comparto sin esfuerzo con los demás. ¡La luz de mi interior crea milagros!

Influencia planetaria: Tierra.

Influencia numérica: 3.

EL GRAN PADRE

Significado del oráculo: este es el símbolo de los logros mundanos, pero este patrón nos dice además que tus acciones pueden llevar a la creación de unos sólidos cimientos para el futuro. Es posible que recibas la ayuda de alguna institución gubernamental o banco, o quizá encuentres a un mentor que te ayude a progresar. Este patrón es el signo del progreso hacia delante en cualquier campo que tú elijas.

Aspectos positivos: cimientos sólidos del poder personal, que dan lugar a un liderazgo y a una autoridad estables; éxito seguro; potencia; responsabilidad hacia los demás; buen gobierno y autodisciplina.

Aspectos sombríos: eres un gran depredador, siempre discutiendo, inamovible y dominante en tus posturas; te muestras egoísta, calculador y hambriento de poder, aunque puede faltarte la ambición y atacarte la pereza.

Afirmación: yo siempre me guío por lo Divino para construir un cimiento sólido para mi vida. Cumplo perfectamente mis metas sin esfuerzo cuando me guía el Espíritu. La luz siempre me ha mostrado el camino.

Influencia planetaria: Marte.

Influencia numérica: 4.

EL PUENTE SAGRADO

Significado del oráculo: ha llegado la hora de cumplir con un rito que tiene que ver con las relaciones, como por ejemplo el del matrimonio; de legalizar esa relación o sociedad; o de estudiar los asuntos espirituales. Este patrón es un signo de que reconoces que esa espiritualidad es la esencia de toda la vida; es el comienzo de la comprensión de que la tradición religiosa puede ser el punto de partida para la creación de una consciencia personal y directa de lo Divino. Presta atención a aquellas cosas de las que haces un rito cada día, y acuérdate de que el ritual no tiene sentido por sí solo; se trata únicamente del puente que utilizamos para cruzar el abismo entre la realidad material y la realidad superior del Espíritu. No obstante, los símbolos sagrados y los ritos son importantes, porque representan los distintos pasos que damos para cruzar el puente entre esos dos mundos. Acuérdate también de que eres tú el que debe dar esos pasos con el objeto de alcanzar la verdad.

Aspectos positivos: actividad y metas espirituales; rituales y simbolismos activos que tienden un puente entre la materia y el Espíritu; ceremonia tradicional, matrimonio y santificación del compromiso; el aprendizaje necesario para aplicar las enseñanzas estructuradas de la sabiduría (como por ejemplo el chamanismo nativo, un *Curso sobre los milagros*, los sistemas de adivinación, la meditación, los conocimientos interconfesionales, los misterios gnósticos, el estudio de los textos religiosos sagrados y otros similares); la habilidad para ver similitudes y temas comunes en las diversas fes tradicionales; unidad espiritual.

Aspectos sombríos: fundamentalismo, juicio crítico, exceso de laicismo, prejuicios religiosos, dependencia extrema de las apariencias externas.

Afirmación: el Espíritu de mi interior es el puente entre lo finito y lo infinito. Mi alma es inmortal y la guía lo Divino. Suelto mi fuerte aferramiento a las apariencias externas y permito que brille mi luz interior. Sigo los signos de lo Divino.

Influencia planetaria: Venus.

Influencia numérica: 5.

LOS AMANTES

Significado del oráculo: este patrón simboliza una relación romántica o más general, de amistad, y una oportunidad para que se produzca la autorrevelación a través de una relación personal. Además te hace saber que hasta el momento tus elecciones han sido las correctas, puesto que te han traído hasta aquí. Ha llegado el momento de examinar el amor con el que cuentas en tu vida, ¿qué tal se te da? Puede que tengas que prestarle más atención o que hacerle un hueco en tu interior para dejarlo entrar. Se trata de un momento relevante para explorar las relaciones como parte de la evolución del viaje de tu vida hacia la plenitud.

Aspectos positivos: romance, amor de pareja, erotismo, la visión del cuerpo como templo, el equilibrio entre lo masculino y lo femenino, el umbral (emocional, físico y espiritual) de la unión, el maridaje interior entre lo femenino y lo masculino, la maduración e iluminación personal, la elección de opciones saludables desde el equilibrio.

Aspectos sombríos: triangulación, celos, pobre establecimiento de los límites, falta de habilidad para tomar decisiones, manipulación emocional y falta de sinceridad.

Afirmación: la luz de mi interior elige sabiamente y para el mayor bien de todas las personas implicadas. Expreso mi amor con sinceridad e integridad. Siempre estoy aprendiendo de los compañeros de mi vida; cada alma con la que conecto me muestra un reflejo de dónde he estado, quién soy en este momento, y qué necesito curar.

Influencia planetaria: Venus.

Influencia numérica: 6.

La liberación

Mensaje oracular: te hallas en una situación en la que necesitas soltar los problemas y dejar que Dios te guíe. Confía en que muy pronto contarás con diversas oportunidades para alcanzar un premio. A veces esto implica un «éxito inmediato», aunque le hayan precedido muchos años de duro trabajo. Si

hay algo que quieres lograr de verdad y en lo que sin embargo
has estado recibiendo negativas y objeciones constantes, ahora
es el momento de lograr el éxito. Descubrirás que cuentas con
toda la energía que necesitas para hacer las cosas, además de la
fuerza de voluntad para llevarlas a cabo. Y si recuerdas que lo
Divino es el poder superior, jamás agotarás tu propia energía.
Este patrón concierne también al hecho de ser reconocido por
tus habilidades, así que utilízalas.

Aspectos positivos: victoria tras el duro esfuerzo; soltar esa
forma dual de pensar para la que todo es blanco o negro; actuar
dentro de las leyes naturales; maduración del ego hasta la con-
versión en una persona independiente y saludable; uso correcto del libre albedrío; creación del orden a partir del caos; experiencia de la paradoja de la libertad a través de la rendición.

Aspectos sombríos: voluntad desenfrenada del ego, arrogancia, incapacidad para aceptar determinada situación, uso incorrecto de la fuerza, adicción, malgasto de recursos.

Afirmación: entrego mi voluntad y mi vida al cuidado del
Espíritu. Permito que la intención de lo Divino se cumpla a
través de mí. Ofrezco mi voluntad y mis actos para el mayor
bien de todos. Me pongo siempre del lado del flujo de lo natural y del orden más alto de las cosas.

Influencia planetaria: Marte.

Influencia numérica: 7.

La fuente del poder

Mensaje oracular: este patrón representa tu fuerza interior
a la hora de superar los obstáculos de tu camino. Ocurra lo que
ocurra en tu vida, lo superarás si tu fuente es la paciencia, la
generosidad y el amor. Este patrón puede referirse también a
tu relación con tu animal de compañía, ya que el amor incondicional es una extraordinaria fuente de poder. Puede ser signo

además de la llegada de alguien que representará tus intereses y que obtendrá el éxito en tu nombre.

Aspectos positivos: fortaleza interior, integridad, generosidad de espíritu, consciencia más allá del ego, empoderamiento a través de la fe, coraje y optimismo; la promesa del éxito mediante la fuerza interior en lugar de la exterior; reverencia y amor hacia *todos los seres vivos que sienten.*

Aspectos sombríos: fuerza bruta, acción inconsciente, debilidad, falta de coraje, miedo al fracaso, miedo al futuro, maltrato de animales y de la naturaleza en general.

Afirmación: la luz de mi interior es mi fuente de coraje y fortaleza. Veo el alma del mundo, y soy una con él. Para mí es fácil dar.

Influencia planetaria: Sol.

Influencia numérica: 8.

La quietud

Mensaje oracular: tómate un descanso y quédate a solas con los pensamientos de tu Espíritu. Es un momento de quietud. Ha llegado la hora de aprender cosas acerca de la naturaleza de tu pregunta, más que de contestarla directamente. Este patrón te dice que descanses y que te tomes un tiempo para rezar y meditar sobre la verdad de la realidad, que es lo Divino. También puede simbolizar un viaje a la naturaleza o al mar. Es un signo de que necesitas descansar para reorganizarte y tomar distancia y perspectiva de las cosas. Sumérgete en tu silencio interior durante un tiempo, y reflexiona sobre todo lo que puedes hacer para elevar la consciencia de tu vida. Conquistarás la sabiduría, y se demostrará que tu decisión fue prudente y por lo tanto tuviste éxito.

Aspectos positivos: oración contemplativa, meditación, un tiempo alejado de todo, vacaciones de las actividades mundanas, purificación, ayuno, despertar del mundo interior, consciencia del alma, gnosis, contacto consciente con el poder superior, relación directa y personal con lo Divino.

Aspectos sombríos: infantilismo, dependencia exagerada de las opiniones de los demás, abuso del oráculo, culpar siempre al otro, superficialidad, miedo a una autoevaluación, aislamiento.

Afirmación: sigo siendo de tal forma, y todavía puedo conocer la voluntad de lo Divino. Entrego mi identidad terrenal y le doy la bienvenida a mi identidad en el Espíritu. Aprendo a vivir en el mundo, pero no de él.

Influencia planetaria: Plutón.

Influencia numérica: 9.

EL DESTINO

Mensaje oracular: este signo nos dice que estás a punto de enfrentarte a diversos aspectos del plan Divino para tu vida. Hay puntos en el mapa de las potencialidades que están prefijados o preestablecidos desde antes de que tú llegaras a la Tierra. Presta atención a las señales, presagios y sincronicidades que se despliegan ante ti. Hay signos importantes de que estás destinado a conocer a ciertas personas, y de que las circunstancias te ofrecerán experiencias concretas como parte del contrato de tu alma. Lánzate a vivirlas, mantén los ojos bien abiertos, y déjate sorprender por el extraordinario papel que juegas en la danza cósmica. Pase lo que pase, todo serán éxitos en el camino del despertar hacia la verdad.

Aspectos positivos: reconocimiento de la sincronicidad Divina, encuentros afortunados y oportunidades que ayudan a definir el destino; el ciclo de nacimiento, muerte y renacimiento; los cuatro elementos en equilibrio: cuerpo, mente pensante, intuición y emociones; expansión, sorpresas, buena suerte inesperada y oportunidades; aceptar el karma.

Aspectos sombríos: retrasos inesperados; la lucha contra los acontecimientos, los accidentes y los momento no oportunos; experiencias aparentemente negativas que te llevan a algo profundo y lleno de sentido; pérdidas que te conducen al final a una ganancia.

Afirmación: veo la mano de lo Divino en todas las cosas: acepto el misterio y todas sus sorpresas. Para mí, es fácil aceptar la vida en sus propios términos y seguir la corriente. La luz ilumina mi camino conforme tomo decisiones y modelo mi destino, en manos del sino.

Influencia planetaria: Júpiter.

Influencia numérica: 10.

LA VERDAD

Mensaje oracular: no importa que parezca no estar claro en este momento; si te mantienes vigilante, se te revelará la más alta verdad. Ha llegado la hora de hacer una autoevaluación rigurosa: ¿le has hecho daño a alguien?, ¿tienes que hacer las paces?, ¿están todos tus asuntos en orden? Ya es hora de echar un vistazo, limpiar la propia casa, y comprender que en el baile del destino caben tanto los pasos adelante como los errores; todos ellos son marcas de tus decisiones y elecciones, además de consecuencia de tus actos. De un modo u otro se restaurará el equilibrio, y la ley del karma seguirá su ritmo. La justicia gobernará a tu favor siempre y cuando seas sincero y te muestres abierto. Si has sufrido, acuérdate de que tus lágrimas deben servirte para recordar la verdad de que «todos nos rompemos exactamente igual». Seguirás sufriendo mientras no reconozcas que no estás solo en este mundo. Pase lo que pase, eres libre siempre y cuando aceptes por completo cuáles son tus prioridades. Ver las cosas tal y como son realmente significa que puedes esperar el éxito, y que solo entonces se producirá un cambio real para mejor.

Aspectos positivos: responsabilidad absoluta de ti mismo; autoconocimiento; sinceridad y honestidad absolutas y rigurosas; apertura mental y autoevaluación activa de ti mismo; aceptación de las limitaciones personales; respuesta consciente a la vida; equilibrio entre las fuerzas opuestas; consciencia de la actividad personal; humildad.

Aspectos sombríos: negación, injusticia, desequilibrio, falta de sinceridad, disposición hacia la argumentación o discusión, carencia de humildad, apego excesivo a las cosas materiales, rechazo de la responsabilidad personal.

Afirmación: soy responsable de mi parte en el proceso de la vida. Acepto la responsabilidad de mis actos pasados, de manera que pueda seguir hacia delante sin preocuparme por mis errores anteriores. Cuento con la voluntad y el coraje necesarios para arreglar las cosas. Me quiero y me acepto a mí mismo.

Influencia planetaria: Urano.

Influencia numérica: 11.

EL SACRIFICIO

Mensaje oracular: a veces tenemos que ceder en algo con el objeto de alcanzar los deseos de nuestro corazón. Esto es lo que significan los ciclos de las estaciones, durante los cuales las cosechas tienen que morir para dar paso a una nueva vida. Puede que tengas que prescindir temporalmente de alguna de tus metas, o quizá debas renunciar a tu seguridad a cambio de algo mucho más prometedor y con un potencial mucho más expansivo. El éxito te llegará cuando permitas que se desarrollen los ciclos naturales. De todas formas, la paradoja del éxito consiste en que este depende de tu voluntad para distanciarte de la meta; y esto es lo que se te pide que hagas ahora.

Pero este patrón trae un segundo mensaje. Con el objeto de ver a través de los ojos del alma y de conocer la verdad acerca de tu unidad espiritual con lo Divino, es necesario cerrar los ojos del ego. De esta forma se te pide que dejes en suspenso tus deseos materiales y que pases un período de tiempo pidiendo que se te revele la más alta sabiduría. El sacrificio te merecerá la pena, y más que de sobra.

Aspectos positivos: paciencia; inspiración profunda; regeneración a través del sacrificio activo; cesión libre e inmediata de algo, de forma que conquistas cosas más importantes más adelante; paz y comprensión a través de la rendición; respeto hacia uno mismo; saludable independencia; compasión; consciencia de Cristo.

Aspectos sombríos: negativa a aceptar las circunstancias; lucha contra uno mismo; presión contra un retraso que es necesario; ir contracorriente; rebelión sin causa; egoísmo inmaduro; falta de compasión.

Afirmación: suelto mis problemas y se los dejo a Dios. Me rindo ante lo que ahora mismo no puede ser, y me desapego de mis expectativas hacia la luz. Me quiero y me apruebo a mí mismo.

Influencia planetaria: Neptuno.

Influencia numérica: 12.

EL FÉNIX

Mensaje oracular: este es un momento importante de transformación y de esperanza. Nada de lo que te decidas a hacer o quieras lograr se producirá de la forma que tú piensas, pero eso es bueno porque en la muerte de lo viejo está el nacimiento de algo nuevo y más fuerte. De un modo u otro, ya es hora de abandonar las viejas ideas y las antiguas relaciones que quizá te consuman, y de deshacerte de todos esos trastos que te asfixian. Acuérdate de que el ave fénix es una criatura mágica que renace de sus propias cenizas para volver a volar con sus gloriosas alas. Olvídate de la persona que crees que eres; lo Divino dentro de ti tiene planes más ambiciosos. Si ahora mismo estás sufriendo una pérdida, tienes que saber que el sufrimiento es una joya de la compasión que tiende un puente entre las limitaciones de la visión mortal y la más alta verdad del Espíritu. *Aspectos positivos:* capacidad para desapegarse de lo viejo y hacer sitio a lo nuevo; la muerte del ego, que permite la transformación espiritual; la curación a través de la pérdida; el paso de la muerte de lo viejo al renacimiento; los triunfos constantes de lo eterno sobre lo transitorio; la transición de mortal a inmortal; el momento trascendente del cambio inevitable.

Aspectos sombríos: tendencia a aferrarse a ideas pasadas de moda; miedo al cambio y a la muerte; depresión e ira reprimida.

Afirmación: me despido libremente de mis viejas ideas, que ya no me sirven para mi mayor bien. Suelto la ira y acepto el ciclo natural de todas las cosas. Formo parte de la naturaleza y de la manifestación viva del Espíritu. Acepto mi mortalidad con el fin de celebrar la inmortalidad de mi alma. Soy una chispa de lo Divino, y por lo tanto parte del plan Divino.

Influencia planetaria: Plutón.

Influencia numérica: 13.

El fluir

Mensaje oracular: trata de seguir la corriente natural de las cosas, y permite que tu vida y los acontecimientos que se te presenten lo hagan de forma fluida, tal y como debe ser. No es momento de intentar controlar nada, porque la vida transcurre exactamente tal y como se supone que debe hacer. Basta con que permanezcas despierto y mantengas un contacto consciente con lo Divino; haz una sola pregunta: «¿Cuál es la siguiente acción correcta?». Recibirás signos y presagios claros para trazar tu viaje paso a paso. Si te quedas en el centro del río, tu barca estará siempre intacta. Todo va bien en tu mundo. No corras riesgos en este momento; actúa solo cuando te guíe la calma interior.

Aspectos positivos: equilibrio a través de la moderación y de la acción armoniosa; permitir que los opuestos se fundan para formar una nueva vida; auténtica integridad; capacidad para llevar a cabo la siguiente acción correcta; percepción más alta como resultado de la fusión de lo consciente e inconsciente, del Espíritu y la mente; dejarse llevar por el fluir de los acontecimientos y responder en consecuencia con una acción moderada.

Aspectos sombríos: tratar de controlar el resultado de los acontecimientos, temeridad, actos impulsivos, actividad frenética, manipulación obsesiva.

Afirmación: para mí es fácil y apenas me cuesta esfuerzo seguir la corriente. La luz me guía hacia mi equilibrio interior.

Influencia planetaria: Venus.

Influencia numérica: 14.

EL GRAN ENGAÑO

Mensaje oracular: es hora de echarle un vistazo a tus apegos al mundo material. ¿Dónde reside tu poder?, ¿en tu dinero, en tu aspecto joven? ¿Prestas excesiva atención al cumplimiento de tus deseos materiales y a la persecución implacable de tus metas? ¿Crees que tu seguridad reside en la manifestación material de tus deseos? Recuerda que no importa cuántos éxitos hayas cosechado, o si has conseguido lo que querías, porque nada de eso logrará jamás complacerte. Tú eres un Espíritu que se desenvuelve a través del mundo material, pero al final vuelves al Espíritu. No permitas que tus apegos obstruyan la luz que hay en ti, porque ni siquiera el hipnótico tirón de una nueva relación logrará saciarte.

Dicho esto, estás destinado a experimentar y a jugar un papel en el dominio material. El éxito y el fracaso son ambas victorias, vistas en retrospectiva. No te dejes engañar por tu propia máscara, ni por la de los demás. En ti reside un auténtico poder, que es mucho más grande de lo que tus ojos mortales de ego puedan ver. Si miras más allá del engaño, te sorprenderá lo grandioso que puede llegar a ser el éxito.

Aspectos positivos: renuncia al engaño del materialismo para acceder a una mayor comprensión del Espíritu; revelación de la energía vital del *kundalini*, e implicación del poder del mundo invisible, oculto tras lo visible; liberación del deseo; unión de las energías espiritual y sexual; práctica del tantra.

Aspectos sombríos: codicia, avaricia, obsesión por el dinero y el estatus social, egocentrismo, visión del mundo material como «la única realidad», lujuria, glotonería.

Afirmación: el Espíritu es la auténtica realidad. La luz me muestra al Espíritu detrás de todas las cosas materiales. Mis deseos son naturales y puros, y les doy una expresión por el bien mayor.

Influencia planetaria: Saturno.

Influencia numérica: 15.

LA ILUMINACIÓN SAGRADA

Mensaje oracular: están a punto de producirse cambios súbitos, así que «agárrate bien, que vienen curvas». Nada te hará daño, incluso a pesar de que el mundo a tu alrededor se muestre inestable y perturbador.

Aspectos positivos: cambios súbitos y estimulantes; alteraciones positivas; transformaciones revolucionarias e iluminadoras de los pensamientos y de las creencias; libertad frente a la servidumbre; oportunidades inesperadas; revelaciones místicas repentinas; liberación de la psique de su prisión; eliminación de la presión para permitir el nuevo crecimiento.

Aspectos sombríos: aprisionamiento a través del autosabotaje; falta de habilidad para permitir el crecimiento; mostrarse excesivamente controlador; violencia; tendencias abusivas; negativa a solar el material reprimido en la psique.

Afirmación: le doy la bienvenida al cambio. Me siento siempre seguro y a salvo. Permito que las nuevas ideas y creencias me iluminen. Estoy dispuesto a ver el mundo desde un punto de vista más alto y beneficioso.
Influencia planetaria: Plutón.
Influencia numérica: 16.

LA GRAN ESPERANZA

Mensaje oracular: te encuentras en una situación esperanzada y optimista, porque has superado un largo período de pruebas y tribulaciones; trata de ganar confianza. También es un momento apropiado para ayudar a los demás, si les hace falta; sobre todo a aquellos necesitados de tu visión esperanzada e inspirada. Es tiempo de soñar con proyectos nuevos y de llevarlos a cabo. Confía en el proceso de la vida, y verás un atisbo de la verdad que será como una chispa de luz en el túnel; la mágica promesa de una nueva vida. Este patrón es también una señal que pretende advertirte de que esperes un tiempo entre la visión y la ejecución. Deja que las cosas se te vayan revelando a su debido tiempo; no las apresures, no ejerzas presión. Cree, y todo saldrá bien.

Aspectos positivos: optimismo; curación psicoespiritual; altruismo; calma interior; capacidad de sentir al Espíritu unificado en toda forma de vida; conexión consciente con la luz; gnosis; la alegría de vivir desde una perspectiva más amplia de la vida y desde una percepción espiritual; vitalidad restaurada; visiones nuevas; nuevos horizontes que explorar con confianza.

Aspectos sombríos: inseguridad, pesimismo, obsesión por el trabajo, rechazo de cualquier tipo de descanso, codependencia, dudas acerca de uno mismo.

Afirmación: veo al Espíritu en todas las formas de vida y lo celebro con alegría. Estoy siempre exactamente donde necesito estar. La vida me inspira, y yo inspiro vida. Allí donde queda aliento, hay esperanza.

Influencia planetaria: Urano.

Influencia numérica: 17.

TIEMPO DE SOÑAR

Mensaje oracular: es el momento de prestar atención a tus sueños, visiones y experiencias psíquicas. Una realidad más alta te está hablando sin haberlo solicitado, de modo que recibes los mensajes del Espíritu. Tienes que descifrar dichos mensajes e internarte en tu interior para encontrar en ellos las respuestas. Además es el momento de enfrentarte a tus miedos y pesadillas y de arrojar luz sobre ellos, porque el miedo solo es «una falsa evidencia que se presenta como real». Siempre estarás protegido, y siempre serás capaz de elegir el bien por encima del mal. Ambas son como criaturas hambrientas: ¿a cuál vas a alimentar? Una de ellas será tu mejor aliado; la otra te destruirá. Recuerda siempre que no tienes nada que temer, más que al miedo mismo. Sueña, y sueña bien... la sabiduría de todos los mundos vivos está abierta para ti.

Aspectos positivos: experiencia de la inconsciencia colectiva a través de los sueños, que da lugar al enfrentamiento a los miedos primarios por medio de la imaginación; despertar psíquico; el poder de discernir los más profundos niveles del ser; el poder del mito vivo, que nos devuelve la sabiduría de la realidad no-ordinaria; acceso consciente a mundos paralelos; visitas de ángeles; conexión con el reino de la fantasía.

Aspectos sombríos: terror a lo desconocido y manifestación de ese miedo dentro de la realidad; incapacidad para discernir la fantasía de la realidad; confusión psíquica; carencia de pensamiento simbólico; la cara oscura del engaño y la ilusión; obsesión.

Afirmación: confío en mi intuición y escucho los mensajes de mi alma. Para mí resulta fácil navegar por el mundo del sueño, porque siempre conozco el camino de vuelta. La realidad consta de muchas facetas, todas las cuales son creaciones sagradas de lo Divino.

Influencia planetaria: Luna.

Influencia numérica: 18.

LA LUZ

Mensaje oracular: el mensaje aquí es que tú tienes el poder para crear y manifestar tus sueños. Has recibido más de lo que necesitas, y si haces un esfuerzo proporcionado a tu meta, el éxito es seguro. Pero, ¿qué es el éxito?, ¿lo sabes tú? Ha llegado el momento de acceder a la más alta verdad sobre la vida, y cómo la vives. Todo es luz; esa es la verdad. Y sin duda vas por el buen camino para recuperar esa luz interior, de manera que el todo pueda ser restaurado en la unidad. Este patrón es también una señal de júbilo, porque has alcanzado un nuevo nivel de expresión que le permite a tu luz interior brillar en el mundo por el bien mayor.

Recuerda que tu alma es eterna, pues jamás nace y jamás muere; y cuando contemples toda la vida encarnada en el mundo desde la primera creación, verás infinitos parpadeos intermitentes de luz... luz, oscuridad, luz, oscuridad. En ese breve momento de tu participación en la danza infinita, ¿sabes cómo brillarás?

Aspectos positivos: iluminación; felicidad; energía y fuerza vital; recibir más de lo que se necesita, creando así abundancia y prosperidad con facilidad; manifestación sin esfuerzo; capacidad para el pensamiento lúcido; visión deliberada; comprensión clara y directa del propio propósito: restaurar la luz-Dios interior para avanzar en la unidad del todo.

Aspectos sombríos: arrogancia, vanidad, soñar y no actuar, retraso del éxito.

Afirmación: estoy satisfecho más allá de toda medida. Para mí no supone ningún esfuerzo manifestar con claridad e iluminación por el mayor bien de todos. Solo espero cosas buenas, y solo cosas buenas vendrán. La luz de mi interior sabe siempre el camino, y cuál es la siguiente acción correcta a ejecutar.

Influencia planetaria: Sol.

Influencia numérica: 19.

EL ÁNGEL

Mensaje oracular: cuando aparezca el ángel, se te pedirá que sigas tu inspiración y que te permitas manifestarla sin juzgarla. Todos oímos una llamada, y ya es hora de que escuches la tuya. No hace falta que se trate de un gran gesto. Quizá seas llamado a ayudar a una vecina, a escribir canciones que inspirarán a otras personas, o a aprender a ser un sanador. De un modo u otro, sea tu propósito grande o pequeño, la llamada del ángel te otorgará un toque de gracia Divino. Además ha llegado el momento de que te perdones a ti mismo y a los demás, y de que te liberes de los grilletes de la negatividad. La libertad solo es posible cuando te dejas llevar y escuchas ese plan más alto. En tu vida opera la sincronicidad Divina, así que presta atención y sigue las señales. El ángel está susurrando tu nombre para que hagas el bien en el mundo.

Aspectos positivos: una llamada interior profunda hacia el cambio; el don de la gracia inmerecida; perdón radical; transformación total; evidencia de un despertar espiritual; libertad total de la adicción y la compulsión; buen juicio moral; expresión del auténtico yo; mejora de las circunstancias; ayuda del cielo; renacimiento.

Aspectos sombríos: falta de capacidad para tomar decisiones; estancamiento; comportamiento compulsivo; resentimientos; envidia.

Influencia planetaria: Sol.

Influencia numérica: 20.

UNIDAD

Mensaje oracular: es el momento de identificarse con los demás en lugar de compararse con ellos. En lo que se refiere a tus metas y aspiraciones, es hora de adoptar una perspectiva más amplia. ¿Qué impacto tendrán tus actos en los demás? Ve más allá de tu yo individual y observa la totalidad del planeta vivo y la consciencia colectiva. ¿Tus creencias y actitudes apoyan la vida? Si no es así, ya es hora de que hagas un repaso.

Este patrón es signo también del éxito en la terminación de una tarea, lo cual indica que es cierto que has atravesado un ciclo de vida y que te trasladas a un nivel más alto de consciencia y existencia. Esto a su vez es indicativo de una gran fuerza, humildad, autenticidad, paz y compasión por todo, y de que eres capaz de ver a través de los nítidos ojos del Espíritu como tu fuente principal de visión. Celebra tu vida como un regalo de lo Divino. Toda vida es sagrada, y tú eres una parte del flujo eterno de energía elegido para expresar la gloria del Espíritu.

Aspectos positivos: integración en el todo; conocimiento y sabiduría; escuchar al universo como si se tratara de una canción y una voz de vida; la unificación del Espíritu en la materia; éxito; cumplimiento y satisfacción; unidad en la diversidad; creación de la luz; terminación de un ciclo; progreso en espiral; eternidad; inmortalidad; unidad dentro de la Trinidad (Padre, Hijo y Espíritu Santo; Dios, Diosa y Naturaleza; padre, madre e hijo; etc.).

Aspectos sombríos: el engaño de la separación, la resistencia al cambio, el prejuicio racial.

Influencia planetaria: Saturno.

Influencia numérica: 21.

EL GRAN MISTERIO

Mensaje oracular: el Dios Fuerza jamás podrá ser conocido o comprendido por la humanidad. Hay un Dios detrás de todos los rostros de lo Divino que es inefable, omnisciente, omnipotente e incognoscible. Dios es el Padre, y también es la diosa y la madre. Y sin embargo esta es solo una versión de Dios, y no es toda la verdad. La consciencia y el despertar de la verdad espiritual solo se pueden experimentar; es imposible enseñarlas a través del dogma, aprendido al pie de la letra. El gran misterio solo puede ser conocido por el alma; las limitaciones de una mente analítica jamás lo comprenderán. Será siempre un misterio hasta el momento en que lo experimentes y actúes en consecuencia. Procura estar presente en el mundo y no fuera de él, y pórtate como si el Dios de toda vida sí tuviera importancia.

Solo el corazón eterno, el único amor, conoce el camino hacia el gran misterio y es la respuesta a él. Sé amor hoy. Tendrás que caminar con fe a partir de ahora, y saber que el misterio se te revela con arreglo a sus propios términos, y no porque tú se lo exijas.

Todos los aspectos están unificados; no hay separación entre lo positivo y lo negativo.

Afirmación: todo es uno. Todo es amor. Todo está bien.

Influencia planetaria: todas ellas; el universo; el multiverso; la realidad ordinaria, la no ordinaria, la local y la no local; el espacio; el tiempo; todo lo conocido y lo no conocido.

Influencia numérica: 22.

EL JARDÍN DE GAIA

Mensaje oracular: tú perteneces a la tierra; estás hecho de su misma esencia, como todo lo que existe aquí, en este planeta. Por eso eres el hijo de Gaia; el retoño de la gran madre que provee de sustancia Divina para llenarla con el Espíritu. Cuando comprendas tu relación con este patrón, sabrás cuál es tu responsabilidad para con cada uno de los seres vivos de la Tierra. Estar aquí y experimentar la manifestación del mundo material es un privilegio. Acuérdate de que eres uno con todo el mundo natural, que compartes con muchas otras formas de vida. Nos aseguraremos la abundancia y la fructificación del jardín siempre y cuando conozcamos el papel que debemos jugar y nos comprometamos a realizar nuestra parte para sostener toda forma de vida. Hemos de reconocer al Espíritu en el interior de cada ser, no solo de los humanos, de modo que los consideremos como iguales. Es imprescindible tu amor y consideración hacia Gaia y hacia todos sus hijos. De esta manera el éxito es seguro en todas tus empresas.

Aspectos positivos: reverencia por la naturaleza; comunidad sostenible; compasión; empatía; vivir en «verde», ecológica y espiritualmente; comer con consciencia; respirar con amor y gratitud.

Aspectos sombríos: contaminación a base de basura; malgasto; abuso animal; consumo excesivo de agua; vivir de forma inconsciente, como por ejemplo utilizando pesticidas y acabando con los recursos naturales.

Afirmación: estoy agradecido por mi vida, y cumplo con mi parte para conservar y curar al planeta. Me siento agradecido por los alimentos que tomo; bendigo a las plantas y a los animales que me han ofrecido sus preciosas vidas para que yo pueda prosperar. Trato a todas las formas de vida con respeto y consideración. Tomo solo aquello que necesito, y procuro siempre devolver algo a cambio.

Influencia planetaria: Tierra.

Influencia numérica: 23.

OCEANÍA

Mensaje oracular: el agua es la sustancia más preciosa de la tierra. Tiene el poder de transformarse de un estado a otro, y de volver al original sin perjuicio alguno. Rodea grandes obstáculos con facilidad, y puede crear una barrera lo suficientemente imponente como para hundir un barco enorme. El agua sostiene toda la vida y es la sustancia predominante en tu interior. Regula las emociones, y es un símbolo poderoso de los sentimientos más hondos. En su sentido más profundo, el agua es el símbolo de la fe en lo Divino.

Este patrón es una señal para que te muestres flexible; para que te dejes llevar por la corriente, y confíes en que todo pasa de un estado a otro. Presta atención a tus sentimientos; vívelos, y después permite que desaparezcan como los ríos fluyen hacia el mar. Ten fe, y estarás exactamente donde tienes que estar.

Aspectos positivos: cuentas con una gran capacidad para el cambio; no ofreces resistencia; estás presente en el aquí ahora; expresas saludablemente tus emociones; dominas el arte del permitir.

Aspectos sombríos: rigidez, frigidez, resentimientos, vivir en el pasado o en el futuro, comportamiento obstinado, incapacidad para dejar pasar, falta de fe.

Afirmación: yo siempre fluyo con la corriente. Para mí es fácil vivir mis emociones y dejarlas pasar. Tengo el poder de transformar mi vida. Todo va bien si acepto por completo la corriente de la voluntad Divina a través de todos los aspectos de mi vida.

Influencia planetaria: Neptuno.
Influencia numérica: 24.

El artista

Mensaje oracular: el Espíritu es la auténtica esencia oculta tras cada instante de tu experiencia; todo lo que cumples y terminas es resultado de tu co-creación con lo Divino. Los verdaderos signos de que te encuentras alineado con el artista o la fuerza creadora del Dios de tu interior son la pasión, el amor y la autenticidad. En cada instante que pasas en esta Tierra eres invitado a despertar a la verdad de que en tu interior yace un extraordinario poder afirmador de la vida, capaz de crear una existencia bella y próspera.

¿Realizas actividades por las que sientes pasión? Porque ya es hora de hacerlo; pero ten cuidado y no te obsesiones con los resultados. Solo cuando haces aquello que te encanta impulsado por tu propia pasión, sin pedir nada a cambio, el Espíritu es exaltado. También es importante estar plenamente presente y ser consciente de que toda actividad es una co-creación con el Espíritu; incluso cortar las verduras o limpiar la casa. Haz de todo lo que hagas un acto sagrado, y tu propósito como co-creador con lo Divino quedará cristalinamente claro. Si encuentras impedimentos, quizá sea un signo de que no estás utilizando todos tus dones, o de que careces de gratitud por todo lo que tienes.

Este patrón es una señal de éxito en todos los proyectos creativos que sirvan a un bien mayor.

Aspectos positivos: destreza artística por sí misma; consciencia creativa; aceptación total; rendición ante la verdad de tus circunstancias presentes; atención vibrante; amor a todo lo que existe; valentía y autenticidad.

Aspectos sombríos: apego del ego a la fama; necesidad de aprobación; actos inconscientes; falta de concentración; aburrimiento; negativa a aceptar las circunstancias en las que te encuentras; sensación de tener derecho; artificio.

Afirmación: estoy agradecido por todo lo que hago. Todo en mi vida es un reflejo de mi asociación con lo Divino. Estoy entusiasmado por cocrear hoy con el Espíritu. Me siento encaminado por el poder creativo del Espíritu, así que dejo que me guíe hacia mi bien mayor. Le doy la bienvenida a su guía suprema.

Influencia planetaria: Mercurio.

Influencia numérica: 25.

El padre tiempo

Mensaje oracular: el tiempo es la ilusión temporal de la experiencia de la vida en la Tierra. Pierdes todo tu poder y te desempoderas cuando gastas excesiva energía en rumiar acerca del pasado, o alimentas una fijación sobre un momento determinado del futuro. Ninguna de esas dos cosas es lo que tú eres en realidad; se trata solo de historias que ya se han contado, o que todavía tienen que contarse. El auténtico destino, el poder, y el propósito personal se experimentan únicamente cuando se está por completo presente en el aquí y ahora. El Espíritu nos pide que seamos plenamente conscientes de este momento, y que vivamos el ahora sean cuales sean nuestras metas, potencialidades y errores pasados. Deja atrás el pasado y olvídate del futuro, porque los éxitos se cosechan solo en el aquí y ahora. No importa ningún otro tiempo, porque todo es eterno y atemporal.

Aspectos positivos: vivir en el momento presente; paciencia; habilidad para concentrarse en las experiencias del momento; conciencia plena; estar en paz; conciencia de la atemporalidad; recuerdos de vidas pasadas.

Aspectos sombríos: fijación en el pasado o en el futuro a expensas del momento presente, conservando los patrones de victimismo consciente; obsesión por la edad; fantasías acerca de oportunidades futuras no sustentadas por tus actos; necesidad obsesiva de conocer el futuro (abuso oracular).

Afirmación: el futuro se crea siempre en el ahora. El auténtico poder reside en el presente infinito. Suelto el pasado y el futuro, y estoy en paz. Vivo por completo el presente. En el ahora soy libre, y soy uno con el Todo Que Es en este momento, que es la eternidad.

Influencia planetaria: todos los aspectos posibles del multiverso, de los universos paralelos, y de las multi-dimensiones.

Influencia numérica: 26.

CAPÍTULO 17

Guía de los portadores de las señales sagradas

ESTA GUÍA TE PROPORCIONARÁ un esbozo breve de quiénes son los portadores de las señales sagradas, tanto los animados y conscientes como los inanimados. Aquí te procuramos sus significados tradicionales, pero es posible que tú cuentes con tu propia experiencia o recuerdo kármicos, que les otorgarán un sentido personal alternativo. Por ejemplo, un cangrejo puede representar la capacidad para evitar un problema o la protección del caparazón; pero si has nacido bajo el signo astrológico de cáncer, entonces quizá solo señale el mes de tu nacimiento, un acontecimiento próximo a la fecha de tu cumpleaños, o simplemente las cualidades de un cáncer. El asunto aquí es que se te invita a comprender el sentido con tu propio lenguaje, que vive dentro de la consciencia colectiva.

Las deducciones de esta guía son universales; en ellas se escuchan y comprenden todas las voces como partes de una sola canción. Eso es el universo: una canción, una luz, una consciencia; todo ello en el interior de un Espíritu. Todos estos portadores de señales sagradas forman parte de la única lengua común del Espíritu. Aunque te topes físicamente con ellos en una experiencia sincrónica, como por ejemplo encontrarte de hecho con un lobo en el bosque, el propósito esencial de esas visitas del lobo durante la meditación es siempre proporcionarte su consciencia.

O si ves símbolos en una nube o una taza, sus mensajes comparten la misma alma en la esencia más grande del Espíritu. Todo es consciencia; incluso tú. Gracias a que tú observas el mundo, este puede existir e interactuar contigo. Tu consciencia es tu alma, que existe en el Espíritu igual que la consciencia de los portadores de las señales sagradas. Incluso aquellos seres a los que consideramos inanimados, como las rocas, contienen la energía de la fuerza vital. De esta forma todas las señales, presagios, mensajes oraculares, mensajes en general y adivinaciones, forman parte de la lengua viva de la consciencia universal, que es el Espíritu; el aliento del Dios, oculto detrás de todos los dioses, que proporciona vida a las infinitas posibilidades. Todos son espejos.

Te animo a que explores esta guía en detalle, y a que te dirijas después a la bibliografía para continuar con más lecturas. He procurado intencionadamente expresar el sentido de cada uno de los portadores de señales sagradas con el mínimo de palabras; de esta forma obtienes una descripción que será como una llave para abrir las puertas del interior de tu consciencia, lo cual te permitirá encontrar un significado más profundo en el marco de tu experiencia personal, además del universal.

Sobre la tierra

Alce americano: larga vida, habilidad como médium, el ciclo de la vida y la muerte.
Antílope: acción, energía, gracia, ligereza.
Araña: creatividad, escritura, costura.
Ardilla: preparación, ahorro, almacenamiento, multiplicidad de recursos.
Armadillo: límites, protección, armadura, defensa frente a la invasión.
Búfalo: respuesta a las plegarias, gratitud, abundancia.
Caballo: poder, aceptar la ayuda de los demás, delegar la autoridad, viaje al extranjero.
Cabra: ambición, capacidad para escalar, pisar fuerte.

Canguro: llegar al objetivo, progreso asegurado.

Carnero: centrarse en el ego, autoconsciencia, iniciación exitosa de los nuevos comienzos, esfuerzo masculino.

Castor: plenitud, construcción o terminación de los proyectos, actuar en base a los sueños, manifestar.

Cebra: pensamiento fundado en los opuestos; blanco y negro, dualidad, la fusión de los opuestos.

Cerdo: confrontación, argumentaciones resueltas por medio de la inteligencia.

Ciervo: diplomacia, suavidad, amabilidad; una forma delicada de ser.

Comadreja: astucia, disimulo, movimientos calculados, actuar entre bastidores.

Conejo: miedo, salir corriendo, necesidad de confiar, no confiar.

Coyote: bromista, embaucador, carcajadas, burlas, buen humor entre los amigos, lecciones ocultas.

Cucaracha: indestructibilidad, éxito contra todo pronóstico.

Elefante: memoria, buena suerte, fuerza y poder en comunidad, realeza.

Escarabajo: buena suerte, renovación, resurrección.

Gato: independencia, gracia, agilidad, otra oportunidad más.

Gato montés: escucha intencionada, discreción, secretos, guardar secretos.

Grillo: invitación a hablar, haciendo una llamada telefónica.

Hormiga: paciencia, trabajo en equipo, laboriosidad.

Jaguar: integridad e impecabilidad, intenciones claras.

Jerbo: descanso, retiro, soledad dedicada a la regeneración.

Jirafa: visión de lejos, altura, altos logros.

Koala: sensibilidad, necesidad de aislamiento.

Lagarto: desapego, soñador, visión creativa.

León: orgullo, consecución orgullosa de los éxitos, generosidad.

Leopardo: justicia rauda, claridad de visión.

Lince: véase gato montés.

Lobo: maestro, buen orden social, líder de equipo, decisiones justas.

Lombriz de tierra: disfrutar de las lecciones después de la tormenta, oportunidades en la adversidad.

Mapache: multiplicidad de recursos, pillaje, hurto, disfraces.

Marmota: transformación, muerte sin morir.

Mofeta: autorrespeto, autoestima.

Mono: ingenuidad, curiosidad, versatilidad.

Morsa: cosas tangibles, dinero.

Oso: meditación, despertar del poder interior.

Pantera: dejar pasar el miedo, abrazar lo desconocido, darle la bienvenida a la incertidumbre.

Perro: lealtad, decencia, amor incondicional.

Puercoespín: inocencia, maravillarse, autoprotección mientras se exploran cosas nuevas.

Puma: la responsabilidad del liderazgo, el rey de la montaña.

Rata: inteligencia, éxito, astucia, cálculo.

Ratón: escrutinio, atención al detalle, concentración.

Rinoceronte: tradición y sabiduría antiguas, buscar las respuestas en el pasado.

Serpiente: curación, soltar el pasado, renovación.

Tejón: excavación profunda, comunicación indirecta, dificultad para herir.

Tigre: energía, pasión, dedicación solitaria, independencia.

Toro: cabezonería, rigidez, ganancias a través del sacrificio.

Uapití o ciervo canadiense: resistencia, fuerza, nobleza serena, autorrespeto.

Vaca: nutrición, satisfacción de las necesidades, amor maternal.

Zarigüeya: fingimiento, apariencias, máscaras y fachadas, ver a través de ellas.

Zorro: camuflaje, encanto, ingenio, insinuación, ser visible/invisible.

En el aire

Abeja: suerte, laboriosidad, dulce victoria, trabajo duro bien recompensado.

Águila: gran Espíritu, mente más alta, el *Yo Soy*, visión más amplia y sintetizada, visión desde una perspectiva más amplia.

Arrendajo azul o azulejo: imitación, tomar cosas de los demás, falta de honestidad, aprendizaje del auténtico uso del poder.

Avestruz: permanecer enraizado, coraje inquebrantable, resolución firme y tranquila, evitación (si tiene la cabeza metida en la arena).

Avispa: ira, represalia, advertencia para protegerse uno mismo.

Búho: engaño, autonegación, sabiduría procedente de la intuición, ver en la oscuridad.

Buitre: mala suerte, glotonería, celos, insensibilidad.

Canario: canto, música, cotilleo.

Cardenal: autoimportancia, poder patriarcal, conexión con la cristiandad.

Cigüeña: bebés, una nueva vida, nacimiento próspero.

Cisne: clarividencia, dones psíquicos, auténtica belleza interior, transformación.

Colibrí: realizar lo imposible, la dulzura del júbilo, diversión.

Cuervo: ley más alta, creación, poder oculto de lo invisible.

Cuervo grande o corneja: la magia de la sincronicidad, ritual ceremonial, curar desde la enfermedad.

Gallina: sacrificio, abundancia a través de la fertilidad, potencial interior.

Ganso: fidelidad, compromiso, matrimonio, positividad y éxito en la colaboración.

Garza: confianza en uno mismo, pensamiento independiente, supervivencia.

Gaviota: la capacidad de armonizar la realidad potencial con el éxito material, claridad.

Grulla: longevidad, guardar el secreto sobre las nuevas ideas, autoprotección.

Halcón: mensajero, carta, llamada telefónica, respuestas ya recibidas o de camino, tutela.

Libélula: conexión con el dominio de las hadas, ver a través del engaño.

Loro: individualidad, autoexpresión creativa.

Mariposa: belleza, fragilidad, júbilo, transmutación.

Mariquita: despreocupación, buena suerte, soltar las preocupaciones.

Mirlo: presagio positivo, falta de inhibición, amor, consciencia espiritual por encima del ego.

Mosca: bajeza de ideas, falta de valía, resentimientos a la hora de ser curado, despejar las estupideces y errores emocionales.

Murciélago: transformación, muerte y renacimiento, enfrentarse al miedo, momento de transición.

Paloma: paz, profecía, duelo.

Pato: comodidad, apoyo emocional, conexión con la familia y amigos.

Pavo: compartir, causa y efecto, el fluir de la energía que asegura la prosperidad.

Perdiz: abundancia en la comunidad, familia, devoción, armonía en el grupo.

Petirrojo: nuevo crecimiento, oportunidades positivas, progreso a salvo, consciencia de Cristo.

Pulga: parásito, coger sin dar a cambio, oportunismo.

Somormujo: esperanzas y sueños reavivados, rechazo del compromiso, sueños que se hacen realidad.

Urogallo: consciencia más alta, actuar en conexión con la fuente, iluminación personal.

Urraca: oportunidades para progresar, impetuosidad, escrúpulos, revelación del poder oculto.

Del agua

Ballena: conexión con la memoria ancestral, inconsciente colectivo.

Camaleón: adaptabilidad.

Cangrejo: acción indirecta, sensibilidad oculta, evitar problemas.

Cocodrilo: flexibilidad, no enjuiciamiento, acción integradora y bien pensada.

Delfín: juguetón, seductor, espontáneo, comunicación telepática.

Esponja: educación, aprendizaje, absorber nuevas ideas.

Foca: imaginación, concentrarse en los sueños manifiestos, claridad de propósito.

León marino: fuerza masculina, nadar incluso en medio de las turbulencias.

Nutria: juguetona, cariñosa, naturaleza amorosa, feminidad.

Pez: abundancia y prosperidad aseguradas, dualismo.

Pingüino: resistencia a pesar de las condiciones, sueño lúcido.

Pulpo: posesividad, destreza, habilidad para la multitarea.

Rana: limpieza, limpiar la casa (en sentido literal y figurado).

Tortuga: lentitud y equilibrio, conexión con la energía de Gaia (la madre Tierra).

Árboles

Abedul: eliminar las viejas ideas, renovación profunda y purificadora, nuevas dimensiones de la consciencia, un nuevo comienzo.

Acacia: saber cómo dejar morir algo para que otra cosa nueva ocupe su lugar; muerte mística y renacimiento de la psique.

Acebo: claridad de propósito, sacrificio personal, calma, diplomacia.

Álamo o chopo: llega la ayuda para manifestar los sueños.

Álamo temblón: enfrentarse a las dudas interiores, el amor vence al miedo.

Aliso: visión profética, fusión de la fuerza y el coraje con la compasión y la generosidad.

Arce: equilibrio masculino/femenino.

Avellano: inspiración a través de la meditación, condensar el conocimiento en sabiduría, comunicación, enseñar y aprender.

Bambú: suerte, prosperidad, equilibrio.

Brezo: sacrificio; rendir cuentas por todos nuestros actos; equilibrio entre la autoexpresión, el libre albedrío y el discernimiento.

Cactus: fuerza y resistencia en cualquier circunstancia.

Cedro: protección y limpieza.

Cerezo: nuevos despertares y visiones.

Ciprés: comprensión del karma, sabiduría procedente de la adversidad.

Endrino: es el momento de enfrentarse a nuestro yo más sombrío, que produce dolor en los demás, autosabotaje.

Espino blanco: fertilidad, creatividad, hacer el amor, conexión con las hadas.

Eucalipto: conexión clara con el Espíritu, claridad de pensamiento y en los sueños.

Fresno: fuerza y sabiduría, consciencia de la conectividad, pertenecer, llenar ese hueco interior con la forma de Dios.

Haya: escritura, la forma del lenguaje, llevar un mensaje, tolerancia, oración.

Hiedra: el ciclo de la vida y la muerte; la búsqueda de la iluminación; la advertencia para no dejarse pillar en una situación que podría suponer una pérdida de poder.

Higuera: prosperidad construida sobre la comprensión del pasado.

Lilo: clarividencia, equilibrio entre el intelecto y el Espíritu.

Limonero: amor y amistad, lavar las viejas heridas.

Madreselva: resistencia, adaptabilidad.

Magnolio: prueba de fe.

Mango: sensibilidad; necesidad de controlar la hipersensibilidad; alta intuición/telepatía.

Manzano: compartir alegremente; señal positiva de curación; la ley de la atracción; cosechas lo que siembras.

Melocotonero: belleza artística, longevidad.

Muérdago: romance, amor, sexualidad femenina.

Naranjo: soltar el miedo, curar profundas heridas emocionales.

Nogal americano: persistencia.

Nogal: la libertad que se conquista al iniciar una transición.

Olivo: paz y armonía.

Olmo: confianza en la intuición.

Palmera: protección.

Pícea: serenidad, la necesidad de calma y protección.

Pino: visión de futuro y necesidad de objetividad; despertar del corazón y de lo Divino interior; soltar la culpa.

Retama: purifica tus actos, pon orden, autocuidado radical.

Retamo espinoso o tojo: gran optimismo, fe, el sol, esperanza que surge de la decepción.

Roble: resistencia, manifestación competente.

Sauce: rendirse a la emoción, soltar la tristeza, emociones estancadas que necesitas expresar, revelación de cosas ocultas, despertar del subconsciente.

Saúco: muerte, autoevaluación rigurosa.

Secuoya: sabiduría intemporal, nuevas perspectivas extraídas de una visión antigua.

Serbal: autocontrol, desarrollo del discernimiento, sabia discriminación.

Sicomoro: nutrición, belleza, admiración.

Tejo: trascendencia, resurrección, renacimiento, suma de toda la sabiduría.

Yuca: ser único, sabiduría, fuerza en la madurez.

Flores y plantas

Ajo: protección psíquica.
Albahaca: disciplina y dedicación.
Aloe: es tiempo de curar, capacidad para sanar a los demás.
Amapola: dormir, hora de descansar.
Angélica: comunicación angelical.
Begonia: compromiso y actividades enriquecedoras.
Boca de dragón: asertividad, dependencia de uno mismo, acción protectora.
Botón de oro: autovalía, empatía, compasión.
Campanilla: espontaneidad.
Clavel: nuevo amor, profundización de los afectos.
Crisantemo: vitalidad, fuerza vital joven.
Diente de león: mirar más allá de la superficie.
Franchipán: necesidad de establecer metas más altas.
Gardenia: telepatía.
Geranio: nueva felicidad.
Girasol: felicidad, regocijo, bailar.
Gypsophila: suavidad, modestia.
Hibisco: libido, energía sexual.
Hierbabuena: confiar en las energías protectoras.
Jacinto: superar los celos.
Jazmín: sueños proféticos.
Lirio atigrado: superar emociones básicas.
Lirio o azucena: humildad, empatía.
Lirio: nacimiento, la paz restaurada.
Loto: conocimiento espiritual más alto.
Maíz: nueva abundancia y prosperidad aseguradas.
Margarita: espiritualizar el intelecto, conexión con las hadas y los espíritus naturales.
Narciso: belleza interior, autocuidado.
Nenúfar: riquezas tangibles y dinero.
Orquídea: seducción, sensualidad.
Peonía: habilidades artísticas potentes.
Petunia: entusiasmo, energía.
Romero: positivismo.

Rosa: amor, conexión del corazón.
Salvia: comunicación con el Espíritu, adivinación, consciencia más alta.
Tabaco: oraciones respondidas.
Tulipán: confiar en el propio esfuerzo.
Vara de oro de Canadá: concentración positiva, energía para terminar los proyectos.
Violeta: suerte, buena fortuna.
Zinnia: el coraje obtiene sus frutos.

Criaturas mágicas

Ángel: protección, guía, señal del Espíritu.
Cupido: romance, amor, compañerismo.
Dragón: fuerza de voluntad, poder, protección, oposición.
Duende: ego herido, negatividad.
Elfo: diversión, desenfado.
Enano: cimientos sólidos, movimiento lento.
Fénix: renacimiento y fuerza tras una gran pérdida.
Hada: ideas inspiradas, pasar un tiempo en la naturaleza.
Unicornio: inocencia, actuar basándose en la pura fe en lo Invisible.

OBJETOS CORRIENTES Y SÍMBOLOS RECONOCIBLES

Se trata de objetos que se explican por sí mismos y cuyo sentido adivinatorio es claro. Debemos verlos como una participación del Espíritu en nuestras vidas, ya que reflejan de forma simbólica o literal nuestras circunstancias. Conforme comiences a comprender el lenguaje metafórico del Espíritu, tu consciencia se expandirá y revelará un aspecto más profundo de la vida del que estás acostumbrado a ver en lo material. Acuérdate de que el mundo entero tiene alma. Hay un gran espíritu implícito incluso en los objetos hechos por los humanos.

A continuación ofrecemos una breve lista con ejemplos de formas, imágenes, objetos reales y acontecimientos que pueden revelarse a sí mismos en el mensaje oracular, presagio o señal.

Van acompañados de las interpretaciones universales más escuetas y concisas posibles, que te permitirán despertar tu propia experiencia sobre cómo aplicar el mensaje de estos objetos a tu vida. Y puede que quieras redactar tu propia lista de cosas con un significado especial para ti, además de usar los anotados aquí.

Recuerda que cuando el Espíritu utiliza el lenguaje simbólico para hablar contigo, la conversación puede tener lugar de muy diversas formas. Puede que veas señales y símbolos a través de la visión periférica, por el rabillo del ojo, o contemplando las nubes; o quizá tus sentidos se amplifiquen mientras lees el periódico o ves una película. Es posible que veas una imagen repetidamente a lo largo de varios días, quizá mientras conduces, escuchas la radio o permaneces sencillamente sentado en plena naturaleza.

Por ejemplo, si ves un cuervo por la televisión y después notas intuitivamente su presencia otra vez sobre una rama frente a tu casa, detectas el apellido *Cuervo* en la firma de alguien, y por último sueñas con uno, entonces es que estás recibiendo una señal para prestar atención a las sincronicidades mágicas que se alinean en tu vida para señalarte la dirección de tu camino más alto.

He aquí un vocabulario para comenzar a explorar el lenguaje del Espíritu. Lleva un registro de las señales y añade tus propios símbolos conforme abres la conversación. Te sorprenderá lo parlanchín que es el Espíritu.

A

Abuela: mujer sabia, arpía, deidad femenina, sabiduría.
Abuelo: hombre sabio, sabiduría ancestral.
Acantilado: estar al borde de algo, prestar atención a los propios pasos (ser cauteloso), un cambio fundamental.
Agua: emociones; consciencia; fluidez; la necesidad de mostrarse flexible y de seguir la corriente.
Agujero: salida de una dimensión a otra; puro potencial; el misterio incognoscible de la vida; defecto o herida en el tejido de la realidad.
Alas: volar por el aire; protección angelical; superarás las dificultades.

Alimento: nutrición, abundancia.

Altar: autosacrificio, un lugar de adoración y de ritual.

Amarillo: poder personal, inteligencia, pensamiento analítico.

Amatista: te guarda frente a la intoxicación, protege el tercer ojo, y es señal de desarrollo psíquico.

Ancla: permanecer en casa, sentir la seguridad del propio entorno, alguien planea mantenerte en un lugar determinado.

Anillo: matrimonio, compromiso matrimonial, eternidad, contrato.

Árboles: la vida de todas las cosas, desde la primera chispa de la semilla hasta el retoño del árbol joven; coherencia; regeneración; antigüedad; el representante del Espíritu, prestándole vida a la materia; vida eterna.

Arca: preservación y protección de lo material y lo espiritual, viaje a salvo a través de las turbulencias del tiempo, renacimiento asegurado.

Arco iris: el alivio prometido tras las experiencias tormentosas.

Arena: el paso del tiempo; la insignificancia; la humildad; ser uno entre muchos; pequeñas molestias que pasarán.

Arenas movedizas: situación insostenible, peligros futuros imprevistos, sensación de opresión, necesidad de ser cuidadoso con los propios actos y con nuestra dirección.

Armario: ocultar algo, timidez, una llamada para salir afuera.

Arpa: el acompañamiento de los ángeles, un puente entre el cielo y el mundo mortal.

As: tienes un as en la manga y ni siquiera lo sabes; es una señal de talento y de éxito asegurado.

Ascensor: transporte entre los estados de consciencia; subir o bajar en una determinada situación.

Avión: viaje por aire, libertad, se te revelarán grandes e inspiradas ideas.

Azul: es el color del chakra de la garganta; comunicación de todas las formas posibles (necesidad de hablar a alguien acerca de algo en concreto).

B

Bañera: es hora de atar los cabos sueltos, de purificarse uno mismo, o de aclarar la situación.

Barca: ser llevado a un lugar seguro; explorar cosas nuevas sin miedo; abandonar una situación y marcharse lejos navegando; si te hundes, salta de la barca y nada hasta ponerte a salvo.

Barquero o enterrador: terminar los proyectos; prestar atención a los detalles; atender a los cabos sueltos; los finales; el potencial de una nueva vida.

Basura: hay algo que tienes que arrojar fuera de tu vida; algo ha perdido su utilidad y no presta ya ningún servicio; carencia de integridad.

Bebé: cosas nuevas y maravillosas, inocentes y sin mácula; embarazo; signo de la nutrición y de la tendencia hacia nuevos proyectos e ideas; ser una novicia en algo.

Bellota: simboliza una idea nueva con un poder y un potencial sagrado para la transformación a largo plazo.

Blanco: Espíritu; pureza; virginal; intacto; despejado.

Bomba: situaciones explosivas que ahora mismo exigen una protección personal especial; ser consciente de las posibles reacciones explosivas que puedan destruir algo en el proceso.

Bosque: naturaleza; un refugio; crecimiento y fertilidad; la necesidad de encontrar una dirección, lo cual nos indica que hay que esperar a otra señal.

Botas/zapatos: alguien te trata con desconsideración; es hora de apartarse de algo.

Botella: examina el contenido de tu vida (alegría o confusión), vacíala de lo que ya no quieres; tienes que «tomarte tu medicina»; alcoholismo.

Bruja: mujer sabia, curandera, maga, alineación espiritual con las fuerzas naturales.

C

Caja: es necesario apartar algo o contenerlo; un lugar a salvo; estar encerrado.

Calabaza iluminada de *Halloween*: símbolo del otoño; conexión con la consciencia inmortal de un ser querido que ha fallecido.

Cama: subconsciente activo; necesidad de descanso; potencial para la enfermedad; presta atención a tu cuidado y bienestar personal, y en particular al contenido de tus sueños.

Campana: energía creativa suspendida entre el Espíritu y la materia; música y creatividad; una llamada para manifestar tus sueños de felicidad.

Capa: motivos disfrazados; comprueba tus propios motivos; va a producirse un milagro (solo si se parece a la capa de Supermán).

Capirote: estupidez, educación, hora de estudiar algo.

Capucha: invisibilidad, propósito sagrado, compromiso con una perspectiva más alta.

Capullo: período de espera durante la preparación de algo; un lugar seguro en el que refugiarse.

Carámbano: emociones que se disuelven; cambio emocional positivo.

Carretera: el viaje mismo; permanecer fiel al propio camino; el auténtico despliegue del destino; destino y libertad.

Carta: comunicación directa, mensaje.

Cartera: valor oculto; talentos aún no expresados; popularidad personal y propósito vital; abundancia; prosperidad; pobreza voluntaria (si está vacía).

Casa: véase hogar.

Castillo: tesoro bien protegido, alcanzar una meta y ser un líder (rey/reina del castillo).

Cebolla: eliminar las capas de uno mismo para llegar al Espíritu; una situación que puede provocar lágrimas.

Cementerio: muerte, dejar atrás todo aquello que ya no necesitamos, circunstancias que ya no prevalecen, finales.

Cera: sustancia sobre la que se basa la iluminación; conocimiento que permite la inspiración; maleabilidad; es posible cambiar o moldear algunas circunstancias.

Cesta: presta atención a lo que llevas dentro.

Ciénaga: estar enredado o empantanado; cansado; confuso; pasar a la acción haciendo algo fuera de la rutina habitual.

Cinta métrica: medir y comparar tus intenciones con tus actos; es hora de hacer un inventario de tus pensamientos y actos, y de hacer las paces si fuera necesario.

Coche: deseo de viajar, movimiento inminente, movimiento en general.

Cometa (juguete): el yo más alto, escuchar la propia intuición.

Cometa: una señal de la victoria absoluta; interferencia Divina.

Corazón: amor, el centro de la expresión espiritual iluminada de la unidad.

Corona: signo del éxito asegurado y de la autoridad.

Cristal: presta atención a todas las facetas de una situación; algo será amplificado; Espíritu.

Cuarzo: acontecimientos que serán amplificados; conexión clara con el Espíritu.

Cuchillo: palabras hirientes; necesidad de ser plenamente consciente del engaño y la traición.

Cuerda floja: advertencia para pisar con cautela; se requiere mucha destreza y equilibrio para continuar por el camino que vas.

Cuerda: salida, limitaciones, la ayuda viene en camino.

Cuerno: plenitud y abundancia; advertencia para protegerse a una misma de las influencias interiores destructivas o exteriores.

Cueva: soledad y necesidad de descansar y meditar; cosas que están ocultas y que todavía no están listas para ser reveladas.

D

Desierto: períodos de vacío, de no acción, de no ver el final del camino; se requiere paciencia.

Desnudez: estar expuesto; integridad; autenticidad; una forma de ser sin artificio.

Despacho: señal de orden, organización y trabajo profesional.

Dientes: atributos ancestrales; problemas relacionados con circunstancias heredadas.

Dinero: materialismo, manifestación, riqueza.

E

Edificio: representa la arquitectura de la vida; lo que estás haciendo ahora, ¿lo construyes sobre cimientos sólidos?

Equipaje: problemas emocionales del pasado no resueltos; llevar la carga de otros; signo de la necesidad de soltar el equipaje que te impide seguir hacia delante.

Escalera: salir de una dificultad hacia una situación más positiva; buscar metas más altas; promoción.

Esmeralda: amor y compasión, asuntos del corazón.

Espada: defensa; la necesidad de defenderse uno mismo; el poder de herir; intelecto penetrante; el poder para defenderse de la negatividad.

Espejo: toda la vida es un reflejo.

Espina: el placer y el dolor del amor; la protección mutua frente a la afrenta.

Espita: control de las emociones; prestar atención a las filtraciones de información; cotilleo.

Estanque: emociones serenas, curación emocional.

Estatua: falta de vitalidad; cierto parecido, pero no la auténtica esencia; imagen.

Excremento: necesidad de soltar algo; alguien miente; desintoxicar la vida en general.

F

Faro: iluminación de tu camino, aparición de ideas sobre cómo alcanzar un objetivo.

Felpudo: permitir que alguien te trate desconsideradamente.

Flecha: ir al grano; consecución de los objetivos; el camino es el correcto y está despejado; viaje por aire.

Flores: felicidad, celebración, conexión con el dominio de las hadas.

Fuego: creatividad, optimismo, energía sexual, ira, una personalidad fiera y temperamental.

Fuente: un manantial de felicidad, abundancia, júbilo, cualidades jóvenes, gran energía espiritual, pureza emocional, risas.

G

Gafas: presta atención al detalle.

Globo: estallar o marcharse lejos flotando representa la impotencia y las ilusiones rotas; flotar en el cielo es un puro júbilo y felicidad.

Guante: diplomacia, etiqueta, límites sociales, una lucha inminente (si se trata de un guante de boxeo).

Guerra: tumulto, conflicto, discusiones que deben evitarse; posible violencia.

Guitarra: creatividad, música, seducción, la tradición de los bardos de contar historias y crear mitos; la música que resuena en tu vida.

H

Hacha: capacidad interior para atajar y penetrar en el engaño y llegar hasta la verdad; potencial o miedo a la pérdida; pérdida forzosa que te lleva a algo mejor; despejar el camino para la nueva maduración; deshacerse de las viejas ideas, personas, lugares y cosas que ya no sirven para el bien mayor; potencial de divorcio.

Hielo: emociones congeladas (elemento del agua) o algo helado en tu pasado; inestabilidad y advertencia de que la dirección que estás tomando es peligrosa (como una «fina capa de hielo»).

Hilo: elemento de unión por medio de los conceptos o las experiencias.

Hogar: consciencia, la mente interior, lugar seguro.

Huevo: nacimiento, potencial puro, prosperidad.

I

Iceberg: ver solo una pequeña porción de lo que está ocurriendo; profundizar para descubrir la auténtica verdad y sustancia.

Iglesia (o templos, mezquitas y edificios de culto semejantes): honrar al Espíritu, rezar, meditar, oraciones que han sido escuchadas, el Espíritu que reside en el interior de todas las cosas del mundo material.

Indicador de luz: comprueba tu dirección.

Índigo: es el color de la espiritualidad trascendente; elevar tu vibración y meditar; contemplar al Espíritu.

Indio (nativo americano): el Espíritu en la naturaleza; lograr el equilibrio mediante el aprendizaje de las antiguas costumbres de las gentes indígenas.

Inodoro: descargas innecesarias y situaciones superfluas; la necesidad de soltar algo.

Instrumento musical: armonía, dar pasos para restaurar la armonía.

Interior (de un lugar): el mundo interior de la mente; prestar atención a tus pensamientos y a cómo están situados.

Inundación: sentirse abrumado emocionalmente; una situación que está fuera de control.

J

Jardín: posible premio en el mundo material; manifestación fructífera hacia la que hay que tender; acuérdate de limpiar de malas hierbas tu «jardín de la negatividad».

Joya: tesoro, cosas de valor, riqueza material y espiritual.

Juguetes: hora de jugar un poco más, jugar sin ton ni son; falta de sinceridad.

L

Ladrón: ser robado; «robarle» a alguien; señal que sirve de recordatorio para que prestes atención a la forma en que pasas el tiempo; advertencia para que tus actos se muestren impecables.

Lago: sueños, emociones, consciencia, reflejo de los estados emocionales, habilidad para ver el futuro.

Lápida: mirar al pasado; el final de un ciclo; la advertencia de que una determinada circunstancia, proyecto o relación, está llegando a su fin; muerte de los afectos; fallecer.

Libro: tiempo de estudio, lecciones vitales.

Llave: abrir la puerta a una nueva percepción; señalar la acción correcta.

Lluvia: desilusión; tristeza; retrasos inesperados; nueva maduración tras los días de lluvia; necesidad de resolver una pena reprimida.

Luna: intuición psíquica, sueños proféticos, energía de la diosa.

M

Mago: espejismo; engaño; embaucador; necesidad de una magia más real en tu vida; percepción espiritual.

Manos: protección, autoridad, donación, oraciones respondidas, la protección física exterior del mundo interior.

Manzana: fruta sagrada de Ávalon; totalidad de la sabiduría; totalidad en general; representa los deseos terrenales.

Martillo: poder místico de manifestación, poder para construir o destruir una situación.

Mazmorra: castigo; sentirse atrapado; advertencia contra una relación que puede resultar demasiado controladora; ser secuestrado.

Mesa: discurso claro, «poniendo las cartas sobre la mesa».

Montaña: oración, viaje al yo más alto; gran obstáculo que superar; éxito seguro tras un largo y duro trabajo.

Montura: ser sostenido con firmeza conforme navegas por la vida; hora de ponerse en marcha; sentir la sobrecarga del peso de otros o de un exceso de proyectos u obligaciones.

N

Naranja: intimidad, relaciones, sexualidad, creatividad, procreación.

Neumáticos: pequeños cambios continuos, posiblemente un viaje por carretera en el futuro.

Niebla: incapacidad para ver con claridad; necesidad temporal de descansar (presta mucha atención a lo que veas después de la niebla).

Nudo: matrimonio, compañerismo, enredo nada saludable, deshacerse de una situación.

Nuez: es un recordatorio para guardar y ahorrar, garantía de seguridad.

Números: véase el capítulo 13.

O

Obelisco: iluminación, los rayos del sol brillando en la manifestación material del mundo.

Objetivo: apartarse del daño que es producto de la ira de los demás, llegando a tiempo a nuestra meta.

Océano: consciencia colectiva, emociones, pensamiento contemplativo profundo, potencial y posibilidades infinitas.

Oído: necesidad de escuchar más, de prestar atención a lo que oyes.

Ola: navega sobre la ola y sigue la corriente.

Orgía: caos, glotonería.

Oro: dinero, evidencia tangible de la manifestación de tus sueños; bondad espiritual.

Orquesta: simboliza un trabajo en equipo muy cohesivo, una corporación multinacional.

Ostra: valor oculto.

Ovni: algo extraterrestre y desconocido; la sensación de que alguien se está entrometiendo; fascinación por lo desconocido; experiencias nuevas e inexploradas.

P

Pala: excavar profundamente hasta llegar a la verdad, abordando la psique (posiblemente a través de una terapia).

Paraguas: protegerse uno mismo de la sensiblería; existe un refugio; imagen del padre; tiempo de luto; un funeral.

Pasos: serie de actos, unos ya realizados y otros por llevar a cabo.

Pastillas: curación.

Payaso: estar contento, disfrutar de la vida, divertirse más.

Pedestal: aviso para no elevar lo material por encima de lo espiritual.

Peinar (el pelo): desechar las dificultades; es hora de limar asperezas; pasar a la acción para aliviar los problemas no resueltos; ha llegado el momento de limpiar la casa.

Pelo: adorno natural, atención a la imagen propia, libertad de expresión (en la imagen del pelo sacudiéndose al viento).

Pelota: se trata de un juego, y la pelota está en tu campo.

Péndulo: opciones rechazadas, significados ocultos.

Peña: algo demasiado grande como para moverlo tú solo con tu propio esfuerzo (necesitas de un equipo); un bloqueo en los planes o en el propio yo interior; dale vueltas al asunto y no intentes atacar de frente.

Perla: talentos naturales ocultos, recientemente revelados; un don; sentimientos placenteros.

Piano: música, autoexpresión, armonía entre los opuestos.

Pluma de ave para escribir: consecuencias complicadas de una acción estúpida; necesidad de evitar el comportamiento impulsivo.

Pluma o lápiz: es hora de llevar un diario o de escribir; legado; firmar documentos legales.

Pluma: dominio angelical; conector entre el mundo del Espíritu inmortal y el mundo mortal; el Espíritu te protege.

Policía: autoridad, necesidad de controlar algo, resolver la culpa.

Prisión: restricciones, hallarse en una prisión construida por una misma.

Profesor: la energía de las lecciones de la vida.

Puente: deseo de cambio; es un símbolo de la transición a salvo.

Puerta: pasar de una experiencia o estado a otro; la señal que marca el paso de lo material a lo espiritual.

Pulgar: la dirección del pulgar (hacia arriba o hacia abajo) indica el éxito o el fracaso; aprobación o desaprobación interior de uno mismo; medida de la valía y de la autoestima personal.

Púrpura: fenómeno psíquico; el tercer ojo; clarividencia; sueños proféticos; profecía; realeza.

R

Radar: consciencia; hipervigilancia; clarividencia de los sentidos o sensibilidad clarividente; leer entre líneas.

Radio: clarividencia del oído; intuición; recordatorio para que prestes atención a lo que oigas decir a los demás; cledonismancia; oráculo espontáneo.

Rayo: revolución, rebelión por una causa justa, grandes ideas.

Rayos-X: capacidad para ver a través de las cosas; recordatorio para que observes las cosas atentamente y leas entre líneas; advertencia para no mostrarse excesivamente transparente.

Red: conexiones personales y sincronicidades; ser pillado infraganti; escritura creativa; música; costura; artesanía.

Reina: autoridad femenina; amistad entre mujeres; la energía de una diosa; resultados positivos tras seguir la intuición.

Relámpago: grandes ideas; cambio inesperado; pérdida repentina que te conduce a cosas mejores; ser impotente ante los demás.

Reloj de pared: el tiempo pasa; presta atención al tiempo; momento favorable; el tiempo está fuera de la esencia.

Reloj de pulsera o bolsillo: medida del tiempo; todas las cosas ocurren siguiendo el horario universal preestablecido (que no tiene por qué ser precisamente el tuyo).

Rey: autoridad, gobierno, recaudador de impuestos, marido.

Rifle: autoprotección, sexualidad masculina, agresión.

Río: la continuación de la vida, siempre cambiante, siempre en movimiento.

Roca: algo sólido, antiguo y tradicional, mirando hacia el pasado en busca de conocimiento.

Rojo: problemas familiares, dinero, bienes inmuebles, seguridad, herencia, salud física.

Rosa: amor incondicional.

Rostro feliz: júbilo, contento, necesidad de estar feliz y de centrarse en lo bueno en lugar de lo negativo.

Rueda: constancia en el cambio; eternidad; movimiento y viaje; cambiar los ciclos de la mortalidad en equilibrio con la inmortalidad constante.

S

Sal: auténtica integridad, autenticidad, preservación, purificación.

Señal de ceda el paso: ve más despacio, es el momento de comprometerse.

Señal de peligro: debes ser precavido.

Señal de *stop*: advertencia para no proseguir en la actual dirección.

Sepultura: transformación por medio del fin, alguien fallece.

Serrucho: llegar al corazón mismo de algo; conceptos que se apoyarán en otros; ideas innovadoras.

Silla: tiempo de descanso; momento para sentarse a trabajar; sentarse a meditar.

Sirena: rescate emocional; encontrar la magia acudiendo al océano.

Sol: todas tus necesidades serán atendidas; iluminación espiritual; felicidad; júbilo.

Sombra: los aspectos más oscuros de la psique; heridas emocionales sin resolver, que se muestran en el comportamiento.

T

Tambor: el ritmo natural de la vida; problemas relativos al corazón; un vehículo chamánico para viajar al mundo espiritual.

Tapiz: los patrones de la vida; presta una especial atención a las historias que tú mismo te cuentas.

Tatuaje: trazar tu propia marca.

Taza: vasija del Espíritu; la forma en la que percibes las cosas en este momento; emociones; un matrimonio.

Té: refinamiento delicado, las cualidades de la elegancia; estimular el debate.

Telaraña: tener demasiadas ideas al mismo tiempo; centrarse en exceso en el pasado; momento de evitar la intriga; mente confusa.

Teléfono: es hora de ponerse en contacto con los demás; invitación a formar parte de una comunidad.

Telegrama: mensajes importantes (que posiblemente alteren tu vida).

Templo: lugar sagrado.

Tesoro: regalos de valor; la evidencia tangible de que los sueños se van a hacer realidad; dinero caído del cielo; el valor de la experiencia y el conocimiento; educación.

Tienda de campaña: lugar temporal, transiciones que conllevan una inestabilidad temporal.

Tierra: el mundo material, Gaia, estabilidad, ideas bien fundadas.

Tijeras: apartar las cosas superfluas de la vida; proyectos creativos como por ejemplo de costura.

Tío o tía: personas amistosas, dispuestas a ayudar.

Tormenta: conflictos entre amigos; conflicto interior que está provocando ansiedad.

Tren: avanzar en la dirección correcta, viajar en tren.

Tridente: la herramienta de tres puntas del dios Poseidón/Neptuno, penetrando las emociones; el poder de la trinidad mente/cuerpo/espíritu, penetrando el engaño.

Trompeta: noticias importantes inminentes; la importancia de ser escuchado.

Troncos: cobijo, construcción con los talentos y destrezas naturales, autenticidad, propósito.

Trono: asiento de la autoridad, requerimiento para ser justo e imparcial.

Túnel: pasaje hacia la oscuridad temporal; situación que requiere de fe y confianza en un propósito más alto.

Túnica: la máscara de la profesión; representar un papel.

U

Uñas: ansiedad, trabajo duro, dar los toques finales a algo para hacerlo seguro.

Urna: ser abarcado, estar contenido y protegido; la unidad, prosperidad y abundancia de uno mismo; protección de lo Divino femenino.

Utensilios: prestar atención a cómo funcionan las cosas; adivinar los pasos necesarios con el fin de terminar algo o de ver qué cosas deben ir juntas.

V

Valle: contemplación en paz; descanso y fortalecimiento; hora de disfrutar de la vida; el lugar y el momento correctos para reflexionar sobre nuestras intenciones antes de manifestarlas.

Vampiro: personalidad depredadora; usura; deshacerse de cualquier persona o situación que te extenúe.

Vasija: aceptación; contención de las emociones; elegancia.

Vehículo: su significado depende del tamaño, tipo y velocidad; un vehículo puede ser expresión del cuerpo físico, de la actitud, o de la experiencia actual de la vida (por ejemplo, un viaje lleno de baches en un gran camión puede significar cosas como una dificultad temporal, que te hace sentirte como un elefante en una tienda de porcelana. No obstante se trata de algo pasajero).

Vela: iluminación, inspiración creativa, resultados optimistas, la luz de lo Divino.

Vendajes: momento de curación, de cuidar las heridas.

Ventana: es una señal de una nueva perspectiva; capacidad para observar la dirección de un cambio de un estado de consciencia o concepto a otro; ideas nuevas.

Verde: amor, curación, maduración personal, luz.

Vías férreas: trazar estrategias, establecer objetivos y hacer planes.

Vid: presta una atención pormenorizada a tu intuición, a las fechas límite, o a las decisiones que estás a punto de tomar; el fluir insistente del impulso creativo.

Vino: la buena vida; abundancia; beber de lo sagrado; comunión con la consciencia de Cristo; borrachera.

Violín: consciencia de víctima, seducción o serenata, tristeza.

Volcán: personalidad volátil, circunstancias perturbadoras; noticas terribles.

Vómito: negativa a aceptar las circunstancias; glotonería.

Vulva: sexualidad femenina; procreación; receptividad; embarazo.

Z

Zapatos: hora de pasar a la acción.

Zodíaco: aspectos de la evolución de la psique; reencarnación; información de vidas pasadas; temas y experiencias arquetípicas durante el transcurso de una vida humana; el ciclo de nacimiento, muerte y renacimiento.

Zona: área concreta de investigación o especialización; parte específica de algo.

Símbolos sagrados

Cáliz: calidad sagrada; santidad; abundancia espiritual y júbilo.

Ch'ai o chai: energía de la fuerza vital.

Círculo: unidad infinita.

Cruz celta: iluminación.

Cruz cristiana: redención por medio del sacrificio; la muerte necesaria del ego.

Cruz egipcia: sabiduría espiritual, longevidad.

Cruz roja: altruismo, ayuda.

Cuadrado: tierra.

Espiral: camino hacia la plenitud; cambio continuo; evolución del universo.

Estrella: guía desde arriba; ideas e inspiración reveladas; esperanza.

Flecha: dirección clara.

Hexágono: mente Divina, estrella sanadora; equilibrio absoluto.

Om: sonido de la vida eterna; los cuatro estadios de la consciencia; despertar; dormir; soñar; trascendencia.

Pentagrama: fuerzas de la tierra.

Símbolo del infinito: perfección infinita.

Triángulo: trinidad, estabilidad.

RASGOS HUMANOS, EXPRESIONES Y GESTOS

Estos elementos se explican por sí mismos, y siempre puedes adivinar e imaginar un significado más profundo dentro del contexto de otras señales y símbolos.

- **Ojo(s)**: abrir, cerrar.
- **Nariz.**
- **Boca**: mueca, sonrisa, abierta.
- **Labios**: fruncidos, puchero o mohín, apretados, arrugados.
- **Oreja(s).**
- **Manos**: en oración, extendidas, entrelazadas, despidiéndose, saludando, cerradas en puños.
- **Pechos.**
- **Genitales.**
- **Expresiones faciales**: felicidad, tristeza, susto, aburrimiento, éxtasis.
- **Bebé, madre, grupo familiar, figuras religiosas.**

⁓≈ఠౢ≈⁓

Ahora ya cuentas con una breve guía introductoria de los portadores de las señales sagradas que pueden cruzarse en tu camino para iniciar un diálogo con el Espíritu. Aunque hay más de cuatrocientos aquí, todavía quedan cientos más. Las culturas indígenas y antiguas son ricas en tradiciones que honran al Espíritu presente en todas las cosas. Si quieres aprender más acerca de esto y explorar más extensamente el tema de la vivencia de los símbolos sagrados en el mundo natural, por favor, acude a la bibliografía.

Revisa estas listas y trata de aprenderte los símbolos. Quizá tengas experiencias personales que le añadan otros significados. Invita a cada símbolo a revelarte más de sí mismo; puede que recibas un rayo de inspiración. Y acuérdate siempre de llevar un registro de tus experiencias.

No es posible forzar este proceso, que siempre se revela a sí mismo con lentitud y se desenvuelve invariablemente conforme tú se lo permites. Basta con que vayas más despacio, respires hondo, y te muestres abierto a recibir una experiencia más alta de la consciencia del mundo. Siempre podemos acceder a la sabiduría del Espíritu, pero no obstante este proceso, la interpretación y la comprensión del diálogo, llevan su tiempo. Las revelaciones místicas se producen por sí solas e independientemente de nuestra voluntad, a medida que nosotros vamos profundizando en el diálogo y dejando atrás prejuicios, limitaciones y conceptos antiguos. Pero si tienes paciencia, la magia de la vida siempre se te revelará.

Epílogo

$\mathcal{M}$I INTENCIÓN AL ESCRIBIR este libro es alentar al lector a experimentar una nueva forma de ver el mundo para adoptarla como perspectiva propia y ser uno con el Espíritu. Jamás habría incluido ninguna de las historias, ejercicios e ideas expresadas aquí, de no estar profundamente comprometida a honrar todas esas tradiciones antiguamente veneradas y hoy perdidas de conversar con el mundo del Espíritu en busca de la guía. El mundo de los oráculos, presagios y señales es universal, sagrado y accesible para cualquiera que desee una experiencia de la vida más significativa y profunda, porque los mensajes del Espíritu van dirigidos hacia todos nosotros. Yo te invito a visitar mi página web, www.colettebaronreid.com, para que investigues un poco más.

Recuerda siempre quién eres: primero el Espíritu, después tú. Eres más de lo que crees, y el mundo que ves no es sino una diminuta porción de una inteligencia infinita que está en todo y en todas partes.

Acuérdate también de que cuando observas el mundo, el Espíritu te mira siempre a ti. Y si necesitas hacerte oír, el Espíritu te escuchará. Así que permitamos que haya luz y veamos así el mundo en su auténtica unidad. El Espíritu tiene muchos mensajes para ti. Acércate, escucha, aprende y sé consciente de que… te ama.

Agradecimientos

NATURALMENTE HAY TANTAS personas a las que quiero agradecerles su ayuda, que no queda espacio suficiente en este libro. Muchas gracias sincera y profundamente a mi maravilloso marido Marc, que toleró mis muchos e impredecibles cambios de humor a lo largo de todo el proceso de nacimiento de este bebé. Te quiero más que al helado, el chocolate, o ir de compras. Eres todo mi mundo: tú y nuestros bebés peludos.

A mi maravillosa ayudante, Michelle, por mantener el fuerte y ser tan amable con los cientos de personas que trataron de concertar una cita conmigo mientras yo me zambullía en la escritura. Te adoro.

Muchísimas gracias desde el fondo de mi corazón a la señora Kelly. Sé que me observas desde el Espíritu, y que estás disfrutando de cada minuto.

Gracias a mi héroe Reid Tracy y a la maravillosa Louise Hay: habéis revolucionado mi mundo.

A mi amiga del alma Nancy Levin: has hecho de este viaje el sueño de una poetisa. A Sylvia Browne: ojalá que siempre te rodees de flores y de belleza. Gracias también al doctor Wayne Dyer, cuyo apoyo ha significado tanto para mí. Y a Mama Maya: ¡te quiero!

A mi fabulosa editora Angela Hynes, a la que estaré eternamente agradecida por su inteligente y elegante ayuda a la hora de confeccionar un libro a partir de una montaña de escritos diversos, además de tolerar mi neurosis al respecto con tanta consideración. ¡El año que viene me lo pido yo! Y al fantástico y profesional equipo editorial y de diseño de Hay House, pues ha sido un privilegio trabajar con vosotros: Jessica Kelley, Lisa Mitchell, Amy Rose Grigoriou y Tricia Breidenthal.

A la encantadora Jill Kramer: invoco a la diosa para tener una visión de las estrellas de mar y del océano.

Como siempre, un millón de gracias para Denise Linn por su firme y generosa amistad, y por sus palabras constantes de sabiduría.

Gracias a Justine Picardie por su maravilloso y constante apoyo; te adoro.

A mi visionario favorito, Gregg Braden, muchas gracias por tu generosidad y por todas esas horas al teléfono, explicándome el significado del universo. Creo que tendré que leerme tu próximo libro.

Gracias a Timothy Freke y a Peter Gandy por sus increíbles conocimientos sobre el gnosticismo.

Gracias en especial a los doctores Darren Weissman, Alvin Pettle, Noel Solish y Nitin Dilawri.

Muchas gracias también a John Holland por su amistad y su sabiduría.

A Robert Ohotto por su magnífica y brillante conversación.

Gracias a Donna Abate y a Gracie Girl. Vuestra Colette os quiere: mua, mua, mua.

Muchas, muchísimas gracias a mi querida amiga Diane Ray, a la encantadora página web Flowdreamer de Summer McStravick, a Sonny Salinas, Joe, Kyle, Emily y a cualquiera de Hay House Radio de quien me haya olvidado.

Y muchas gracias en especial a mis adorados hijitos, a todos por igual: Mollie, Matty, Christa y Adrian. Mi agradecimiento también para Mike Fishell, mi guardaespaldas favorito, y para todo el equipo de Hay House en el Reino Unido: Michelle, Jo, Nicola y Louise; también para Leon Nacson y la gente de Hay House en Australia.

Gracias muy en especial a todas las personas que me permitieron incluir sus maravillosas historias en este libro. Vuestra generosidad a la hora de compartir estos hechos conmoverá a muchos lectores, y yo os estaré eternamente agradecida. Quiero mencionar también en especial a todas aquellas otras personas cuyas historias finalmente no aparecen en este libro por falta de espacio. Vuestra generosa contribución aparecerá en mi página web, donde os reiteraré las gracias.

Muchas gracias a: Adriene Dillon, Althea Grey, Bessie, Beth Richards-Mastin, Brenda Lacasse, Catherine Hahn, Christine Agro, Dale McCarthy, Deborah Samuel, Deb Vitris, Dee Carroll, Deenah Mollin, Dovile Mark, Gail Ingson, Gord Ridell, Heather Dietrich, Janelle Woods, Jelena Nonveiller, Jennifer Evans, Joanne Morgan, Jodi Menke, Jili Gumbiner, Katarina Alexander, Kathy Ryndak, Kellie Monaghan, Kim White, Kimberly Hardie, Lenka Slivova, Linda Horn, Lori McDaniel, Lucy Cavendish, Madge Barnes, Marcy, Mary Aver, Mei Wei Wong, Michelle Hughes, Michelle Finley, Nathan Harley, Nora Kidd, Renne Anzures, Richard Hastings, Sandy Powell, Sophie Craighead, Tammy Kennedy, Tania Gabrielle, Tekeyla Friday, Terry Bowen y Wachan Bajiyoperak.

A todos mis amigos (vosotros ya sabéis quiénes sois): os envío mis más profundas gracias por comprender que necesitaba desaparecer para escribir. Gracias a todos por estar ahí una vez terminé. Os quiero a todos.

Y por supuesto mi más profunda gratitud al Espíritu y al Dios que hay detrás de todos los dioses y diosas, que hace todo esto real.

Bendito seas.

Bibliografía

Andrews, Ted: *Animal chamán: la sabiduría y los poderes mágicos y espirituales del mundo animal*, Arkano Books, 2014. [Traducción de: *Animal-Speak: The Spiritual & Magical Powers of Creatures Great & Small*, Llewllyn Publications, 1993].

——*Nature-Speak: Signs, Omens & Messages in Nature*, Dragonhawk Publishing, 2004.

Armstrong, Karen: *Una historia de Dios: 4000 años de búsqueda en el judaísmo, el cristianismo y el Islam*, Ediciones Paidós Ibérica, 1995.

Bluestone, Sarvananda: *Cómo interpretar signos y presagios en la vida cotidiana: incluye más de 75 técnicas de adivinación de todas las partes del mundo*, Ediciones Obelisco S. L., 2004.

Braden, Gregg: *The Isaiah Effect: Decoding the Lost Science of Prayer and Prophecy*, Three Rivers Press, 2000.

——*The God Code: The Secret of Our Past, the Promise of Our Future*, Hay House, 2004.

Chernak McElroy, Susan: *Los animales: maestros y sanadores: historias reales e inspiradoras que nos enseñan a ser más humanos*, RBA Libros, 1998. [Traducción de: *Animals as Guides for the Soul*, The Ballantine Publishing Group, 1998].

Cirlot, J. E.: *Diccionario de símbolos*, Editorial Siruela, 2004.

Cunningham, Scott: *Divination for Beginners: Reading the Past, Present & Future*, Llewellyn Publications, 2003.

Drury, Nevill: *Sacred Encounters: Shamanism and Magical Journeys of the Spirit*, Watkins Publishing, 2003.

Farmer, Steven D.: *Animal Spirit Guides: An Easy-to-Use Handbook for Identifying Your Power Animals and Animal Spirit Helpers*, Hay House, 2006.

Fiery, Ann: *The Book of Divination*, Chronicle Books, 1999.

Harner, Michael: *La senda del chamán*, Editorial Swan, 1986.

Joseph, Peter (productor): *Zeitgeist, la película*, www.zeitgeistmovie.com.

Judith, Anodea: *Cuerpo de Oriente, mente de Occidente: psicología y sistema de chakras como vía de autoconocimiento y equilibrio personal*, Arkano Books, 2015.

Lawrence, Shirley: *Exploring Numerology: Life by the Numbers*, The Career Press, Inc., 2003.

Linn, Denise: *Interpreta las señales*, Debolsillo, 2001. [Traducción de: *The Secret Language of Signs: How to Interpret the Coincidences and Symbols in Your Life*, Balantine Books, 1996.

Lyle, Jane: *El tarot del renacimiento*, Editorial Sirio, 2000. [Traducción de: *Tarot*, The Hamlyn Publishing Group Ltd., 1990].

Martin, Ted: *Psychic and Paranormal Phenomena in The Bible: The True Story*, Psychicspace Company, 1997.

Pollack, Rachel: *Tarot, arcanos menores y lecturas: los setenta y ocho grados de sabiduría*, Urano, 2012; tomado de la edición holandesa de: *Seventy-Eight Degrees of Wisdom: Part I, The Major Arcana*, Uitgeverij W. N. Scors, Amsterdam, 1980.

Sams, Jamie, y Carson, David: *Las cartas de la medicina*, Editorial Sirio, 2014. [Traducción de: *Medicine Cards: The Discovery of Power Through the Ways of Animals*, St. Martin's Press, 1999].

Schwartz, Gary E. y Simon, William L.: *The G.O.D. Experiments: How Science is Discovering God in Everything, Including Us*, Atria Books, 2006.

Skafte, Dianne: *Listening to the Oracle: The Ancient Art of Finding Guiadance in the Signs and Symbols All Around Us*, Harper, San Francisco, 1997.

Smith, Penelope: *Cómo hablar con los animales*, Ediciones Robinbook, S. L., 2000. [Traducción de: *Animal Talk: Interspecies Telepathic Communication*, Beyond Words Publishing, Inc., 1999].

Temple, Robert: *Oracles of the Dead: Ancient Techniques for Predicting the Future*, Destiny Books, 2005; publicado originalmente con el título: *Netherworld: Discovering the Oracle of the Dead and Ancient Techniques of Foretelling the Future*, Century, 2002.

Upczak, Patricia Rose: *Synchronicity, Signs & Symbols*, Synchronicity Publishing, 2001.

Wood, Michael: *The Road to Delphi: The Life and Afterlife of Oracles*, Farrar, Straus and Giroux, 2003.

Sobre la autora

COLETTE BARON-REID, la autora de *Remembering the Future*, es una famosa consejera y profesora espiritual muy intuitiva y una inspiradora oradora, además de toda una personalidad en el mundo de la radio. Es también una gran artista musical; ha grabado con el sello EMI (destacamos en especial el CD de meditación, líder de ventas, *Journey Through the Chakras*), y ha compartido el escenario con autores como Sylvia Browne, John Holland, Caroline Myss y muchos otros. Actualmente vive en Sedona (Arizona) y en Toronto (Canadá) con su marido y sus dos peludos «hijos».

Visítala en: www.colettebaronreid.com

De la misma autora

ORÁCULO DE LA SABIDURÍA

Para tomar decisiones en la vida.
Libro y 52 cartas adivinatorias

COLETTE BARON-REID

La autora ha combinado diferentes elementos del tarot tradicional y otras herramientas de adivinación ancestrales para crear este sistema de comunicación sagrado. Cada carta actúa como intermediario entre tú y el Espíritu para desvelar lo que necesitas saber y guiarte en un emocionante y esclarecedor diálogo con tu sabiduría oculta.

EL MAPA ENCANTADO

54 cartas-oráculo y libro guía

COLETTE BARON-REID

El mapa encantado ha sido creado para ayudarte a comprender el sentido de tu vida, la historia de tu destino y el poder de tu libre albedrío. La visión global del viaje de tu vida te ayudará a trazar el rumbo que te lleve a disfrutar de una vida fecunda, próspera, plena de sentido y verdadero amor.

Arkano Books

EL ORÁCULO DE LA LUNA
Guía tu vida según los ciclos lunares
MICHAEL A. SINGER

El oráculo de la luna es un método de adivinación muy original y fácil de usar, y también una amena introducción a la astrología lunar con la que podrás comprender los ritmos de la Luna, adaptar tu vida a sus fluctuantes cambios y hacer profundas lecturas adivinatorias. La baraja contiene un total de 72 cartas bellamente ilustradas.

CRISTALES Y ÁNGELES
Libro guía y 44 cartas oráculo
DOREEN VIRTUE

Con *Cristales y Ángeles*, Doreen Virtue nos acerca la energía amorosa y los mensajes positivos de 44 tipos de cristales. Las cartas muestran ilustraciones de inspiración celestial del artista Marius Michael-George, y el libro guía enseña a realizar lecturas precisas, además de ofrecer significados adicionales de cada carta que permiten descubrir revelaciones y contemplaciones más profundas.

TAROT DE LOS ANIMALES
Libro y 78 cartas
DOREEN VIRTUE & RADLEIGH VALENTINE

Este *Tarot de los animales* ofrece mensajes universales positivos, amorosos y respetuosos con el camino espiritual que cada lector emprende hacia la plenitud